FRANKENSTEIN
OU
LE PROMÉTHÉE MODERNE

MARY W. SHELLEY

FRANKENSTEIN
OU
LE PROMÉTHÉE
MODERNE

Did I request thee, Maker, from my clay
To mould me man ? Did I solicit thee
From darkness to promote me ? —
Paradise Lost

Traduction
de Germain d'HANGEST

Chronologie, introduction, notes
archives de l'œuvre et légende
par
Francis LACASSIN

GF Flammarion

CHRONOLOGIE

1756 : Naissance à Wesbech, Angleterre, du futur père de l'auteur, William Godwin, dans une famille, très calviniste, de treize enfants. Il essaiera lui-même d'être pasteur puis de créer une école. Installé à Londres, il mettra sa plume facile au service de sujets commerciaux : romans écrits en dix jours (*Damon and Delia*) ou en trois semaines (*Italian Letters*). Il trouvera plus tard sa voie comme libre penseur et réformateur social : *Enquête sur la Justice politique* (1793), *Histoire de la République* (1824-1828). *Caleb Williams* (1794) est considéré comme un des ancêtres du roman policier.

1759 : Naissance de Mary Wollstonecraft dans une famille ruinée par l'incapacité du père, un tisserand alcoolique. Elle s'en éloigne dès l'adolescence et se rend indépendante en travaillant comme dame de compagnie, préceptrice, institutrice, et enfin gouvernante dans une famille irlandaise. Elle la quitte pour tenter sa chance à Londres ; elle écrit des histoires pour enfants, se livre à des traductions et autres travaux littéraires pour l'éditeur Joseph Johnson. Elle publiera un *Essai sur l'éducation des filles* (1785), un roman *Mary* (1788), *Défense des Droits de l'Homme* (1790). Et *Défense des Droits de la Femme* (1792) qui fait d'elle un précurseur du féminisme.

1792 : Naissance de Percy Bysshe Shelley, futur mari de l'auteur.

1793 : Enthousiaste de la Révolution française, et vou-

lant lui consacrer un livre, Mary Wollstonecraft se
rend à Paris. Liaison avec un aventurier américain,
Gilbert Imlay.

1794 (mai) : Au Havre, où elle s'est installée avec
Imlay, elle donne naissance à une fille, Fanny, qui
sera la demi-sœur aînée de l'auteur.

1795 : Abandonnée par Imlay, première tentative de
suicide au laudanum. Elle escorte Imlay et sa rivale
en Suède. De retour à Londres, elle se jette dans la
Tamise, du haut de Putney Bridge ; on la repêche
vivante.

1796 : Retrouvailles avec William Godwin, qu'elle
avait déjà rencontré en 1791. Ils décident de vivre en
union libre.

1797 : La grossesse de Mary les pousse à se marier en
mars, pour éviter les tracas d'une naissance illégi-
time à leur enfant. Ce sera le 30 août, Mary, le futur
auteur de *Frankenstein*, née à Somers Town, Londres. La mère meurt des suites de ses couches, onze
jours plus tard. Publication, la même année, par les
soins de Godwin, des *Œuvres posthumes de l'auteur de
Défense des Droits de la Femme*.

1801 (21 décembre) : Second mariage de Godwin avec
Mary Jane Clairmont, une voisine secourable, veuve
et mère de deux enfants : Charles et Claire. Celle-ci
deviendra la maîtresse de Byron puis de Shelley. Elle
accompagnera tout au long de sa vie Mary, qui la
détestera, sans jamais rompre avec elle.

1807 : La famille Godwin s'installe à Skinner Street.

1812 (juin) : Mary séjourne au sein de la famille Baxter,
à Dundee, en Écosse. A Skinner Street, Godwin
reçoit la visite d'un jeune admirateur, le poète Percy
Bysshe Shelley ; lequel deviendra un de ses familiers.

1814 (5 mai) : Peu de jours après son retour définitif
d'Écosse, Mary rencontre le poète Shelley. Plus ou
moins séparé de son épouse, Harriet Westbrook, il
engage une liaison avec Mary. 28 juillet : A la grande

fureur de William Godwin, partisan de la libération de la femme, Shelley emmène, en Europe, Mary et Claire Clairmont. Août-septembre : Séjour du trio en Suisse et en France. Octobre : Retour en Angleterre où le couple, désargenté, habite des logis de fortune.

1815 (22 février) : Mary accouche prématurément d'une fille, morte deux semaines plus tard. Août : Installation du couple à Windsor, Bishops Gate.

1816 (24 janvier) : Mary donne naissance à un second enfant, William. Les parents décident de faire un voyage en Europe. Sur l'insistance de Claire Clairmont, enceinte du poète Byron, qui réside en Suisse, le trio (Shelley, Claire, Mary) part pour ce pays le 3 mai. 14 mai : Arrivée à l'Hôtel d'Angleterre à Sècheron, près de Genève. Puis ils s'installent : maison Chapuis à Montalègre, à proximité de la villa Diodati où Byron demeure avec son hochet et souffre-douleur, le docteur John-William Polidori. 14 juin : Par une soirée de pluie qui les réunit chez Byron, ils décident d'écrire chacun une histoire de fantômes : début de la genèse de *Frankenstein*. 21-27 juillet : Excursion à Chamonix et à la mer de Glace. 29 juillet-20 août : Rédaction de *Frankenstein*. 21 août : Discussion avec Shelley à propos de *Frankenstein*. 22-25 août : Reprise de la rédaction. 29 août : Départ pour l'Angleterre. 11 octobre : Suicide de Fanny Imlay, demi-sœur aînée de Mary. 29 octobre-13 décembre : rédaction de *Frankenstein*. 10 décembre : Suicide de Harriett Shelley, épouse légitime du poète. 30 décembre : Mariage de Mary Godwin et Percy Shelley.

1817 : 7 janvier : Reprise de la rédaction de *Frankenstein* qui sera achevé le 17 avril. 14 mai : Shelley apporte des corrections au manuscrit et écrit la préface. 22 mai : Le couple part pour Londres afin de solliciter les éditeurs. 26 mai : L'éditeur John Murray paraît intéressé par le sujet. 31 mai : Retour à Marlow. 18 juin : Murray renvoie le manuscrit.

21 août : Lackington accepte de le publier. 2 septembre : Naissance du troisième enfant du couple : Clara. Parution du premier livre de Mary Shelley : *History of a Six Weeks Tour* (récit de voyage).

1818 (11 mars) : Publication de *Frankenstein, or the Modern Prometheus*, sans nom d'auteur, en trois volumes. Le même jour, départ des Shelley et de Claire Clairmont pour un long séjour en Italie (pendant celui-ci elle écrira deux pièces de théâtre, *Proserpine* et *Midas;* un roman : *Mathilda* demeuré inédit jusqu'en 1959 ; un roman historique : *Valperga*). Juin-juillet : Séjour à Bagni di Lucca. Septembre : Départ pour Venise, pour visiter Byron. 22 septembre : Mort de Clara Shelley, le troisième enfant du couple. Novembre : Séjour à Rome. Décembre : installation à Naples pour l'hiver.

1819 (mars) : Retour à Rome, où William Shelley (le deuxième enfant et seul survivant du couple) meurt le 7 juin. Septembre : Installation à Florence. 12 novembre, à Florence : Naissance de Percy Florence, quatrième enfant de Mary et Percy Shelley.

1820 : Séjour à Pise (janvier-mai), à Livourne (juin-juillet) ; aux bains de San Giuliano près de Pise (août-septembre). En octobre, installation à Pise, pour l'hiver.

1821 (avril-septembre) : Retour aux bains de San Giuliano. Octobre : Retour à Pise où les Shelley auront pour voisins Byron et un jeune couple : Edward et Jane Williams. A Paris : publication de *Frankenstein ou le Prométhée moderne*, première traduction dans une langue étrangère.

1822 (9 avril) : Mort, à l'âge de cinq ans, d'Allégra, fille de Byron et Claire Clairmont. Mai : Les Shelley et les Williams s'installent à la Casa Magni, à Lerici, au bord de la mer. 9 juillet : Shelley et Edward Williams s'embarquent pour Livourne, affrontent une tempête, font naufrage. Le corps de Shelley est rejeté au rivage dix jours plus tard. Septembre : Mary et son petit garçon rejoignent Byron et d'autres amis anglais fixés à Gênes.

1823 (février) : A Londres, publication de son second roman : *Valperga* qui a pour cadre l'Italie médiévale. Juillet : Avant de quitter définitivement Gênes, elle offre à une amie, Mrs. Thomas, un exemplaire de *Frankenstein* sur lequel elle a porté de nombreuses retouches de style, parfois différentes de celles qui figurent dans la version de 1831. (Exemplaire aujourd'hui conservé par la Pierpont Morgan Library, New York.) 28 juillet : A Londres, sur la scène du English Opera House, création de la première adaptation théâtrale du roman : *Presumption or the Fate of Frankenstein*. Pour profiter du succès de la pièce, William Godwin a provoqué une seconde édition du roman dont il a redisposé le texte en deux volumes. Août : Séjour de Mary à Paris. Septembre : Retour à Londres où, par nécessité, elle va entamer une carrière d'écrivain professionnel. Elle publiera des contes, nouvelles, poèmes, articles, critiques dans *The Keepsake, The Tale Book, The Liberal, The London Magazine, The Westminster Review*, etc. Elle effectuera aussi des traductions et travaux alimentaires pour les fabricants d'encyclopédies et de biographies.

1824 : Mary publie les *Poèmes posthumes* de Shelley ; mais retire l'édition de la vente à la demande du père du poète. Les amis du disparu tiendront rigueur à sa veuve de cette reculade (opérée sous la menace de voir le père de Shelley supprimer la pension qu'il versait à sa belle-fille et à son petit-fils).

1826 (février) : Publication de *The Last Man*, œuvre d'anticipation et troisième roman de l'auteur.

1828 (avril-mai) : Séjour à Paris.

1830 : Publication de *The Fortunes of Perkin Warbeck*, roman historique.

1832 (septembre) : Le jeune Percy Florence entre au

collège de Harrow. Sa mère s'installe dans cette ville l'année suivante.

1835 : Publication d'un cinquième roman : *Lodore*.

1836 : Mort de William Godwin, père de l'auteur.

1837 : *Falkner*, sixième roman, le dernier paru du vivant de Mary Shelley. Juillet : Le jeune Percy Florence est admis à Trinity College, Cambridge.

1839 (mars) : Mary s'installe à Putney (où elle vivra jusqu'en février 1846). Publication des *Poetical Works* de Percy Bysshe Shelley, en quatre volumes annotés par ses soins.

1840 : Publication des *Essays, Letters from Albroad, Translations and Fragments* par Percy B. Shelley, deux volumes, également annotés par elle. Juin-septembre : Voyage en Europe avec son fils Percy Florence. Octobre-décembre : Séjour à Paris.

1841 (janvier) : le jeune Percy Florence est gradué de Cambridge.

1842 (septembre) : Séjour à Prague. Octobre : Italie.

1843 : Avec Percy Florence et l'écrivain Alexander Knox : séjours en Italie (mars-juillet) ; et à Paris (juillet-août) où elle rencontre, chez Claire Clairmont, un réfugié politique italien, Gatteschi, dont elle s'éprend. Par la suite, il tentera d'exercer sur elle un chantage. Mary récupérera ses lettres «compromettantes» grâce à l'intervention de la police française, le 10 octobre 1845.

1844 : Dernière œuvre éditée de son vivant : *Rambles in Italy and Germany :* deux volumes écrits avec l'aide de Gatteschi pour la partie politique (juillet).

1846 (août-septembre) : Séjour à Baden-Baden, puis installation à Londres : 24 Chester Square.

1848 : Mariage de son fils Percy avec une veuve, Jane Saint-John.

1850 : Printemps : Avec Percy et sa femme, séjour sur la côte d'Azur. Automne : attaque de paralysie.

1851 (1ᵉʳ février) : Au 24, Chester Square, mort de Mary Shelley, âgée de cinquante-quatre ans.

1882 : Édition limitée à douze exemplaires, de *Shelley and Mary*, quatre volumes (au total 1243 pages) publiés par Percy Florence Shelley et sa femme. Lettres, extraits de journaux de Mary et du poète, et autres documents biographiques.

1891 : Publication à Londres de *Tales and Stories by Mary W. Shelley*. Recueille, pour la première fois, les contes et nouvelles publiés de 1822 à 1839 dans des revues et magazines.

1910 : *Frankenstein*, film américain produit par Edison, le premier d'une quarantaine consacrés au monstre.

1931 : *Frankenstein*, film américain de James Whale dans lequel Boris Karloff donne son visage définitif au mythe.

1932 : Aux États-Unis, première adaptation radiophonique du roman (en épisodes).

1933 : Entrée du monstre dans l'univers du dessin animé, grâce à *Mickey's Gala Première*, de Walt Disney.

1939 : Entrée du monstre dans l'univers des bandes dessinées, grâce au récit complet *Son of Frankenstein*, adapté du film Universal de même titre.

1952 : États-Unis, première adaptation télévisée de *Frankenstein*.

1959 : Publication de *Mathilda*, roman inédit de Mary Shelley, écrit pendant le long séjour en Italie (juin 1818-juillet 1823).

1965 (26 septembre) : A la Biennale de Venise, Julian Beck et The Living Theatre, de New York, créent une pièce inspirée par le célèbre mythe.

INTRODUCTION

FRANKENSTEIN

ou

Version horrible du «cœur trop plein dans un monde trop vide»

> *Nous n'éprouvons pas d'horreur parce qu'un sphynx nous oppresse, mais nous rêvons un sphynx pour exprimer l'horreur que nous éprouvons.*
>
> J. L. Borges
> *Ragnarok* (*L'Auteur* et autres textes).

Sans doute lit-on aujourd'hui le roman de Mary Shelley par malentendu.

Pour y retrouver une des images les plus célèbres du Musée Imaginaire de l'Onirologie contemporaine; celle du masque repoussant, pathétique, inoubliable — que le maquilleur Jack Pierce posa en 1931 sur le visage de Boris Karloff — donnant ainsi au mythe sa dimension graphique définitive.

Aussi le spectateur mal recyclé en lecteur éprouvera-t-il quelque impatience, et bientôt de l'irritation, à discerner avec peine et lenteur l'image et son accompagnement sonore que lui avaient suggérés les sortilèges de l'audio-visuel.

Au lieu de la sarabande meurtrière du monstre: l'évocation émue de ses victimes. Au lieu de ses grognements et gesticulations de fureur: les soupirs de son créateur et les apostrophes que celui-ci adresse aux

lacs, aux montagnes et aux bois. Au lieu d'une poursuite wagnérienne, illuminée de torches, bruyante de
rumeurs d'émeute et de tocsin : deux ou trois rencontres, feutrées et sans témoin, entre le monstre et son
créateur chaque fois consacrées à une controverse philosophique.

Au lieu d'un monstre dont la laideur omniprésente
déclenche des réactions apeurées et hurlantes : un être
mystérieux dissimulant son existence et qui se manifeste peu, si ce n'est à travers les témoignages d'autrui.

Alors ce spectateur dérouté — et tout près de se
croire trompé — sera-t-il tenté de considérer avec
Michel Boujut [1], *Frankenstein* comme une œuvre ratée,
et la simple matière première d'un mythe édifié par
d'autres. «En effet, la rédaction du roman est souvent
défaillante, la construction puérile et hâtive, et répétitions et longueurs ne font pas défaut. Quant à la psychologie, elle est parfois sommaire, tout juste comparable à celle des bandes dessinées !...»

Le rôle de la bande dessinée n'est pas de remplacer,
A la recherche du temps perdu, Paul Bourget ou Henry
James ; mais d'accomplir l'extraordinaire en libérant la
toute puissance de l'image. Mieux que la plume la plus
experte et mieux que les plus somptueux films de
carton-pâte hollywoodiens, elle sait donner une reconstitution poétique des mondes extraordinaires : du
fond de l'océan à la planète Mars. Le rôle de la bande
dessinée n'est pas d'enseigner la psychologie mais de
faire rêver. Tout comme le «roman terrifiant», dont
Frankenstein est un épiphénomène.

Les naïvetés ne manquent certes pas dans l'œuvre de
l'adolescente Mary Shelley, à peine âgée de dix-neuf
ans. Comment croire que le monstre analphabète,
privé même de langage, ait pu acquérir en quelques
mois une culture générale et des connaissances littéraires raffinées en écoutant aux portes d'un chalet perdu
dans les bois ! Pendant cette longue et indiscrète activité autodidacte, comment a-t-il pu rester inaperçu de

1. Préface à *Frankenstein*, 1964. Voir la bibliographie.

ses professeurs involontaires, malgré une taille gigantesque et un poids qui devaient rendre perceptibles
l'empreinte et le bruit de ses pas ? Le monstre relève, il
est vrai, du surnaturel ; tout comme le génie de la
lampe qui faisait et défaisait un palais pendant une
seule des Mille et Une Nuits. Quant à l'écriture, il y
aurait quelque injustice — et de l'aberration — à juger
du style et de la composition d'une œuvre, vieille d'un
siècle et demi, selon la mode imposée par le Nouveau
Roman ou le Structuralisme. Les personnages, les œuvres et les idéologies du passé doivent être appréciés
par rapport à leur environnement socio-historique et
non selon des critères actuels. Sinon, Voltaire et Rousseau apparaîtraient comme d'affreux bourgeois et non
comme les novateurs progressistes qui effrayaient leurs
contemporains.

Cet effort d'accommodation optique consenti, le
roman de Mary Shelley ne peut plus être réduit à
l'écrin disproportionné, désuet, involontaire d'un
mythe moderne. Et, il n'est pas seulement, comme on
l'a dit, un simple précurseur du roman de science-fiction ; c'est un levain qui, aujourd'hui encore, continue
de féconder ce genre aussi bien dans le domaine de
l'écrit que de l'audio-visuel… et du gadget. Sur le plan
de l'inspiration, il constitue une tentative originale et
réussie pour renouveler de façon radicale le « roman
terrifiant ».

Ce genre infra-littéraire, né en 1764 avec *Le Château
d'Otrante* d'Horace Walpole, a connu un succès fou-
droyant, par un habile dosage du frisson et des larmes.
Avant de produire son chant du cygne en 1820 avec le
Melmoth de C. R. Maturin, il a révélé une foule d'écri-
vains prolifiques parmi lesquels : Clara Reeve, avec *Le
Vieux Baron anglais* (1788), Ann Radcliffe avec *Les
Mystères du château d'Udolphe* (1794), *Le Confessionnal
des Pénitents noirs* (1797) ; et surtout Matthew Gregory
Lewis avec un livre incandescent : *Le Moine* (1797).

En substituant le genre « horrifiant » au genre « terrifiant » *Frankenstein*, par le style et par les sentiments
qu'il exprime, apporte une contribution avant-gardiste

et méconnue à un mouvement littéraire qui se cherche
encore à tâtons : le romantisme.

Le sort du monde, il y a vingt siècles tenait à la
longueur du nez de Cléopâtre. Il y a un siècle et demi la
conception de *Frankenstein* était suspendue à quelques
degrés de température et à un certain taux d'hygromé-
trie de l'atmosphère au-dessus du lac de Genève. Si ce
taux avait été plus bas, le monde aurait été privé de
quelque quarante films (ayant employé des milliers de
personnes et rapporté des milliards de francs); de milliers d'images de bandes dessinées, de dizaines d'heures d'émissions de radio ou de télévision; de masques
en matière plastique reproduisant le maquillage de James Pierce et pouvant s'adapter à n'importe quel visage; de maillots et tee-shirts ornés du même faciès; de
statuettes représentant le monstre seul ou en compagnie du Loup-Garou, de la momie, de Dracula; et
même d'une statuette animée qui — une pièce de
monnaie étant glissée dans une fente — montre le
monstre perdant son pantalon, et offrant au regard un
caleçon rayé tandis que son visage (par l'effet heureux
d'un tric-trac électrique) rougit de confusion.

Racontée seulement par Mary Shelley, d'après des
souvenirs vieux de quinze ans [2], la genèse de Frankenstein resterait floue. L'exhumation des journaux et
lettres de ceux qui en furent les témoins a permis de la
retracer avec précision.

En villégiature au bord du lac de Genève, Lord
Byron (1788-1824) rencontra le 27 mai 1816, à Sècheron (où ils étaient arrivés le 14) un groupe d'amis
anglais : le poète Percy Shelley (1792-1822), sa compagne Mary Godwin (1797-1851) et la sœur adoptive de
celle-ci : Claire Clairmont. Rencontre habilement provoquée par cette dernière qui est enceinte de Byron et...
anxieuse de le retrouver. Dès le surlendemain (29 mai),
ils prennent l'habitude de se retrouver chaque soir
pour une longue promenade en bateau sur le lac.

Le 8 juin, un temps pluvieux persistant interrompt

2. Voir Archives de l'Œuvre : Introduction (1831).

ce passe-temps quotidien. Ils le remplacent dès le 11,
par une causerie au coin du feu, à la Villa Diodati,
résidence de Byron et du docteur John-William Polidori. Cet Anglo-Italien de vingt-quatre ans est à la fois
le médecin de l'aristocrate-poète, son confident et son
hochet ; sa sœur sera la mère de la poétesse Christina et
du peintre Dante-Gabriel Rossetti. Dans la soirée du
14 juin, la conversation roule sur un livre qui, la pluie
aidant, a passé de main en main les jours précédents :
Fantasmagoriana, recueil d'histoires horribles traduites
de l'allemand.

Le «roman terrifiant» jouait alors un rôle analogue à
celui du roman policier dans notre civilisation urbaine
et hypertendue : un dérivatif agréable et illicite. Il n'est
donc pas très surprenant que Byron ait proposé à ce
petit cercle d'écrivains en puissance mais désœuvrés,
un nouveau jeu de société. Il consiste à écrire chacun
une histoire de fantômes. Proposition acceptée avec
enthousiasme. En attendant le résultat final, on continue de causer.

Séquelle de la conversation sur les revenants, une
controverse philosophique se développe, le lendemain,
entre Shelley et Byron. Déclenchée par une allusion
aux travaux du Dr Darwin (grand-père du célèbre
évolutionniste), elle a pour objet le principe vital. Si
l'on parvenait à en déterminer la nature, pourrait-on le
ranimer sur un cadavre, grâce aux immenses possibilités offertes par le «galvanisme» [3] ?

Discussion macabre, blasphématoire, et assez mar-
quante pour inspirer à Mary, dans la nuit même, la
vision d'un savant consterné d'avoir animé un corps
humain d'assemblage artificiel, terrifié d'avoir enfanté
un monstre qui venait épier le sommeil de son créateur, auquel il reprochera bientôt de lui avoir donné la
vie.

Au matin du 16 juin, grâce à ce cauchemar, Mary
tenait le sujet de «ghost story» qu'elle cherchait en

_____

3. Nom donné aux applications de l'électricité, en raison des
travaux du physicien Luigi Galvani (1737-1799).

vain depuis deux jours. Polidori le confirme dans son
journal, à la date du 17 juin : « Tous ont commencé
leur histoire de fantôme, sauf moi ! » Dans les jours
suivants, le médecin inventera « une dame à tête de
mort, ainsi punie pour avoir regardé par le trou d'une
serrure ». Il n'ira guère plus loin ; et Byron aussi laissera inachevée sa propre histoire, *Le Vampire*, commencée le 17 juin (date portée en tête du manuscrit).
L'un et l'autre ont quitté la Villa Diodati, le 22 juin,
pour un voyage autour du lac qui les détourne du
tournoi littéraire ; ils en auraient même perdu le souvenir si la compagne de Shelley ne l'avait poussé à son
terme.

Empoignée par le sujet, encouragée par son compagnon, elle précise et développe son conte, porté peu à
peu jusqu'aux dimensions d'un roman. La rédaction,
suspendue du 20 au 27 juillet par une excursion à
Chamonix et à la mer de Glace, s'enrichit, au retour,
d'une scène située dans ces paysages.

En octobre, une série d'événements graves va accueillir les Shelley en Angleterre : suicide de la demi-
sœur aînée de Mary, suicide de l'épouse légitime de
Shelley (qui permettra le mariage du poète avec Mary).
Malgré cette série noire, son journal indique, du 10 au
17 avril : « corrigé *Frankenstein* ». Et le 14 mai : « Shelley corrige *Frankenstein* ». Il ajoutera aussi quelques
retouches sur épreuves. Le poète ne se borna pas à ces
interventions professorales. Contrairement à ce qu'affirme sa femme dans l'Introduction de 1831, il a semé
quelques idées dans le roman. Entre autres celle du
voyage en Angleterre, au cours duquel Victor se pro-
pose de créer en laboratoire la compagne que lui réclame le monstre. (Ce sera le thème du second film de
James Whale : *La Fiancée de Frankenstein*.)

Les fragments subsistant du manuscrit montrent
que Shelley a également récrit — et non pas corrigé —
plusieurs passages, en particulier les dernières paroles
de Victor mourant.

Après deux refus, le roman trouva, en août, un
éditeur qui le publia le 18 mars 1818. Le même jour,

l'auteur, son mari et l'inévitable Claire Clairmont quittaient l'Angleterre pour l'Italie. Ce long séjour (1818-1823) allait être marqué d'événements néfastes : noyade de Shelley, mort de deux des trois enfants encore vivants que lui avait donnés Mary, mort de la fillette de Byron et Claire Clairmont. Deuils augmentés, en 1821, du suicide du Dr Polidori, puis de la mort prématurée de Byron en 1824.

Comment une femme jeune et belle a-t-elle pu écrire un livre aussi macabre, aussi noir, dont le héros exclu de toute sympathie est condamné à une incoercible réprobation ? Question souvent posée qui mériterait d'être remplacée par une autre : pouvait-elle écrire autre chose, l'aurait-elle pu, même avec la bienveillance du baromètre ?

S'il existe, comme on l'a cru, une prédestination à la grâce, il existe plus sûrement encore une prédestination au morbide. Dans sa chair et dans son entourage, Mary Shelley était marquée par la mort et vivait dans l'attente de ses décrets. Quant à la réprobation, il est facile d'imaginer l'appréciation qu'inspirait sa situation familiale à la société puritaine du temps.

Fille de deux réprouvés : William Godwin, réformateur social, libre penseur et Mary Wollestonecraft, pionnière (dans ses livres et dans ses actes) du féminisme et de la libération sexuelle de la femme. Fille coupable d'avoir ôté la vie à sa mère en naissant (et donc punie par l'absence de celle-ci dans son éducation). Compagne adultère d'un poète qui l'épousa après le suicide libérateur de sa femme légitime. Partenaire plus ou moins résignée d'un ménage à trois et parfois à quatre. Sans parler des frasques occasionnelles et nombreuses d'un époux volage, et de l'amitié que lui portait Byron : platonique mais peu candide, compte tenu des goûts de l'auteur de *Childe Harold*.

Une telle femme, en se défoulant pour la première fois par l'écriture, ne pouvait que projeter sa prédestination au macabre et à la réprobation, dans un personnage de réprouvé puni pour sa violation des tabous et ses manipulations macabres. Si *Frankenstein* est l'un

des quelques titres qui ont émergé de l'immense fatras
du «roman terrifiant», gothique, ou non; si parmi ces
rescapés il est le *seul* à avoir été traduit en japonais, en
indi, en arabe, en russe, en malayam; s'il est le seul,
encore, qui soit gratifié de la métamorphose par laquelle l'audio-visuel continue de lui assurer un immense public, c'est pour des raisons intimes et profondes inhérentes à sa conception.

En dépit de la pluie, de l'émulation de salon, du
désir de participer à un jeu de société, la composition
de *Frankenstein* n'était pas un exercice de style, un
essai dans l'art de manipuler le frisson, une tentative
pour profiter des retombées commerciales d'une mode
littéraire. Elle répondait — pardon pour le cliché — à
une nécessité intérieure, imperceptible pour les critiques de l'époque [4].

Bienveillants, courroucés ou sarcastiques, ils ne vi-
rent dans *Frankenstein* qu'un livre de plus à ajouter à la
production de cette littérature industrielle que représentait pour eux le «roman terrifiant». Presque toujours choqué par l' «impiété» de l'idée de base
— même lorsqu'ils louaient l'imagination, ou la qualité
poétique des descriptions — ils ne surent pas mesurer
le renouvellement, la révolution plutôt, que ce roman
introduisait dans le fantastique et la peur.

Par son modernisme Mary Shelley était en rupture
totale avec le roman gothique, déjà poussiéreux à
l'époque. L'espace temporel privilégié par ce genre
était la Renaissance italienne avec ses palais emplis
d'intrigues, de captations d'héritages, d'enlèvements,
ses couvents et cachots propices aux séquestrations de
vierges ou d'héritières à l'identité usurpée. Même situé
au XVIIIe siècle ou au début du XIXe, le récit ne pouvait
s'empêcher de recourir à des décors archaïques et d'y
confiner une action qui perdait peu à peu toute référence au présent : vieux châteaux sombres parsemés de
passages secrets et d'oubliettes, abbayes ou monastères

4. Voir à la Bibliographie l'ouvrage de Jean de Palacio, (p. 648-
650).

reliés par des souterrains mystérieux à des ruines hantées par d'anciens fantômes, forêts gouvernées par des troupes de brigands ou parcourues par des héroïnes échevelées et tremblantes, cimetières dont chaque tombe ouvre une porte sur l'enfer.

Dans ce Disneyland pour âmes en quête de frisson, les auteurs mettaient en scène, à grand renfort de ténèbres, d'orages et de clair de lune, un surnaturel d'essence magique interprété par des nonnes, des armures géantes, des spectres enchaînés, des femmes sans tête, des moines dont le froc ne recouvrait que le vide ou qu'une incarnation de Satan. L'explication rationnelle, tentée dans l'épilogue par certains auteurs (c'est le cas chez Ann Radcliffe) pour dissiper ces mirages, ne faisait que souligner l'artifice de l'énorme machinerie et l'arbitraire tournoiement de miroirs qui les avaient provoqués. Mary Shelley, fille d'un athée de choc et pourfendeur de la superstition, n'a que faire de ce magasin d'accessoires défraîchis de l'Épouvante. Elle le proclame, par personnage interposé, dès les premières pages :

«Au cours de mon éducation, mon père avait pris le plus grand soin pour que nulle horreur surnaturelle n'impressionnât mon esprit. Je ne me rappelle pas avoir tremblé en entendant un conte superstitieux, ni avoir eu peur de l'apparition d'un fantôme. Les ténèbres n'avaient point d'effet sur mon imagination, et un cimetière n'était, à mes yeux, que le réceptacle de corps privés de vie qui, après avoir été le temple de la beauté et de la force, étaient devenus la nourriture des vers.» (Chapitre IV.)

Dans *Frankenstein ou le Prométhée moderne*, le préposé au frisson, malgré son essence surnaturelle, est donc un être vivant, fait de chair et de sang; ce qui ne le rend pas moins redoutable. Et pour cause : son apparente identité avec l'homme ordinaire n'est possible que par la monstruosité et l'abomination de son origine. Et, à la différence des fantômes ordinaires qui, par leur composition de clair de lune et de fumée, ont le seul pouvoir de terrifier, le monstre, lui, a le pouvoir de tuer et il s'en sert.

Invisible et omniprésent comme un fantôme, attaché auprès de son créateur aussi loin qu'il aille, aussi longtemps qu'il vivra et quoi qu'il fasse («Je serai avec toi le soir de tes noces»); ce spectre de chair n'a pas besoin de la pénombre ou de la nuit pour exister: il se manifeste et frappe à toute heure.

Par un abus des pouvoirs de la Science, par une violation des seuils interdits de la connaissance, Victor Frankenstein a réussi, à ses dépens, le dédoublement de la personnalité que le Dr. Jekyll n'obtenait que par alternance. Il reconnaît en lui: «mon propre vampire, mon propre fantôme libéré de la tombe et contraint de détruire tout ce qui m'était cher» (chapitre VII).

Exclamation qui amène Jean de Palacio à remarquer: «La naissance de ce thème étrange [...] qui consiste à faire le vide autour d'un être en le privant de tout espoir et de l'amour de ceux qui lui sont chers trouvant ainsi dans le glas de morts successives le rythme même du roman. Si l'on peut parler ici de vampirisme, c'est moins sous la forme de l'être chimérique cher au romancier «noir» que dans l'acceptation très particulière du dédoublement, du combat avec le double, c'est-à-dire avec soi-même [...]»[5].

Vampire, fantôme ou monstre rien de moins mystérieux, rien de moins magique, que son origine. Son berceau n'est pas la tombe entrebâillée d'un cimetière maudit mais la table de dissection d'un laboratoire universitaire. Il n'est pas composé, comme le Golem, d'une masse de glaise saupoudrée d'une formule magique, mais d'un assemblage de spécimens anatomiques humains dans lequel le principe de vie fut ranimé par l'électricité.

En proposant un fantastique rationalisé par l'alibi d'une explication pseudo-scientifique, Mary Shelley se plaçait aux antipodes du roman terrifiant traditionnel et inventait un des premiers romans de science-fiction. Son «hideux rejeton», comme elle l'appelait, allait connaître une postérité qui n'est pas près de s'éteindre.

5. Jean de Palacio, chapitre II.

Quant au macabre, cet abusif et nécrophile auxiliaire de la terreur, elle l'avait habilement réduit et sublimé en l'enfermant dans le cadre strict d'une expérimentation scientifique. (Ce qui n'empêcha pas certains critiques de l'époque (celui de *The Quarterly Review* en particulier) peu habitués aux transplantations cardiaques, de juger cette innovation horrible et dégoûtante, comme le rêve d'un fou.) Bien que né de la vogue du roman « terrifiant », *Frankenstein* n'appartient plus que de loin à ce genre. C'est en réalité un roman « horrifiant ». Le sentiment provoqué chez le lecteur étant moins la peur que le dégoût. Le monstre suscite moins la peur que la répulsion, provoquée non par sa laideur, mais par les conditions de sa création et — on le verra — par la logique du Mal à laquelle la fatalité l'empêche de se soustraire.

Le modernisme du roman ne se limite pas au renouvellement de la terreur, du macabre et du surnaturel, il est très sensible aussi dans l'écriture. Dans la sobriété du récit, relativement bref par rapport aux œuvres souvent compactes du roman terrifiant gothique.

Influencée par *La Nouvelle Héloïse* qu'elle avait lu en français quelques mois plus tôt, l'auteur n'a pu s'affranchir complètement de la technique du récit par lettres, trop souvent fatale au roman de la seconde moitié du XVIIIᵉ siècle. C'était alors une manie de la fiction de se nier en tant que telle et de vouloir passer pour la réalité en prenant la forme d'un témoignage délivré à la première personne. Si Mary Shelley a recouru à ce subterfuge éventé, c'est sans doute pour mieux faire admettre et atténuer, grâce à ces écrans successifs, le contenu insolite et « impie » de l'œuvre.

Une fois franchi le préambule arctique, l'action, même entrecoupée de lettres, redevient linéaire. Sans que l'intrigue perde son mystère et que le drame ralentisse sa progression, l'auteur a su faire l'économie de tout l'arsenal thérapeutique de l'imagination défaillante : retours en arrière, digressions, retournements de situations, quiproquos, chassés-croisés, incidents connexes et récits à tiroir — dont même un beau roman comme *Melmoth* n'a pas toujours su se garder. Sur le plan de la rhétorique (et compte tenu de l'emphase propre à l'époque), l'auteur s'est efforcé à la même simplicité. La révision du texte opérée en 1831 la montre attentive à contenir les plaintes, les déclamations — surtout celles d'Elizabeth. Et, plus d'une fois, à la faveur de cette révision, elle n'hésite pas à couper les discours tenus en 1818, à faire penser les personnages au lieu de les faire parler, pour obtenir plus de concision que dans le discours oral.

Sans doute le lecteur impatient de foncer à la poursuite du mythe audio-visuel se plaindra-t-il de «longueurs» là où précisément éclatent les qualités novatrices de l'auteur : dans le rôle que l'auteur prête à la nature et dans sa description poétique (les seules qualités reconnues par les plus malveillants des critiques en 1818).

Avant Mary Shelley, la terreur obéissait à un certain rituel, lui-même conditionné par un cadre précis. Il fallait recouvrir de nuit ou de pénombre des châteaux ruinés ou sinistres, des forêts profondes, des labyrinthes de couloirs, des couvents hors de la vie, des huis grinçants, des grilles inexorables, frontières d'un univers concentrationnaire veillé par une cohorte de dragons répressifs : brigands avides, mères supérieures, moines inquisiteurs, seigneurs hautains, tous bardés de la croix, de l'honneur du nom, de la raison d'État.

A une Italie vénéneuse et attardée dans l'histoire, à une atmosphère oppressante et confite pour séquestrées poitrinaires ou orphelines, *Frankenstein* opposait une Suisse pastorale et rassurante, le grand air des cimes, les splendeurs de la mer de Glace, la fraîcheur odorante des bois, un chalet modeste habité par le bonheur — même épié par un monstre — une université ouverte à la Communication, à la Science, à l'Avenir, des ports qui invitaient à parcourir les mers. Et au dernier tableau, pour linceuls des deux protagonistes, les glaces de l'immensité polaire.

Jamais, l'espace n'a été aussi largement ouvert, aussi

lumineux dans un roman noir. Jamais la nature n'a été si présente et si active.

La fillette qui entendit peut-être Coleridge, en visite chez les Godwin, réciter *Le Dit du Vieux Marin;* la jeune femme qui aima Shelley; la compagne de voyage de l'auteur de *Childe Harold,* l'amie de Trelawney (le modèle du *Corsaire*), celle, enfin, qui écrivit *Franken-stein,* ne pouvait rester étrangère au grand élan porteur du Romantisme, et qui le fit triompher dans la littéra-ture.

Un peu plus macabre qu'*Atala,* mais pas plus noir, *Frankenstein* appartient au romantisme tout comme le bref roman de Chateaubriand qui servit de phare à ce mouvement, en France.

Et c'est pourquoi la nature, d'habitude peu présente dans un roman noir, se prête dans *Frankenstein* à l'ex-pression lyrique chère aux romantiques, en se mettant à l'unisson des sentiments du héros. Elle est le miroir dans lequel il retrouve ses incertitudes, ses chagrins, ses élans, son destin.

Quand Victor Frankenstein, le créateur du monstre, après des années passées à l'Université d'Ingolstadt, rentre à Genève dans sa famille, il ne peut retenir sa joie devant les paysages de son enfance.

«Je découvrais plus distinctement les monts du Jura, et le sommet éclatant du mont Blanc. Je pleurais comme un enfant. ''Chères montagnes! Mon lac mer-veilleux! Quel accueil réservez-vous à votre voyageur? Vos cimes sont limpides; le ciel et l'onde sont bleus et calmes. Est-ce là un présage de paix ou ironie devant mon malheur?'' [...] Mon pays, mon pays bien-aimé! Qui donc, si ce n'est celui qui y est né, pourrait dire la joie qui m'envahit en revoyant tes torrents, tes monta-gnes et par-dessus tout ton lac délicieux?» (Chapitre VII.)

Cet accès de joie apaisé, Victor se souvient que son retour au pays a été précipité par la mort mystérieuse de William, son jeune frère. Une mort à laquelle le monstre n'est sûrement pas étranger. Il sent monter en lui le pessimisme à mesure que le paysage s'assombrit.

« Pourtant, à mesure que je me rapprochais de la maison, le chagrin et la peur m'accablèrent à nouveau. De plus la nuit s'épaississait autour de moi ; et lorsque je ne pus voir qu'à peine les montagnes assombries mes sentiments furent plus lugubres encore. Le paysage m'apparaissait comme un vaste et obscur spectacle funèbre, et je pressentais confusément que j'étais destiné à devenir le plus misérable des êtres humains. » (Chapitre VII.)

Un degré de plus dans l'émotion lyrique, et la rumeur d'un orage (l'un des rares auquel l'auteur ait recours) résonne à l'oreille du héros comme une cantate dédiée au frère défunt.

« Tout en observant la tempête, si belle et pourtant si terrible, j'errais toujours d'un pas rapide. Cette majestueuse guerre dans le ciel élevait mon âme. Je joignis les mains et m'exclamai à haute voix : « William, cher ange, ce sont là tes funérailles et les lamentations sur ta mort ! » (Chapitre VII.)

Tant pis pour le cinéphile déçu de ne pas revivre la poursuite du monstre par une foule hurlante, armée de gourdins et de torches ; mais l'errance solitaire de Victor Frankenstein dans le décor de la mer de Glace est absolument sublime. Une errance géographique symbole de son errance morale : c'est à la contemplation d'un paysage grandiose qu'il vient demander une réponse à la crise grandiose qui l'agite. Et la vue de « la vaste rivière de glace » et des « sommets aériens [qui] surplombaient ses golfes » lui arrache cette apostrophe :

« Esprits errants, si vraiment vous errez et ne reposez point dans vos couches étroites, permettez-moi de goûter cette ombre de bonheur, ou emportez-moi avec vous loin des joies de la vie. » (Chapitre X.)

L'écho des montagnes aurait pu lui répondre par l'invocation célèbre : « Levez-vous vite, orages désirés qui devez emporter René dans les espaces d'une autre vie ! Ainsi disant, je marchais à grands pas, le visage enflammé, le vent soufflant dans ma chevelure, ne sentant ni pluie ni froid, enchanté, tourmenté et comme possédé par le démon de mon cœur.» (Chateaubriand. *René*.)

Le romantisme est plus éclatant encore dans le personnage du monstre. Sous un aspect hideux, il abrite une sensibilité délicate, meurtrie : « Je vis avec surprise et chagrin les feuilles pourrir et tomber, et la nature reprendre l'aspect dénudé et glacial du jour où pour la première fois j'avais aperçu les bois et la lune merveilleuse [...]. Mais ma joie principale était le spectacle des fleurs, des oiseaux, toutes les couleurs gaies de l'été...» (Chapitre XIV.)

Comme le fera Tarzan au siècle suivant, il hante les forêts ; et, dans la solitude, comme l'homme-singe, il s'est formé lui-même, a appris à lire tout seul. Il a même acquis une culture. Ses livres préférés : *Les Vies des hommes illustres* de Plutarque, *Le Paradis perdu* de Milton, *Les Passions du jeune Werther* de Goethe, affirment ses goûts romantiques.

Malgré la souillure originelle, sa nature n'incline pas vers le mal. Pour récompenser les occupants du chalet de l'avoir éveillé à la culture grâce à leurs conversations épiées pendant des mois, il rassemble pour eux des monceaux de bois de chauffage. Et gardant l'anonymat, il n'accompagne ces bouquets symboliques d'aucune carte. Après avoir pris l'habitude de se nourrir aux dépens du vieillard aveugle et de ses enfants, il y renonce, s'apercevant que ses chapardages ont pour effet de réduire leur ordinaire.

Il revient alors à un régime strictement végétarien : «Ma nourriture n'est pas celle des hommes ; je ne tue ni l'agneau ni le chevreau pour apaiser ma faim ; les glands et les baies sauvages suffisent à ma subsistance.» (Chapitre XVII.)

Le monstre est respectueux de la vie des animaux inférieurs ; mais aussi de celle des mammifères supérieurs : les hommes, dont il se sent proche malgré l'horrible différence qu'ils ne cesseront d'établir entre eux et lui. Il est stupéfait de découvrir le nombre de misères dont est faite la condition humaine.

Le livre de Volney (*Les Ruines ou Méditations sur les*

révolutions des empires) lui révèle l'ambiguïté de
l'homme écartelé entre la perfection qu'autorisait ses
origines divines et l'orgueil qui a provoqué la chute
d'Adam.

« L'homme était-il donc à la fois si puissant, si vertueux et magnifique, et, d'autre part, si vicieux et si
bas ? Il me semblait n'être à un moment qu'une branche de l'arbre du Mal, et, à d'autres, tout ce que l'on
peut concevoir de noble et de divin [...]. Longtemps,
je ne pus concevoir qu'un homme pût aller tuer son
semblable, ni même pourquoi il existait des lois et des
gouvernements ; mais quand j'entendis mentionner des
exemples particuliers de vice et de carnage, mon étonnement cessa, et je me détournai avec impatience et
dégoût. » (Chapitre XIII.)

Propos d'une haute philosophie, et surprenants pour
ceux que le cinéma avait habitués à un monstre profé-
rant seulement des sons inarticulés. Ils seront plus
surpris encore de découvrir en lui un observateur très
critique de l'organisation sociale.

C'est en épiant les conversations des habitants du
chalet perdu dans les bois, que le monstre a la révéla-
tion du «système étrange de la société humaine», de
l'inégalité que tolèrent et parfois protègent les lois et
les gouvernements dont il avait fini par admettre la
nécessité.

« J'appris que les trésors les plus prisés de vos semblables étaient une haute origine, un sang pur allié à
la fortune. Un seul de ces avantages suffisait à faire
respecter un homme, mais sans l'un ou l'autre
d'entre eux, il passait, sauf quelques cas très rares,
pour un vagabond et un esclave, condamné à
sacrifier ses facultés au profit de quelques élus.»
(Chapitre XIII.)

Ici, Mary Shelley se proclame la fille du contesta-
taire, auteur, entre autres, de l'*Enquête sur la justice
politique* et d'un roman «social» *Les choses comme elles
vont ou les Aventures de Caleb Williams*. Les critiques de
l'époque n'ont pas manqué de relever, comme autant
de témoignages à charge, ces hommages et références

implicites à la pensée de William Godwin, cet indésirable inadapté, semeur d'idées subversives.

A leur réprobation, s'ajoutaient quelques sarcasmes sur la naïveté mise par Mary Shelley à attribuer tant de compétences et de clairvoyance à un être absolument analphabète quelques mois plus tôt.

Ce personnage si compatissant aux servitudes de la condition humaine — il «ne tue ni l'agneau ni le chevreau», et ne peut «concevoir qu'un homme pût aller tuer son semblable» — en arrive cependant à supprimer trois personnes et à faire exécuter une servante pour un crime dont il est en réalité l'auteur. Et malgré ses nobles pensées sur la nature, l'homme, l'organisation sociale, il a pris pour victimes des innocents ignorants de son existence et incapables de lui nuire.

Il s'en explique lui-même à la faveur des joutes philosophiques qui l'opposent à son créateur. Explications longtemps qualifiées de naïves ou de blasphématoires : en réalité hardiment novatrices ; Mary Shelley énonçait en 1818 une vérité inadmissible pour ses contemporains, mais reconnue aujourd'hui par tous les psychanalystes et spécialistes de la délinquance : le comportement criminel trouve le plus souvent son origine dans une frustration, un manque d'affection.

Le monstre se rattache à toute une lignée de héros romantiques déçus d'avoir «un cœur trop plein dans un monde trop vide» lorsqu'il s'écrie avec douleur : «j'avais en moi des sentiments d'affection qui ont trouvé pour récompense la haine et le mépris» (chapitre XX).

Devant une telle situation, trois réactions possibles. Une banale : la résignation, et deux romantiques : le suicide ou la vengeance. L'exclu pour cause de hideur choisit cette dernière : «Si je ne peux inspirer l'amour, j'inspirerai la peur.» Mais sa vengeance n'est jamais aveugle : il n'en veut pas à la société et ne prend donc pas au hasard l'un de ses membres pour otage. C'est Victor Frankenstein, son créateur, qu'il frappe à travers les membres de son entourage : jeune frère, servante fidèle, ami et confident, fiancée enfin...

Vengeance particulièrement motivée : Victor Frankenstein est le responsable direct de ses malheurs. Il a
donné la vie à une créature artificielle, à partir de
débris anatomiques. Sans se soucier de la réprobation,
de l'impossible adaptation qui s'attacheraient à une
telle origine. Sans s'inquiéter non plus, de la prévention immédiate qu'inspireraient sa laideur et une taille
que, par caprice, il fit gigantesque.

Si le monstre continue, au fil des années, à frapper le
responsable de son malheur, c'est pour le punir de
s'entêter dans une attitude irresponsable et indifférente
à ses plaintes. Le pauvre disgracié, dont la seule apparition provoque l'horreur et l'hostilité est tout disposé à
se soustraire à jamais à la vue des hommes, à s'exiler
dans « les déserts immenses de l'Amérique du Sud ».
Mais il ne veut pas y habiter seul ; il adjure Frankenstein de lui donner une compagne de même nature que
lui : c'est-à-dire d'origine artificielle et « aussi hideuse
que moi-même » [...]. Nous serons des monstres séparés du monde entier ; mais nous n'en serons que plus
attachés l'un à l'autre ».

Demande appuyée d'arguments qui devraient arracher des larmes à Frankenstein : « Si je n'ai aucun lien,
aucune affection, la haine et le vice seront nécessairement mon partage ; l'amour d'un autre être supprimerait la cause de mes crimes [...]. Mes vices sont les
fruits d'une solitude forcée que j'abhorre ; et mes vertus se développeront fatalement quand je vivrai en
communion avec un égal. » (Chapitre XVII.)

Après avoir promis de satisfaire cette demande où le
pathétique le dispute au bon sens, Frankenstein se
reniera. Dans un accès d'égoïsme, et au nom des mêmes motifs fallacieux — dictés par l'intelligence et non
par le cœur — qui l'avaient poussé à marchander son
acceptation :

« — Vous vous proposez [...] de fuir les habitations
des hommes, de vivre en ces déserts où les animaux des
champs seront vos seuls compagnons. Comment pourrez-vous, vous qui soupirez après la sympathie des
hommes, persévérer en cet exil ? Vous reviendrez, vous

chercherez encore leur amitié, et vous vous trouverez en face de leur haine ; vos passions mauvaises renaîtront et, vous aurez alors une compagne pour vous aider dans votre œuvre de mort. » (Chapitre XVII.)

A travers les plaintes d'une créature froidement abandonnée par le créateur, Mary Shelley instruit un double procès : celui de l'organisation sociale, et celui de « Dieu, l'invisible roi », comme l'a qualifié H. G. Wells. Tout être présentant une différence avec la moyenne admise par la communauté humaine est par avance exclue de celle-ci ; qui s'arroge même le droit de menacer sa liberté, voire son existence.

Mary pensait sans doute à la réprobation qui entoura son père, sa mère, et elle-même pendant son concubinage avec Shelley. Elle pensait encore au cercle de la Villa Diodati que les touristes bien-pensants tenaient à l'écart, tout en l'observant de loin à la lorgnette. La laideur morale reprochée à ces non-conformistes recouvrait, comme la laideur physique du monstre, une profonde sensibilité ; il en reste des preuves écrites.

Mary Shelley fait preuve d'un athéisme discret mais néanmoins perceptible lorsqu'elle fait souligner par le monstre, l'irresponsabilité de son créateur, substitut de Dieu, le créateur suprême. Symbolisme transparent. En créant les hommes, Dieu a agi par jeu, comme Frankenstein, et fait preuve de la même légèreté. Lorsqu'il s'est lassé d'eux, il s'en est débarrassé en leur faisant cadeau du libre arbitre. Situation qu'Arthur Koestler a traduit par une formule vengeresse : « Dieu a décroché son téléphone. »

Quoi qu'il fasse, le monstre ne pourra échapper à un destin aveugle et fixé d'avance : il est poussé au crime par la fatalité, par la souillure de ses origines que rappelle sa difformité.

Ce coupable est en réalité, dans la plus pure tradition romantique, une victime.

C'est un enseignement du roman qui a peu attiré l'attention des critiques. En France, les seuls à l'avoir entrevu sont Jean de Palacio (qui qualifie *Frankenstein* de roman de la fatalité) et Germain d'Hangest (dans la

présentation de sa traduction en 1922). Mais aucun des
cinq écrivains qui ont préfacé les onze éditions suivantes, jusqu'en 1978, n'y fait allusion. C'est un destin
auquel l'œuvre de Mary Shelley n'échappe pas : quelle
que soit la langue dans laquelle on la publie, les préfaciers parlent moins du roman que de sa postérité cinématographique. A moins qu'ils ne s'enlisent dans
l'étude des sources, presque toujours abusés par le
sous-titre «ou le Prométhée moderne».

Inspiré par le poème *Prométhée délivré*, écrit en 1814
par Percy Shelley, ce sous-titre cède à la tentation de
placer le roman sous le parrainage de la poésie tragique
grecque, mais en même temps il en occulte le véritable
sujet. Victor Frankenstein peut difficilement passer
pour un émule du mortel qui se dressa contre le maître
des dieux. Animé par la curiosité scientifique plus que
par la volonté de changer le monde, il se montre dé-
passé par une invention qui l'effare et l'effraie, incapable d'en affronter les conséquences. Attitude étriquée ;
elle n'incite pas à prendre pour un défi, jeté à Dieu ou à
la morale, ce qui se réduit à un incident de laboratoire
aussitôt étouffé par le responsable. Et comme le
monstre, humilié par les réactions horrifiées des humains, se dissimule presque aussitôt à leurs yeux, le
monde continue son train, dans l'ignorance d'un incident aussi dénué de conséquences que s'il n'avait jamais eu lieu. Est-il nécessaire de déranger Jupiter ou
un aigle pour si peu ?

Jacques Bergier [6] tient cependant Victor Frankenstein pour l'auteur d'un péché théologique. Mais,
commis dans une clandestinité absolue qui lui ôte la
dimension du défi, ce péché n'inspire pas véritablement de remords métaphysique à Victor... Pas plus
que n'en éprouverait aujourd'hui l'expérimentateur
d'un bébé en éprouvette. L'étudiant trop curieux de
l'Université d'Ingolstadt se reproche sa curiosité
scientifique tout juste ce qu'il faut pour paraître dé-

6. Préface à *Frankenstein ou le Prométhée moderne*, 1964. Voir
bibliographie.

cent… Et pour désamorcer quelque peu le courroux de critiques déjà révoltés par l'impiété — traduisez : le matérialisme — d'un roman dont Dieu était singulièrement absent. Son nom n'est jamais invoqué ni écrit : Victor partageait l'athéisme de Mary Shelley.

A défaut de véritable remords, il éprouve du regret et de la peur. Regret de n'avoir pu contrôler le monstre. Sa fuite l'a frustré du bénéfice des observations attendues et provoque chez lui une peur égoïste, mais justifiée, des effets de la haine qu'il lui a vouée. Peur altruiste — mais injustifiée — et paranoïaque de voir le «démon» travailler à la destruction de l'humanité. Crainte démentie par le comportement du pauvre disgracié : il s'est abstenu de détruire — malgré son pouvoir de les disloquer comme des pantins — les habitants du chalet qui l'avaient repoussé et menacé : il ne nourrit envers eux et le reste de l'humanité ni rancune ni préjugé :

« Si un être quelconque éprouvait à mon égard une émotion bienveillante, je la rendrais multipliée au centuple, pour l'amour de cette seule créature, je ferais la paix avec toute l'espèce humaine ! » (Chapitre XVII.)

Il n'y a pas de conflit entre Dieu (ou une morale transcendante) et un néo-Prométhée mais entre celui-ci et sa créature ou, plus simplement dit : entre un savant trop curieux et le produit de son expérience. Le véritable moteur dramatique du roman de Mary Shelley est la haine vouée à Victor Frankenstein par sa créature. Cette haine, et elle seule, détermine l'action, son intensité, ses péripéties. Le véritable héros du roman n'est pas le pâle et inconsistant «Prométhé moderne», c'est le monstre. Le cinéma, astreint par la briéveté de l'œuvre filmique à fait l'économie du superflu, ne s'y est pas trompé ; il a immédiatement donné la vedette à celui qui la méritait.

Il est certes légitime de ranger Victor Frankenstein parmi les audacieux qui ont violé les seuils interdits de la Connaissance. Mais, de Lucifer (version chrétienne de Prométhée) au Faust de Goethe, en passant par Adam gourmand du fruit de l'arbre de la science, les

alchimistes en quête de l'élixir de longue vie, et le
comte de Kueffstein créateur des homoncules (ces ancêtres des bébés en éprouvette), la liste est longue. Et
les exégètes l'ont allongée, s'ingéniant à donner au
roman des références et sources hypothétiques mais
qui, de toute façon, démontraient son originalité.

Il est exclu que Mary Shelley ait connu *L'Homme au
sable* [7] écrit par Hoffmann en 1814, ou la légende juive
du Golem. Dans les deux cas, d'ailleurs, il s'agit de
mannequins animés par des procédés magiques et non
d'un être de chair né d'une expérience scientifique et
doué d'une pensée et d'un comportement logique.
Quant à Faust, les avantages surhumains dont il pro-
fite, lui sont assurés par un pacte avec le Diable, un
personnage auquel Mary Shelley ne croyait pas : il ne
pouvait donc vraiment l'influencer.

Comme divers érudits — W. E. Peck, F. L. Jones,
J. de Palacio [8] — l'ont établi, le nom de Frankenstein a
été forgé par Mary Shelley d'après Frankheim et
Falkenstein, deux personnages des *Romantic Tales* de
M. G. Lewis (l'auteur du *Moine*) qu'elle avait lus pour
la seconde fois en septembre 1815, dix mois avant la
conception du roman. Qu'il ait existé, et existe encore,
aux environs de Francfort, un château de Frankenstein
(devenu aujourd'hui un lieu touristique) est une pure
et réjouissante coïncidence.

L'auteur ne s'est jamais approchée de ce château
— totalement oublié avant qu'elle n'écrive son livre —
et ne pouvait donc connaître la légende attachée à sa
tour. Il faut avoir la candeur de Radu Florescu [9] pour
croire avec lui que l'absence de toute allusion à cet
immeuble véridique dans les journaux de voyage en
Allemagne de Mary Shelley et Claire Clairmont traduit
une volonté farouche de garder secrètes les sources
véritables du roman.

7. Voir J. de Palacio, ouvrage cité ; p. 93-94.
8. Aucune œuvre d'Hoffmann ne figure dans la liste des livres
(annexée à son journal) lus par l'auteur de 1814 à 1817.
9. R. Florescu. *In Search of Frankenstein*. New York, Warner
Edition, 1976

Il est plus sage de s'en tenir aux indications des préfaces de 1817 et 1831. Pour l'idée de départ : le cauchemar provoqué par les discussions sur le « galvanisme » et les expériences d'Erasmus Darwin ; pour l'élaboration : Shakespeare, avec *La Tempête* (qui a prêté au monstre un peu de la morphologie hideuse et pathétique de Caliban) et *Le Songe d'une nuit d'été* dont le décor champêtre voit se mêler le naturel et le surnaturel) ; la poésie tragique de la Grèce (Prométhée) et *Le Paradis perdu* de Milton. Ajoutons-y le poème lyrique de Percy Shelley, *Prométhée délivré* : Mary lui doit un sous-titre... et des promesses non tenues.

Le grand poème de Milton n'a pas seulement fourni une épigraphe et quelques citations explicites. Les rapports de Dieu et Adam préfigurent ceux, plus tendus, de Victor et de sa créature. Et plus d'une scène ou réplique du roman ont pour référence implicite *Le Paradis perdu*.

Grâce à la traduction poétique de Germain d'Hangest, on croit retrouver la sonorité de Milton dans les reproches adressés par le monstre à son créateur. Ils reproduisent, avec des accents plus tragiques, les supplications d'Adam dont la page de titre de *Frankenstein* porte en épigraphe trois vers significatifs. Mary Shelley justifie avec élégance cette imitation en donnant au monstre l'œuvre de Milton pour livre de chevet ! Si Adam fait humblement remarquer au Créateur qu'il n'a pas demandé à être tiré de la glaise et de l'ombre, le monstre — cet Adam raté — laisse éclater son désespoir et ses griefs :

« Jour maudit que celui où je reçus la vie !» [...] «Créateur abhorré ! Pourquoi donc avez-vous formé un monstre assez hideux pour vous faire vous détourner de lui-même avec dégoût ? Dieu, dans sa miséricorde, a fait l'homme beau et attirant, selon sa propre image ; mais ma forme n'est qu'un type hideux de la vôtre rendu plus horrible encore par sa ressemblance même. Satan avait avec lui d'autres démons pour l'admirer et l'encourager, tandis que je suis solitaire et abhorré.»

A ces accents tragiques et ces propos agressifs, Mary

Shelley ajoute une innovation capitale par rapport à
Milton : la révolte de la créature, décidée à détruire le
créateur. Si l'on excepte Lucifer, c'est le premier
exemple d'une telle attitude dans une œuvre littéraire
romancée. Ce ne sera pas le dernier... L'autre innovation capitale du roman a failli être perçue, dès
juin 1818, par un critique de la revue *The Literary
Panorama, and National Register*. Ignorant la parenté
existant entre l'auteur anonyme de *Frankenstein* et
William Godwin, il rapprochait le roman d'une œuvre
de ce dernier : *Saint Léon*. Là se limitait la perspicacité
du critique : au lieu de saluer l'avènement de la science-fiction grâce à l'auteur innommé, il ne voyait dans
Victor Frankenstein qu'un pâle imitateur du héros de
Saint Léon, un alchimiste en quête de l'élixir de longue
vie.

Depuis la descente d'Orphée aux enfers, depuis le
rosier unissant les tombes de Tristan et Yseult, l'espoir
de vaincre la mort est enraciné au plus profond de
l'homme. *Frankenstein* est la première œuvre de fiction
qui prenne en compte cet espoir avec autant de force,
en lui promettant autant de chances d'être réalisé grâce
au développement de la science. Telle est bien la
conviction de Victor : « Je me disais que s'il m'était
donné d'animer la matière inerte, je pourrais avec le
temps [...] renouveler la vie lorsque la mort avait apparemment livré le corps à la corruption. » (Chapitre IV.)

Désormais cet espoir, devenu réalité dans l'espace
du roman grâce à Mary Shelley, sera une constante
thématique de la « littérature d'imagination ».
Constante développée dans deux directions parallèles
selon que les auteurs se réclameront du spiritualisme
ou du matérialisme.

Dans le premier cas, cette défaite de la mort sera
recherchée dans sa négation : la mort étant réduite à
une transition, une porte d'accès à l'au-delà. Les écrivains ne s'attarderont pas à dérouiller et fourbir le vieil
arsenal de la peur mis au point par le roman gothique,
à dépoussiérer ses spectres tapageurs ou à retailler leur
suaire à la mode du jour. Mary Shelley leur avait donné

l'exemple d'une hygiène du macabre en substituant aux fantômes faits de clair de lune et de fumée un fantôme de chair bien que provenant comme eux, d'au-delà de la mort.

Aux spectres mal famés, échappés en fraude de l'éternité, succéderont les *esprits*, ces ambassadeurs d'un autre monde revenant dans le nôtre, non pour épouvanter les vivants mais pour les conseiller et les protéger, à la suite des invisibles dieux lares du passé. C'est dans les perspectives ouvertes par le spiritisme que s'inscrira l'inspiration fantastique de Victor Hugo, Théophile Gautier, Henry James, Rider Haggard, Conan Doyle, et parfois Rosny Aîné, pour ne nommer que les plus célèbres.

« L'interprétation matérialiste du surnaturel » inaugurée par Mary Shelley connaîtra une postérité moins prestigieuse mais bien plus prolifique grâce à la science-fiction, genre nouveau dont l'auteur de *Frankenstein* est l'un des précurseurs... Et même l'un des bienfaiteurs, si l'on songe à toutes les vocations qui, sans elle, seraient demeurées inaccomplies. Son influence la plus directe apparaît dans *l'Ile du docteur Moreau* (1896), où H. G. Wells accentue aussi bien le défi prométhéen du savant que la condition tragique de ses créatures.

Parmi les innombrables apparitions d'êtres synthétiques qui ont succédé à celles de Victor, il faut citer, par curiosité, *The Monster Men* (1913) d'Edgar Rice Burroughs, auteur de Tarzan, et aussi d'une trentaine de romans de science-fiction. L'homme-singe, lui-même, rencontre (*Tarzan et l'homme-lion*, 1934) un savant chassé de l'Université de Londres pour avoir «profané» les tombes royales de l'abbaye de Windsor. Il n'a fait que prélever sur les dépouilles de Henry VIII et des personnages de sa cour, le fameux principe vital évoqué par le cercle de la Villa Diodati au soir du 15 janvier 1816. Et, il n'a pas craint de l'inoculer à une tribu de gorilles : aussitôt, ils ressuscitent dans la jungle la cour d'Henry VIII et ses mœurs. Parmi les descendants les plus fidèles du monstre shelleyen — origine, aspect, instincts meurtriers (accentués par conformité avec le mythe cinématographique) — figurent les zombies de Fu Manchu ; de simples cadavres dont il a ranimé le principe vital, et qu'il lance à l'assaut de ses adversaires, tout au long de la saga composée de 1912 à 1959 par Sax Rohmer.

Une variante, très poétique, de la composition de l'être artificiel est offerte en 1880 par Villiers de L'Isle Adam, avec *L'Ève future*. Son «andréide», bien que revêtue d'une très agréable carnation humaine, n'est autre qu'un être métallique largement tributaire des automates d'Hoffmann ; mais sa révolte sublimée en suicide, le place également dans la lignée du monstre shelleyen. Gaston Leroux en donnera une réplique surréaliste et teintée d'un burlesque noir, en 1923, dans *La Poupée sanglante* et *La Machine à assassiner*.

Les robots de Karel Capek dans *R.U.R.* (1921), les premiers à assumer leur nature métallique, renoncent à la dissimuler. Mais ici encore, leur révolte procède d'une filiation shelleyenne. D'ailleurs, toute cette postérité métallique (dont l'illustration la plus célèbre sera donnée par Isaac Asimov dans *Le Livre des Robots*) n'est que l'adaptation de l'invention de Mary Shelley à la pensée et à la technologie d'une civilisation industrielle avancée.

Avant son avènement, une variante de la création du monstre, combinée avec le thème du double, avait été proposée par une œuvre dont on oublie souvent l'ascendance shelleyenne : *Le Cas étrange du Dr. Jekyll et de M. Hyde*. Le double hideux et malfaisant expulsé de lui-même par l'inventeur, a très bien pu être inspiré à R. L. Stevenson, au moins de façon inconsciente, par la constatation douloureuse de Victor Frankenstein : «Je ne voyais en cet être que j'avais déchaîné au milieu des hommes, doué de la volonté et de la puissance de réaliser des projets horribles [...] que mon propre vampire, mon propre fantôme...» (Chapitre VIII.)

Mais la postérité la plus étonnante de *Frankenstein*, celle qui l'a rendu célèbre aux quatre coins de la planète et l'a imposé à des millions d'hommes que le roman original n'aurait jamais atteints, ce phénomène d'universalisation opéré malgré le clivage des langues et des cultures, c'est le cinéma qui en est responsable.

Le cinéma, machine à former — et à déformer — les mythes s'est emparé de celui de Frankenstein en 1910 ; et, du temps du muet, il a récidivé en 1915 et 1920. Le premier de ces films, produit par Edison, durait à peine vingt-cinq minutes ; le récit réduit à l'essentiel était centré sur le personnage qui avait toujours cristallisé l'intérêt du lecteur : le monstre. Et ce déplacement du centre de gravité dramatique s'imposa spontanément aux quarante films suivants. Le film italien de 1920, l'annonçait explicitement dans son titre : *Le Monstre de Frankenstein*.

Changement de héros par la grâce d'un changement d'éclairage auquel on doit aussi un détournement d'état civil. Le nom de Frankenstein, par référence au roman, a subsisté dans le titre de presque tous les films successifs, mais l'usage populaire l'a immédiatement attribué au héros du récit visuel : le monstre, jusqu'ici innommé ; la plupart des spectateurs oubliant — et même ignorant — que ce patronyme appartenait à un créateur dont ils avaient enregistré la présence, d'un regard distrait.

Le mythe n'allait cependant trouver son visage définitif, qu'en 1931 et 1935 dans les deux films réalisés par James Whale pour Universal ; grâce à leur poésie tragique, et grâce, surtout, à l'horreur créatrice du maquillage mis au point par Jack Pierce.

A l'origine de ces films se trouvent deux Français dont les noms sont injustement absents des génériques, alors que toutes les études consacrées à la genèse du mythe audio-visuel leur rendent un hommage mérité : ô combien... Robert Florey né à Paris, ancien assistant de Louis Feuillade (le réalisateur de *Fantomas*, *Judex*, *Les Vampires*), était arrivé à Hollywood en 1921, comme envoyé spécial de *Cinémagazine*. Il n'en est jamais revenu [10], poursuivant là-bas, jusqu'en 1965, une magnifique carrière : gagman, scénariste, adapta-

---

10. R. Florey est mort à Los Angeles en mai 1979.

teur, réalisateur pour le cinéma et la télévision. Paul
Ivano, d'origine serbe, mais né et élevé à Nice, avait
quitté en 1919 la Promenade des Anglais pour Hollywood où il poursuivit lui aussi une longue et fructueuse
carrière de chef-opérateur.

Dans une lettre à Michel Laclos [11], Florey a retracé
la genèse du premier des deux films Universal dont
l'idée prit naissance lors d'une conversation qu'il eut
avec Richard Schayer chef du département scénarios
des films Universal :

«Grand amateur d'histoires fantastiques, Richard,
après le succès commercial remporté par *Dracula* [12]
cherchait quelque chose d'un genre similaire. Nous
discutâmes d'un tas de sujets allant du *Fauteuil hanté* [13]
au *Lycanthrope de Transylvanie*. Richard pensait au
roman de Mary W. Shelley, mais ne voyait pas comment on pourrait l'adapter à l'écran. Nous déjeunâmes
avec Carl Laëmmle Junior qui durant mon absence
était devenu chef de production de l'Universal. Celui-ci me demanda de tirer un scénario de *Frankenstein...* J'habitais alors en haut de la rue Ivar et, de ma
fenêtre, je voyais la pâtisserie Van de Kamp dont l'ar-
chitecture était celle d'un immense moulin à vent dont
les ailes tournaient lentement le jour et la nuit. Cela me
donna l'idée de situer le laboratoire de l'alchimiste
dans une ruine de moulin ; je modernisai l'histoire et,
petit à petit, je construisis un scénario qui n'eut plus
beaucoup de rapport avec le livre. Richard Schayer et
Laëmmle Junior se déclarèrent enchantés de cette
«adaptation»...

« Dans le décor de *Dracula* qui était encore debout,
je tournai avec l'excellent opérateur Paul Ivano, deux
bobines d'essais de mon scénario avec le ''monstre''
habituel de la maison, l'artiste hongrois Bela Lugosi,
maquillé par Jack Pierce. Garrett Fort avait écrit les
dialogues... A la projection, les vingt minutes de film

11. Citée par J. C. Romer et J. Boullet. Voir bibliographie.
12. *Dracula :* réalisé en 1931 par Tod Browning et interprété par
Bela Lugosi.
13. Roman de Gaston Leroux (1912).

monté dépassèrent mes espérances : pour du cinéma fantastique, c'en était ! Seul, Bela Lugosi n'était pas satisfait. «Avec ce maquillage, dit-il, n'importe quel artiste peut jouer le rôle. Le public ne me reconnaîtra pas.» Il avait raison. Par la suite, différents acteurs incarneront le monstre sans que les spectateurs se rendissent compte de la substitution. Pour eux, la créature du docteur Frankenstein était toujours la même.

« Le metteur en scène James Whale, qui était à cette époque l'un des plus importants des studios Universal, et qui, depuis plusieurs semaines, cherchait un scénario, vit à la projection les deux bobines d'essais qui l'intéressèrent vivement. Il demanda à Laëmmle à prendre connaissance du scénario. A mon insu les dirigeants de la maison acceptèrent de lui en confier la réalisation. Nouveau venu dans la maison, quoique y ayant déjà travaillé au temps du muet, que pouvais-je faire ? En manière de dédommagement, Laëmmle Junior m'offrit un nouveau contrat dans lequel il était stipulé que j'étais engagé pour collaborer à plusieurs histoires dont *L'Homme invisible*, *Double Assassinat dans la rue Morgue* et à une suite de *Frankenstein*. J'étais en outre chargé de la réalisation d'un de ces trois films.»

Bela Lugosi ayant préféré être l'interprète de *Double Assassinat dans la rue Morgue* (réalisé par Florey et photographié par Ivano), James Whale fit appel pour le remplacer à un acteur alors peu connu, malgré une longue expérience des studios : Boris Karloff (pseudonyme de l'anglais Charles Edward Pratt).

Rafistolé et rembourré par une succession d'adaptateurs (dont seuls les derniers connurent l'honneur de la signature) le scénario de Florey survoltait l'intensité dramatique du sujet. D'abord, en resserrant dans une durée de quelques jours une action qui, tous préambules, écrans et confessions supprimés, commençait au moment même de la fabrication du monstre, et que le roman, à partir de là, étirait sur six années. Ensuite, en accentuant les «oppositions» et «lignes de tension» que le roman se bornait à esquisser.

Le caractère de Victor Frankenstein était renforcé dans un sens véritablement prométhéen. De simple étudiant, secrètement occupé à donner une réalité à ses rêveries, il devenait un savant maudit, plus ou moins exclu de l'université pour ses conceptions visionnaires, et n'hésitant pas à profaner les sépultures fraîches. Le monstre, au lieu de se retourner uniquement contre son créateur, épargnait puis craignait celui-ci. Par contre, il défoulait une véritable folie homicide sur les autres humains : métamorphose justifiée par une erreur de l'assistant de Victor, qui lui faisait utiliser le cerveau d'un dégénéré. Dégénérescence providentielle pour le scénario : elle dispensait de prêter une pensée logique au monstre, et donc la culture que le roman lui faisait acquérir dans des conditions d'une naïveté inacceptable par un public moderne. Privé même de langage, il se trouvait d'autant plus incapable d'adresser à son créateur les admonestations, protestations et supplications, pleines de charme pour un lecteur aux goûts sophistiqués ; mais elles auraient fait crouler de rires les spectateurs des salles de quartier.

Enfin, l'adaptation filmique se gardait bien d'accompagner la mort du monstre par celle du créateur. Victor Frankenstein était conservé en vie, prêt à opérer la résurrection de la créature si les impératifs du commerce l'exigeaient. Et ce fut le cas...

Le deuxième film de James Whale, *La Fiancée de Frankenstein* (1935), allait affiner le mythe : sans renoncer à l'épouvante classique, il la nuançait d'un intimisme et d'un romantisme présents dans le roman, mais que le premier film avait négligés. Plus apaisé, le monstre de l'écran s'intéressait, comme son modèle littéraire, à la nature, aux fleurs, jouait avec une petite fille. Il tentait même une amitié avec un ermite : aveugle, celui-ci ne pouvait être horrifié par sa laideur. Enfin, le monstre arrivait à trouver les mots pour persuader Victor Frankenstein de lui donner une compagne, également née en laboratoire, qui lui ferait oublier l'ostracisme des hommes.

Ici, le cinéma allait se montrer plus fidèle au mythe

que Mary Shelley elle-même. Débutante douée mais
inexpérimentée, elle avait commis l'erreur de repous-
ser le désir du monstre. James Whale, au contraire,
l'accomplit. Mais la fiancée, à peine créée et éveillée à
la vie, hurle d'horreur, elle aussi, à la vue du monstre.
Il est à jamais condamné à la solitude...

Malgré l'inévitable dérive subie par le mythe lors du
passage de l'écrit à l'image sonore, il demeurait relativement fidèle à la conception originelle. Et James
Whale avait su le fixer dans une certaine dimension
poétique qui dispensait de lui apporter des variantes.

Mais l'économie du marché cinématographique est
fondée sur une exploitation cyclique des thèmes à succès, quitte à compenser leur usure progressive en les
travestissant, en les parodiant, en les condamnant,
grâce à l'imagination illimitée des scénaristes à toutes
sortes d'altérations, transfusions et humiliations. Les
cinq réalisations de Terence Fisher pour la Hammer,
ajoutèrent d'agréables enluminures à la légende fixée
par James Whale. Ces films exceptés, aucune des étapes de la dégradation et de l'humiliation ne fut épar-
gnée au monstre romantique de Mary Shelley pour
satisfaire l'appétit vorace des tiroirs-caisses. Tantôt
pour conforter d'autres mythes défaillants, tantôt pour
l'étayer par ceux-ci, on lui fit rencontrer toutes les
célébrités hideuses de l'écran : Dracula, Abbott et
Costello, la Momie, le Loup-Garou... Ces filons épui-
sés, on le mit au service du cinéma pornographique
hétéro ou homosexuel.

Sur ce mythe dérivé sont venues se greffer les
contributions — pas toutes déplorables d'ailleurs —
de la bande dessinée, du dessin animé, de la radio, de
la télévision, des découpages et maquettes, des statuettes animées ou non, des tee-shirts, et masques de
carnaval : autant de variations centrifuges du mythe
polymorphe que recouvre le nom de Frankenstein.

Aussi est-ce souvent par malentendu que le
consommateur actuel en vient, poussé par la curiosité,
à ouvrir le roman de Mary Shelley. Heureux malentendu : sans les altérations et transformations qui ont

permis au mythe de connaître la pérennité, Mary
Shelley ne serait guère appréciée, comme Ann Radcliffe, Horace Walpole ou Clara Reeves, que d'une
petite élite d'érudits ou d'amateurs de suranné.

Ces déviations parfois encombrantes permettent à
Frankenstein ou le Prométhée moderne de continuer
d'être lu ; elles ont aidé aussi à trouver peu à peu sa
perspective véritable, inaperçue des critiques de l'époque, et dont l'auteur n'avait pu prendre toute la mesure. Que cette perspective soit définitive et complète,
rien n'est moins sûr. Le roman de Mary Shelley a
surtout été étudié, même par les préfaciers les plus
pertinents, comme un prétexte à sa postérité cinématographique. Déjà moins fréquente est l'étude des sources, presque toujours faite par rapport à l'antériorité
des grands mythes de la vie et de la survie, et des
secrets interdits de la connaissance. Encore mal exploré est tout un aspect de l'œuvre, intime et secret,
touchant aux amours difficiles de Percy et Mary, de
leur vie errante et des rapports avec leur cercle, autant
de péripéties transposées dans les mêmes décors géo-
graphiques à travers les relations qu'entretiennent
Victor, le monstre, Clerval, Elizabeth, les parents
compréhensifs ou complices, et l'enfant fauché à la
fleur de l'âge.

Mary Shelley, elle-même, nous incite à considérer
son œuvre sous un tel aspect, par la nature de l'affection qu'elle lui porte : « ... elle est le fruit de jours
heureux où la mort et le chagrin n'étaient que des
paroles, sans écho véritable dans mon cœur. Chacune
de ces pages évoque mainte promenade à pied ou en
voiture, maint entretien où la solitude m'était inconnue, et où j'avais près de moi un être que jamais, en ce
monde, je ne retrouverai. Mais tout cela me concerne
seule ; et mes lecteurs n'ont que faire de ces souvenirs ». (Introduction 1831.)

Si, au contraire : le voyeurisme de la postérité est
sans limites. Il n'est pas blâmable lorsqu'il aboutit à
une meilleure connaissance de l'œuvre. Celle de Mary
Shelley, rapprochée de ses lettres, son journal (et celui

de sa sœur adoptive), ses récits de voyage devrait permettre sans qu'il soit nécessaire d'y ajouter une psychanalyse subtile, de mettre à jour le contenu autobiographique de *Frankenstein*. Il serait trop simple de figer Percy Shelley dans le seul personnage de Victor, chasseur de chimères, incapable de trouver auprès d'une Elizabeth-Mary le bonheur qu'elle était prête à lui donner. Quant au monstre, dans ses lamentations et ses supplications il assume parfois la romancière et parfois son évanescent et volage mari, errant d'une femme à l'autre.

De *Frankenstein ou le Prométhée moderne*, tout le macabre s'est aujourd'hui évanoui aux yeux de lecteurs blasés par les bébés éprouvette, la vivisection, les transplantations d'organes. Était-il, reste-t-il un roman frénétique et terrifiant ? L'horreur, très discrète (à part la scène où le monstre épie le sommeil du créateur et celle où il ricane derrière la fenêtre de la chambre de noces), n'était-elle pas un alibi qui a trompé des générations de critiques et lecteurs ?

Longtemps classé comme un temple élevé à la peur, ce roman risque d'apparaître un jour comme un temple élevé à l'amour. Plus d'un siècle et demi après la parution de *Frankenstein*, Mary Shelley reste à redécouvrir.

Francis LACASSIN.

BIBLIOGRAPHIE

I. — L'ŒUVRE DE MARY SHELLEY

1. — FRANKENSTEIN

En anglais

Sont indiquées seulement les éditions qui se signalent par une innovation.

1818 : *Frankenstein*, or *The Modern Prometheus*, 3 vol. Londres, Lackington, Hugues, Harding, Mayor et Jones. Avec une préface non signée, rédigée par le mari de l'auteur : Percy Shelley.

1831 : *Frankenstein*, or *The Modern Prometheus*, 1 vol. illustré. Collection « Standard Novels », 9. Londres, Henry Colburn and Richard Bentley ; Édimbourg, Bell and Bradfute ; Dublin, Cumming. Édition revue, corrigée, avec une nouvelle introduction de l'auteur. C'est le texte adopté, sauf rarissimes exceptions, par toutes les éditions et traductions modernes.

1942 : *Frankenstein*, or *The Modern Prometheus*, New York, the Council on Books in Wartime. « Overseas Edition » nᵒ 909. Destiné aux troupes américaines en Europe. Utilise, bizarrement, le texte de 1818.

1969 : *Frankenstein*, or *The Modern Prometheus*, Londres, Oxford University Press, 1969. Introduction, bibliographie et chronologie par M. K. Joseph.

Texte de 1831. Avec les préfaces de 1818 et 1831 et des documents.

1974 : *Frankenstein, or The Modern Prometheus*, introduction, variantes, notes, documents par James Rieger. Indianapolis, The Bobb-Merrill Co. Texte établi d'après un exemplaire de l'édition de 1818 conservé par la Pierpont-Morgan Library. Offert en 1823 par l'auteur à une certaine Mrs. Thomas, cet exemplaire porte des corrections autographes différentes de celles du texte de 1831.

1977 : *The Annotated Frankenstein*, introduction et notes par Leonard Woolf. Avec cartes, dessins et photographies. New York, Clarkson N. Potter Inc. Texte de 1818.

Signalons l'existence, aux États-Unis, de deux adaptations du roman à usage de la jeunesse ; le récit étant fait à la troisième personne.

1965 : *Frankenstein and the Monster*, par Walter Gibson. Inclus dans le recueil *Monsters*, édité par Wonder Books.

1968 : *Frankenstein*, par Dale Carson. Édité par « The Golden Press » [Western Publishing Co].

En français

Sont recensées ici *toutes* les éditions connues. Certaines d'entre elles ne figurent pas au catalogue de la Bibliothèque nationale.

1821 : *Frankenstein*, ou le Prométhée moderne. 3 vol. traduit de l'anglais par J. S. [Jules Saladin] Paris, Corréard. La première publication dans une langue autre que l'anglais. Utilise la version de 1818, naturellement. Toutes les éditions ci-dessous se référeront au contraire au texte de 1831.

1922 : *Frankenstein*, ou le Prométhée moderne. Traduit de l'anglais et précédé d'une introduction par G. [Germain] d'Hangest. « Collection de Littérature Ancienne Française et Étrangère » dirigée par Pierre

Mac Orlan. Paris, La Renaissance du Livre, s.d., [1922]. (Traduction reproduite dans la présente édition.)

1946 : *Frankenstein*, adaptation de Henry Langon. Bruxelles, Le Scribe [texte abrégé].

1947 : *Frankenstein*, traduit par Hannah Betjeman. Monaco, Éditions du Rocher [texte abrégé].

1964 : *Frankenstein*, traduit par Hannah Betjeman. Préface et filmographie par Michel Boujut. Lausanne, Éditions Rencontre [texte abrégé].

1964 : *Frankenstein*, ou le Prométhée moderne, traduit par Joe Ceurvost. Avant-propos de Jacques Bergier. Verviers, Gérard [Marabout]. Réimprimé en 1978 par les Nouvelles Éditions Marabout.

1965 : *Frankenstein*, traduit par Hannah Betjeman. Préface et filmographie par Michel Boujut. Coll. «Le monde en 10/18» nᵒ 219. Paris, Union Générale d'Éditions. Réimprimé en 1971 [texte abrégé].

1967 : *Frankenstein*, traduction nouvelle et intégrale par Eugène Rocart et Georges Cuvelier. Postface par Hubert Juin. «Club Géant.» Paris, Presses de la Renaissance [Belfond].

1968 : *Frankenstein*, traduit par Hannah Betjeman. Préface et filmographie par Michel Boujut. Genève, Cercle du Bibliophile [texte abrégé].

1969 : *Frankenstein*, traduit par Raymonde de Gans. Illustrations par Claude Selva. Genève, Éditions de l'Érable.

1975 : *Frankenstein*, suivi de : Docteur Jekill et Mr. Hyde, par R. L. Stevenson ; Le Moine, par M. G. Lewis. Préface de Roger Caillois. «Les Chefs-d'œuvre de la science-fiction et du fantastique». Paris, Cercle Européen du Livre.

1978 : *Frankenstein*, traduit par Raymonde de Gans. «Les Cent Livres.» Genève, Éditions Ferni.

2. — AUTRES ROMANS

Tous inédits en français. Le lieu de publication est
Londres, sauf indication contraire.

1823 : *Valperga, or The Life and Adventures of Castruc-
cio, Prince of Lucca.* G. and W. B. Wittaker, 3 vol.

1826 : *The Last Man,* Henry Colburn, 3 vol.

1830 : *The Fortunes of Perkin Warbeck,* A Romance.
Henry Colburn and Richard Bentley, 3 vol.

1835 : *Lodore,* Richard Bentley, 3 vol.

1837 : *Falkner,* Saunders and Otley, 3 vol.

1959 : *Mathilda,* publié par Elizabeth Nitchie. Chapel
Hill, The University of North Carolina Press.

3. — CONTES ET NOUVELLES

Au nombre de vingt-cinq. Parus dans des recueils
collectifs ou des périodiques. Ils n'ont jamais été recueillis du vivant de l'auteur. On les trouvera dans les
ouvrages suivants :

1891 : *Tales and Stories,* by Mary Wollstonecraft Shelley. Préface par Richard Garnett. Londres, William
Patterson.

1976 : *Mary Shelley : Collected Tales and Stories,* préface
par Charles E. Robinson. Baltimore, The John
Hopkins University Press.

4. — THÉÂTRE

1820 : *Proserpine,* drame en 2 actes. Publié dans « The
Winter's Wreath for 1832 », p. 1-20.

1820 : *Midas,* drame en 2 actes. Recueilli par André
Koszul dans *Proserpine and Midas* — Londres,
Humphrey Milford, 1922.

5. — ŒUVRES DIVERSES

1817 : *History of six Week's Tour* through a Part of France, Switzerland, Germany and Holland : with letters descriptive of a sail around the lake of Geneva, and the Glaciers of Chamouni. Londres, T. Hookman Jr. [récit de voyage].

1835-1837 : *Lives of the Most Eminent Literary and Scientific Men* of Italy, Spain and Portugal. Vol. I et II Collection « The Cabinet of Biography », 86-87 (1835), 88 (1837). Londres, Longman and Co. Biographies d'hommes célèbres (Petrarque, Boccace, Machiavel...) en collaboration avec James Montgomery.

1838 : *Lives of the Most Eminent Literary and Scientific Men of France*, Vol. I et II. Coll. « The Cabinet of Biography », 102 et 103. Londres, Longman and Co. Biographies de Montaigne, Rabelais, Corneille, Voltaire, Rousseau, Madame Roland, etc.

1844 : *Rambles in Germany and Italy* in 1840, 1842 and 1843, 2 vol. Londres, Edward Moxon.

1944 : *The Letters of Mary Wollstonecraft Shelley*, recueillies par Frederick L. Jones. 2 vol. Norman, University of Oklahoma Press. Rassemble sept cent cinq lettres écrites de 1814 à 1850. Il existe, par le soin d'autres éditeurs, des recueils plus succincts.

1947 : *Mary Shelley's Journal*, édité par Frederick L. Jones. Norman, University of Oklahoma Press. Reproduit plus de quatre-vingts pour cent du journal (1814-1844) dont l'édition intégrale demeure inédite.

De nombreux autres textes de Mary Shelley n'ont pas été recueillis : poèmes, critiques littéraires, articles divers, traductions (en particulier d'Apulée), etc. Elle a édité également six volumes des œuvres de Percy Shelley en 1839 et 1840.

II. — SUR L'ŒUVRE DE MARY SHELLEY

La bibliographie de Mary Shelley et celle des ouvrages, études ou articles consacrés à son œuvre de 1818 à 1974, remplit à elle seule un gros volume qui constitue un guide indispensable. Il s'agit de :
— LYLES, W. H. : *Mary Shelley, An Annotated bibliography*, New York, Garland Publishing Inc., 1975.

Tous les ouvrages sur Percy Shelley font une large place à sa femme. Parmi les plus récents consacrés à celle-ci :
— MARSHALL, Mrs. Julian. *The Life and Letters of Mary W. Shelley*. 2 vol., New York, Haskell House Publishers, 1970.
— NITCHIE, Elizabeth, *Mary Shelley Author of Frankenstein*, Westport (Connecticut), Greenwood Press, 1953.
— GLUT, Donald F., *The Frankenstein Legend*, Metuchen (New Jersey), The Scarecrow Press Inc. 1973. Les prolongements du mythe dans le cinéma, les bandes dessinées, à la radio, au théâtre, etc.
— ANOBILE, Richard F., *James Whale's Frankenstein*, Londres, Pan Books Ltd, 1974. Grâce à des photogrammes, une reproduction plan par plan du film Universal de 1931.
— FLORESCU, Radu, *In Search of Frankenstein*, New York, Warner, 1976.

La bibliographie française demeure très pauvre. Un seul ouvrage d'ensemble, copieux et excellent, accompagné de documents inédits :
— PALACIO Jean de : *Mary Shelley dans son œuvre*, Paris, Klincksieck, 1970.

Parmi les ouvrages partiellement consacrés à l'auteur :
— DEDEYAN, Charles. *Le Thème de Faust dans la littérature romantique*, Paris. Lettres Modernes, 1955. T. II, p. 314-320.

— MILNER, Max. *Le Diable dans la littérature française de Cazotte à Baudelaire*, Paris, José Corti, 1960. T. I, p. 314-320.

Et pour les cinéphiles :
— ROMER, Jean-Claude ; BOULLET, Jean, *Cinéma fantastique : L'épouvante*. « Bizarre », 24/25. Paris, Pauvert, 1962.
— BOUYXOU, Jean-Pierre, *Frankenstein*. « Premier Plan », 51. Lyon, Serdoc, 1969.

NOTE SUR LE TEXTE

Il existe deux versions de *Frankenstein or The Modern Prometheus*.

La première a connu deux éditions en 1818 et 1823. L'auteur a retouché et remanié son texte à l'occasion d'une troisième édition parue en 1831. C'est cette seconde version qui a été désormais adoptée par tous les éditeurs postérieurs, sauf rares exceptions dictées par des soucis d'exégèse.

La première traduction française du roman a paru en 1821 : elle procédait naturellement du texte de 1818. La seconde traduction française procédait du texte de 1831 : elle a été établie en 1922 par Germain d'Hangest, à l'initiative de Pierre Mac Orlan, pour la «Collection de Littérature Ancienne Française et Étrangère». C'est la traduction retenue pour le présent ouvrage.

Le texte de 1831 présente, par rapport à celui de 1818, 309 variantes : 23 sont dues à un changement de numérotation des chapitres, 211 concernent de simples retouches de style : substitution, addition ou suppression de quelques mots (le plus souvent un seul mot); elles ne modifient ni l'action ni les personnages. La dimension des autres variantes va d'une phrase à plusieurs paragraphes. Dans quatre cas, elle atteint la valeur d'une à plusieurs pages.

Le présent ouvrage ne constituant pas une édition critique, il n'était pas possible de relever la totalité des 309 variantes. On indiquera seulement, en notes, celles qui ont pour effet de modifier considérablement, ou de contredire, le texte de 1818.

FRANKENSTEIN
OU
LE PROMÉTHÉE MODERNE

LETTRE I

A MRS. SAVILLE, ANGLETERRE

Saint-Pétersbourg, 11 décembre 17...

Vous vous réjouirez d'apprendre que nul accident n'a marqué le commencement d'une entreprise que vous regardiez avec de si funestes pressentiments. Je suis arrivé ici hier et mon premier soin est d'assurer ma chère sœur de ma prospérité, et de ma confiance croissante en le succès de mon projet.

Me voici déjà bien loin au nord de Londres; en me promenant dans les rues de Pétersbourg, je sens sur mes joues la bise du nord, qui me fouette le sang et m'inonde de la joie de vivre. Comprenez-vous ce sentiment ? Cette bise, venue des régions vers lesquelles je voyage, me donne un avant-goût de ces climats glacés. Sous le souffle de ce vent de la promesse, les rêves de mes jours gagnent en ferveur et en intensité. C'est en vain que j'essaie de croire que le pôle est le royaume des glaces et de la désolation : il se présente sans cesse à mon esprit comme le pays de la beauté et de la joie. Là-bas, ô Margaret, le soleil est toujours visible : son disque immense, effleurant l'horizon, répand une splendeur perpétuelle. De ces régions (car si vous le voulez bien, ma sœur, j'en croirai les navigateurs qui m'y précédèrent), de ces régions, la neige et la gelée sont bannies [1] ; et voguant sur une mer calme, peut-être serons-nous poussés vers une terre dont les merveilles et la beauté dépassent celles de toutes les régions encore découvertes sur le globe habitable. Les produits et les caractères en seront peut-être sans exemple, comme aussi sans doute l'aspect des corps célestes dans ces solitudes inexplorées. Que ne peut-on s'attendre à voir dans un pays de lumière éternelle ? J'y découvrirai peut-être la force merveilleuse qui attire à elle l'aiguille ; peut-être y coordonnerai-je mille observations célestes, dont ce seul voyage suffira pour harmoniser désormais les discordances apparentes. Le spectacle d'une partie du monde encore inconnue rassasiera ma curiosité ardente ; peut-être mes pas fouleront-ils un sol où l'empreinte du pied de l'homme n'est jamais encore apparue.

Telles sont les séductions qui m'appellent, et elles suffisent pour vaincre toutes les craintes de danger ou de mort, pour m'inciter à entreprendre ce laborieux voyage avec la joie qu'éprouve un enfant, lorsqu'au début d'une expédition de découvertes il s'embarque avec ses compagnons de vacances pour remonter, dans un frêle esquif, sa rivière natale. Mais à supposer fausses toutes ces conjectures, vous ne sauriez contester l'inestimable bienfait, que jusqu'à la dernière génération, me devra l'humanité, si je découvre près du pôle un passage menant à ces contrées qu'il faut aujourd'hui tant de mois pour atteindre, ou si je pénètre le secret de l'aimant, résultat, si même il est permis de l'espérer, que peut seule obtenir une entreprise telle que la mienne.

Ces pensées ont dissipé l'agitation dans laquelle j'ai commencé ma lettre, et mon cœur se gonfle d'un enthousiasme qui me porte jusqu'aux cieux, car rien ne contribue tant à calmer l'esprit qu'un propos délibéré, point sur lequel l'âme peut fixer le regard de l'intelligence. Cette expédition est, depuis mes premières années, mon rêve favori. J'ai lu avec ardeur les récits des divers voyages tentés pour arriver au nord de l'océan Pacifique par les mers qui entourent le pôle. Peut-être vous souvenez-vous que l'histoire de toutes les expéditions de ce genre constituait toute la bibliothèque de notre bon oncle Thomas. Mon éducation avait été négligée ; pourtant, j'étais passionné de lecture. A mesure que, jour et nuit, j'étudiais ces volumes, grandissait en moi le regret ressenti d'abord dans mon enfance, quand mon père mourant avait interdit à mon oncle de me laisser commencer l'existence d'un marin.

Toutes ces visions s'effacèrent lorsque je parcourus, pour la première fois, ces poètes dont les effusions enchantèrent mon âme et l'élevèrent jusqu'aux cieux. Moi aussi, je devins poète, et durant une année je vécus dans un paradis de ma propre création. J'imaginais, moi aussi, pouvoir gagner une place dans le temple où sont sanctifiés les noms d'Homère et de Shakespeare. Vous savez comment j'échouai et quelle fut la cruauté de ma désillusion. Mais, précisément à cette époque, j'héritai la fortune de mon cousin, et mes pensées reprirent le cours de leurs tendances premières.

Six ans ont passé depuis la résolution initiale de mon entreprise d'aujourd'hui. Je me rappelle encore l'heure où je me consacrai à cette grande initiative. Je commençai par habituer mon corps à la vie dure ; j'accompagnai les pêcheurs de baleines dans plusieurs expéditions sur la mer du Nord, j'endurai volontairement le froid, la faim, la soif et l'insomnie ; il m'arrivait souvent de travailler pendant le jour plus que les matelots, alors que mes nuits étaient données à l'étude des mathématiques, à la théorie de la médecine et à ces branches de la physique d'où un explorateur maritime peut retirer le plus grand avantage pratique. Deux fois je louai mes services comme second sur une baleinière du Groenland, et m'acquittai de ma tâche à l'admiration de tous. Je dois reconnaître la fierté que j'éprouvai lorsque le capitaine m'offrit le deuxième rang sur son vaisseau et insista, le plus sérieusement du monde, pour me déterminer à rester ; tel était le prix qu'il attachait à mes services.

Et maintenant, chère Margaret, ne suis-je pas digne de réaliser quelque grand projet ? Ma vie aurait pu s'écouler dans le confort et le luxe, mais je préférai la gloire à toutes les séductions que la richesse avait placées sur mon chemin. Ah! puisse un voix favorable répondre par l'affirmative! Mon courage et ma résolution sont fermes, mais mes espérances vacillent et souvent la dépression m'assaille. Me voici sur le point de commencer un voyage long et difficile, dont l'imprévu exigera toute mon énergie; il me faudra non seulement ranimer le courage des autres, mais parfois soutenir le mien propre lorsque le leur faiblira.

C'est maintenant la saison la meilleure pour voyager en Russie. Les traîneaux filent rapidement sur la neige; le mouvement en est agréable, bien plus, à mon avis, que celui des diligences anglaises. Le froid n'est pas excessif si l'on s'enveloppe de fourrures, habillement que j'ai déjà adopté; car la différence est grande entre se promener sur le pont et rester assis immobile pendant des heures, sans prendre aucun exercice capable d'empêcher le sang de geler littéralement dans vos veines. Je ne tiens aucunement à perdre la vie sur les routes de la malleposte, entre Saint-Pétersbourg et Archangelsk.

Je partirai pour cette dernière ville d'ici quinze jours ou trois semaines; et j'ai l'intention d'y louer un navire, chose facile en payant l'assurance à la place de l'armateur, et en recrutant autant de matelots que je le juge nécessaire parmi ceux qui connaissent la chasse à la baleine. Je ne compte pas partir avant juin; mais quand reviendrai-je? Ah! ma sœur chérie, comment répondre à cette question? Si je réussis, maint et maint mois, des années peut-être, s'écouleront avant notre rencontre. Si j'échoue, vous me reverrez bientôt... ou jamais.

Adieu, ma chère, mon excellente Margaret. Puisse le ciel vous accabler de bénédictions et me préserver moi-même, pour me permettre de vous témoigner ma reconnaissance de tout votre amour et de toute votre bonté.

Votre frère affectionné,

R. WALTON.

LETTRE II

A Mrs. Saville, Angleterre

Archangelsk, 28 mars 17...

Quelle n'est pas ici la lenteur du temps, environné que je suis de glace et de neige! Et pourtant j'ai mené à bien la deuxième démarche nécessaire à mon entreprise. J'ai loué un vaisseau et je m'occupe de recruter l'équipage; les matelots que j'ai déjà engagés me semblent être des gens sur lesquels je peux compter, et possèdent à coup sûr le courage le plus intrépide.

Mais je souffre d'un besoin que jamais encore je n'ai pu satisfaire, et l'absence de son objet me frappe comme un mal des plus cruels. Je n'ai, ô Margaret aucun ami : lorsque l'enthousiasme du succès m'anime, nul ne prend part à ma joie; et si la déception m'assaille, personne ne s'efforce de me soutenir dans ma misère. Je confierai, il est vrai, mes réflexions au papier; mais quel triste moyen pour communiquer ses sentiments! Je cherche la société d'un homme capable de partager ce que je ressens, et dont les regards répondent aux miens. Peut-être, ô ma chère sœur, me jugerez-vous romanesque, mais ce besoin d'un ami atteint à l'amertume. Nul n'est auprès de moi, doué de douceur et pourtant de courage, dont l'esprit soit à la fois cultivé et large, les goûts semblables aux miens, et qui puisse approuver ou parfaire mes projets. A quel point semblable ami ne remédierait-il pas aux défauts de votre frère! J'ai trop d'ardeur dans l'exécution, trop d'impatience devant les obstacles. Mais je souffre encore bien plus d'être un autodidacte : pendant mes quatorze premières années, je fus lâché à travers champs, ne lisant rien que les récits de voyages de l'oncle Thomas. C'est à cet âge que je découvris les poètes célèbres de notre pays; mais ce fut seulement lorsqu'il eut cessé d'être en mon pouvoir de tirer d'une conviction semblable le profit le plus important, que j'aperçus la nécessité d'acquérir d'autres langues que celle de mon pays natal. J'ai aujourd'hui vingt-huit ans, et je suis, en réalité, plus illettré que bien des écoliers de quinze. Il est vrai que j'ai réfléchi davantage, que les rêves de mes jours sont plus vastes et plus magnifiques ; mais il importe, comme les belles œuvres des peintres, de les conserver ; et j'ai grand besoin d'un ami assez intelligent pour ne pas me mépriser d'être romanesque, et assez affectueux à mon égard pour tenter d'équilibrer mon âme.

Mon Dieu, voilà bien des plaintes inutiles. Je ne trouverai, à coup sûr, aucun ami sur l'immense océan, ni même à Archangelsk, parmi les marchands et les marins. Et pourtant certains sentiments, vierges des impuretés de la nature humaine, palpitent même sous ces seins rudes. Mon lieutenant, par exemple, est d'un courage et d'une initiative merveilleuse ; il est follement épris de la gloire, ou plutôt, pour m'exprimer de façon plus exacte, du succès dans sa carrière. C'est un Anglais, et parmi ses préjugés nationaux et professionnels, il jouit de certains des plus nobles privilèges de l'homme. J'ai fait sa connaissance à bord d'une baleinière et, le voyant sans emploi dans cette ville, je l'ai facilement décidé à m'aider dans mon entreprise.

Le maître d'équipage est une personne d'excellent caractère, et aussi remarquable à bord pour la douceur de ses manières que pour celle de sa discipline ; cette circonstance venant s'ajouter à son intégrité et à son intrépidité bien connues, me donna le plus vif désir de m'assurer ses services. Une jeunesse solitaire, la douceur de vos soins féminins pendant mes meilleures années, ont à tel point affiné le fond de mon tempérament, que je ne puis surmonter une répugnance profonde pour la brutalité qui règne ordinairement à bord ; je n'ai jamais cru qu'elle fût nécessaire ; et lorsque j'ai entendu louer un marin à la fois pour sa bonté naturelle, et pour le respect et l'obéissance que lui témoigne l'équipage, je me suis considéré comme tout particulièrement privilégié de pouvoir me l'attacher.

Les premiers renseignements me furent donnés à son sujet de façon plutôt romanesque, par une dame qui lui doit le bonheur de sa vie. Voici, brièvement, son histoire. Il y a un certain nombre d'années, il devint amoureux d'une jeune fille russe qui possédait une petite fortune; ayant lui-même amassé une somme considérable au cours de ses captures, il obtint le consentement du père; il vit une seule fois la jeune fille avant la cérémonie projetée; mais elle était toute en larmes et, se jetant à ses pieds, elle le supplia de l'épargner, lui avouant qu'elle en aimait un autre, mais qui était pauvre, et que son père ne lui permettrait jamais d'épouser. Mon généreux ami rassura la suppliante, et lorsqu'il apprit le nom de son prétendant, il abandonna aussitôt son projet. Il venait d'acheter, de ses propres ressources, une ferme où il s'était proposé de passer le reste de ses jours, mais il la légua à son rival, ainsi que le reste de son argent, pour lui permettre d'acheter du bétail, et supplia lui-même le père de la jeune femme de consentir à son mariage avec l'homme qui l'aimait. Mais le vieillard refusa délibérément, se croyant lié d'honneur à l'égard de mon ami; devant ce père inexorable, il quitta son pays et n'y revint qu'après avoir appris que son ancienne prétendue était mariée selon son cœur. «Quel merveilleux caractère!» allez-vous vous écrier. Sans doute; mais il n'a reçu aucune instruction, il est aussi silencieux qu'un Turc; et l'espèce d'ignorante insouciance qui marque son attitude, tout en rendant sa conduite d'autant plus admirable, nuit à l'intérêt et à la sympathie qu'il éveillerait autrement.

Parce que je me plains quelque peu ou que j'imagine à mes labeurs une consolation que peut-être je ne connaîtrai jamais, n'allez pas supposer que je sois incertain dans mes résolutions. Celles-ci ont la fermeté du Destin; et le seul retard que souffre actuellement mon voyage est dû au temps défavorable. L'hiver a été terrible; mais le printemps est plein de promesses et passe pour extraordinairement précoce; peut-être m'embarquerai-je plus tôt que je ne le croyais. Je ne

ferai rien témérairement; vous me connaissez assez
pour avoir confiance en ma prudence et en ma réflexion chaque fois que le salut des autres est confié à
mes soins.

Je ne peux vous décrire mes sensations à l'approche
de mon départ. Il est impossible de vous donner une
idée de ce frémissement à demi agréable, à demi apeu-
rant, au milieu duquel je me prépare. Je me dirige vers
des régions inexplorées, vers «le pays des brumes et
des neiges» [2]; mais je ne tuerai point l'albatros, ne
craignez donc pas pour ma vie, ni que je vous revienne
aussi usé et désespéré que le *Vieux Marin*. Cette allusion vous fera sourire; mais je vais vous dire un secret.
J'ai souvent attribué l'intérêt, l'enthousiasme passionné que suscitent en moi les dangereux mystères de
l'océan, à cette œuvre du plus grand visionnaire parmi
les poètes modernes. Une force que je ne comprends
pas agit en mon âme. Je suis, dans la vie courante,
actif, laborieux, un ouvrier qui aboutit par la persévérance et la peine; mais il existe aussi en moi un amour
du merveilleux, une croyance du merveilleux, qui s'in-
sinue en la trame de tous mes projets, qui me pousse
soudain hors des voies ordinaires des hommes, jusque
dans les mers sauvages et les régions inconnues que je
vais bientôt explorer.

Pour en revenir à des considérations plus chères,
vous reverrai-je après avoir traversé des mers immenses et être revenu par le cap le plus lointain de l'Afrique
ou de l'Amérique du Sud? Je n'ose espérer pareille
réussite, et pourtant je ne peux souffrir d'envisager
l'autre côté de la médaille. Continuez donc, pour le
présent, de m'écrire à chaque occasion : vos lettres me
parviendront peut-être en des circonstances où j'en
aurai le plus grand besoin pour soutenir mon courage.
Je vous aime très tendrement. Souvenez-vous de moi
affectueusement, si quelque hasard devait faire que ne
vous parvînt plus de moi aucune nouvelle.

Votre frère affectionné,

Robert WALTON.

LETTRE III

A Mrs. Saville, Angleterre

17 juillet 17...

Ma chère sœur, je vous envoie quelques lignes en hâte, pour vous dire que je suis en vie et que mon voyage avance. Cette lettre arrivera en Angleterre par un bateau marchand qui y retourne actuellement d'Archangelsk ; en cela plus heureux que moi, qui peut-être pendant des années ne reverrai point ma terre natale. Je suis pourtant d'excellente humeur : mes hommes sont braves et apparemment fermes en leurs projets ; et les nappes de glace qui passent continuellement près de nous, signes des dangers de la région vers laquelle nous sommes en route, ne semblent point les effrayer. Nous voici déjà à une latitude très élevée ; mais nous sommes au plus fort de l'été et bien qu'il ne fasse pas si chaud qu'en Angleterre, les vents du sud nous poussent rapidement vers les rivages que je désire si ardemment atteindre, nous apportent une chaleur récréatrice à laquelle je ne m'étais pas attendu.

Nul incident n'a encore eu lieu qui soit digne de figurer dans une lettre. Une ou deux bises tenaces, et une voie d'eau sont des accidents que les marins expérimentés ne pensent guère à noter ; je m'estimerai heureux si rien de pire ne nous arrive au cours de notre voyage.

Adieu, ma chère Margaret. Soyez sûre que pour moi-même autant que pour vous, je n'affronterai pas légèrement le danger. Je serai calme, persévérant et prudent.

Mais le succès couronnera certainement mes efforts. Pourquoi pas ? Voici déjà une grande distance parcourue avec sûreté sur les mers sans routes tracées ; les astres eux-mêmes sont témoins et garants de mon triomphe. Pourquoi ne pas continuer à vaincre cet

élément sauvage et pourtant obéissant? Quelle force
pourrait arrêter le cœur résolu, la volonté affermie de
l'homme? C'est ainsi que mon cœur se gonfle et
s'épanche. Mais il faut en finir. Que le ciel bénisse ma
sœur bien-aimée!

R. W.

LETTRE IV

A Mrs. Saville, Angleterre

5 août 17...

Un accident si étrange nous est arrivé que je ne peux me retenir de le noter, bien que, selon toute vraisemblance, vous alliez me voir avant que ces papiers ne soient entre vos mains.

Lundi dernier (31 juillet), nous fûmes presque entourés par la glace qui se resserrait tout alentour du navire, lui laissant à peine la surface où il flottait. Notre situation était assez dangereuse, étant donné surtout que nous étions au milieu d'une brume très épaisse. Nous mîmes donc en panne, espérant un changement quelconque de l'atmosphère et du temps.

Vers deux heures la brume se leva, et nous aperçûmes, s'étendant de tous côtés, de vastes et irrégulières plaines de glace, qui semblaient n'avoir pas de limites. Quelques-uns de mes camarades s'émurent, et l'anxiété commençait à ne plus me laisser de repos, lorsqu'un spectacle étrange attira soudain notre attention, et nous arracha à l'inquiétude que nous inspirait notre propre situation. Nous aperçûmes une carrosserie basse fixée sur un traîneau tiré par des chiens, passant à environ un demi-mille au nord de nous. Un être de forme humaine, mais apparemment gigantesque, était assis dans le traîneau et conduisait les chiens. Nous observâmes avec nos longues-vues le passage rapide du voyageur jusqu'au moment où il disparut au loin parmi les inégalités de la glace.

Ce spectacle suscita en nous un étonnement sans mélange. Nous étions, nous semblait-il, à plusieurs centaines de milles de toute terre ; mais cette apparition semblait indiquer un éloignement moins grand que nous ne le supposions. Cependant, encerclés par la glace, nous ne pouvions en suivre la trace, que nous avions observée avec la plus grande attention.

Environ deux heures après cet événement, nous entendîmes la mer soudain mauvaise ; et avant la nuit la glace se brisa, libérant notre navire. Nous restâmes pourtant à l'ancre jusqu'au matin, craignant de rencontrer dans la nuit ces grandes masses détachées qui flottent çà et là après la rupture des glaces. Je profitai de cet arrêt pour me reposer quelques heures.

Dès qu'il fit jour, cependant, je montai sur le pont et je trouvai tous les matelots occupés d'un seul côté du navire, parlant à quelqu'un qui se trouvait au-dehors. C'était, à vrai dire, un traîneau semblable à celui que nous avions aperçu auparavant, qui avait dérivé vers nous pendant la nuit, sur un grand fragment de glace. Un seul des chiens vivait encore ; mais à l'intérieur du véhicule était un être humain que les matelots engageaient à monter à bord. Ce n'était pas, comme l'autre voyageur nous avait paru l'être, un habitant sauvage de quelque île inconnue, mais un Européen. Losque j'apparus sur le pont, le maître d'équipage lui dit : « Voici notre capitaine, il ne vous laissera pas périr en mer. »

En m'apercevant, l'étranger m'adressa la parole en anglais, bien qu'avec un accent étranger : « Avant que je monte à bord de votre vaisseau, voulez-vous avoir l'amabilité de me dire quelle est votre destination ? »

Vous comprendrez peut-être mon étonnement de me voir poser pareille question par un homme au bord de l'abîme, et pour qui j'aurai cru que mon vaisseau représentait une ressource qu'il n'eût pas échangée contre le plus grand trésor de la terre. Je lui répondis cependant, que nous faisions une expédition vers le pôle nord.

Ceci parut le satisfaire, et il consentit à venir à bord. Grand Dieu ! Margaret, si vous aviez vu l'homme qui capitulait ainsi pour sa sécurité, votre surprise eût été sans bornes. Ses membres étaient presque gelés, et son corps terriblement amaigri par la fatigue et la souffrance. Je n'ai jamais vu personne dans un état aussi lamentable. Nous essayâmes de le transporter dans la cabine ; mais, dès qu'il eût quitté le grand air, il s'évanouit. Nous le ramenâmes donc sur le pont, et le ranimâmes en le frottant avec de l'eau-de-vie et en lui en faisant absorber un peu. Dès qu'il donna des signes de vie, nous l'enveloppâmes dans des couvertures et le plaçâmes près de la cheminée de la cuisine. Peu à peu il se remit, et mangea un peu de potage, qui fit merveille.

Deux jours se passèrent ainsi avant qu'il pût parler; et je craignis plusieurs fois que ses souffrances ne lui eussent fait perdre la raison. Lorsqu'il eut repris quelques forces, je le fis transporter dans ma propre cabine, et m'occupai de lui dans la mesure où j'avais des loisirs. Je n'ai jamais vu créature plus intéressante : ses yeux ont généralement une expression d'égarement et même de folie, mais à certains moments, si on lui témoigne quelque bonté, ou si on lui rend le moindre service, toute sa physionomie s'illumine, pour ainsi dire, d'un rayon de bienveillance et de douceur dont je n'ai jamais vu l'égal. Mais la mélancolie et le désespoir l'accablent à l'ordinaire; parfois, il grince des dents, comme s'il ne pouvait supporter les malheurs qui pèsent sur lui.

Lorsque mon hôte fut à peu près guéri, j'eus beaucoup de peine à en écarter les hommes qui voulaient lui poser mille questions; mais je ne permis pas qu'il fût tourmenté par leur vaine curiosité, dans un état du corps et de l'âme exigeant pour sa guérison un repos total. Une seule fois, pourtant le lieutenant lui demanda pourquoi il s'était aventuré si loin sur la glace dans un véhicule aussi étrange.

Sa physionomie exprima aussitôt la plus profonde tristesse; et il répondit :

— Pour chercher quelqu'un qui me fuyait.

— Et l'homme que vous poursuiviez, voyageait-il de la même façon?

— Oui.

— Alors, je crois l'avoir vu, car la veille du jour où nous vous avons ramassé, nous avons vu des chiens tirant un traîneau avec un homme dedans, sur la glace. »

Ceci éveilla l'attention du voyageur; il posa une foule de questions sur l'itinéraire que le démon, dissait-il, avait suivi. Bientôt après, seul avec moi, il me dit : « J'ai sans doute excité votre curiosité, comme celle de ces braves gens ; mais vous êtes trop pondéré pour me questionner.

— Certainement ; il serait à coup sûr, bien impertinent et bien inhumain à moi de vous troubler par une curiosité quelconque.

— Et pourtant vous m'avez sauvé d'une situation étrange et dangereuse : vous m'avez ramené à la vie comme un ami. »

Bientôt il me demanda si je pensais que la rupture des glaces eût détruit l'autre traîneau. Je répondis que je ne pouvais le lui dire avec la moindre certitude ; car la glace s'était brisée que peu avant minuit, et il se pouvait que le voyageur eût atteint avant cette heure, un endroit sûr. Mais je ne pouvais me faire d'opinion à cet égard.

A partir de ce moment, un nouveau souffle de vie anima le corps affaibli de l'étranger. Il manifesta le plus impatient désir d'être sur le pont, pour guetter le traîneau, qui, auparavant, nous était apparu. Mais je l'ai persuadé de rester dans la cabine, car il est bien trop faible pour supporter pareille atmosphère. Je lui ai promis de mettre un guetteur à sa place, qui l'avertirait immédiatement s'il apercevait un objet nouveau.

Tel est le journal que j'ai tenu aujourd'hui de cet étrange événement. L'étranger a peu à peu repris ses forces ; mais il garde le silence et semble inquiet lorsqu'un autre que moi pénètre dans sa cabine. Pourtant, ses manières sont si accueillantes et douces que les matelots s'intéressent tous à lui, bien qu'ayant échangé avec lui si peu de mots. Pour ma part, je commence à l'aimer comme un frère ; la constance et la profondeur de son chagrin m'emplissent de sympathie et de compassion. Il a dû, aux jours plus heureux de sa vie, être une noble créature puisqu'il est, dans le malheur, si attirant et si aimable.

Je vous écrivais jadis, ma chère Margaret, que je ne trouvais aucun ami sur l'océan immense, et pourtant je

viens de trouver un homme, qu'avant l'accablement de
sa misère, j'aurais été heureux d'avoir pour frère de
mon cœur.

Je continuerai, à bâtons rompus, ce journal touchant
l'étranger, si j'ai à noter quelques nouveaux incidents.

13 août 17...

Mon affection pour mon hôte augmente de jour en
jour. Il excite à la fois mon admiration et ma pitié à un
degré étonnant. Comment voir un être aussi merveilleux rongé par le malheur, sans ressentir le plus poi-
gnant chagrin? Il est si doux, et pourtant si sage;
son esprit est si cultivé; et lorsqu'il parle, bien que
ses paroles soient choisies avec l'art le plus rare,
elles coulent avec rapidité et avec une éloquence sans
égale.

Sa guérison a déjà fait de grands progrès; il est
continuellement sur le pont, guettant apparemment le
traîneau qui précédait le sien. Pourtant, bien que malheureux, il n'est pas assez absorbé par son malheur
pour ne pas s'intéresser profondément aux projets des
autres. Il s'est fréquemment entretenu avec moi des
miens, que je lui ai dits sans rien déguiser. Il a donné
toute son attention à mes arguments en faveur de mon
succès éventuel, et à chaque menu détail des mesures
que j'avais prises pour l'assurer. La sympathie qu'il
m'a témoignée m'a naturellement amené à employer le
langage du cœur, à exprimer la brûlante ardeur de mon
âme, et à dire, avec toute la ferveur qui m'échauffait,
comment je ferais avec joie le sacrifice de ma fortune,
de mon existence, de tous mes espoirs, à l'avancement
de mon entreprise. La vie ou la mort d'un seul homme
ne serait qu'un prix minime en regard des connaissances que je cherchais et de la domination que je m'assu-
rerais et transmettrais, sur les éléments hostiles à notre
race. Tandis que je parlais, une tristesse sombre envahissait le visage de mon interlocuteur. Je m'aperçus
d'abord qu'il cherchait à contenir son émotion; il cou-

vrit ses yeux de sa main; et ma voix trembla et s'éteignit, lorsque je vis des larmes couler rapidement entre
ses doigts, et qu'un gémissement s'échappa de son sein
gonflé. Je m'arrêtai; il finit par me dire, en paroles
entrecoupées: « Malheureux! Partagez-vous donc ma
folie? Avez-vous bu, vous aussi, cet enivrant breuvage? Ecoutez-moi. Laissez-moi vous révéler mon
histoire, et vous briserez sur le sol la coupe que vous
portez à vos lèvres. »

Semblable discours, vous le concevez, excita grandement ma curiosité; mais l'excès de chagrin qui avait
saisi l'étranger, domina ses forces diminuées, et il lui
fallut de longues heures de repos et de conversation
paisible pour retrouver son calme.

Après avoir vaincu la violence de ses sentiments, il
parut se mépriser de s'y être abandonné; et écrasant la
sombre tyrannie du désespoir, il m'amena de nouveau
à l'entretenir de mon passé. L'histoire en fut brève,
mais elle éveilla divers cortèges de réflexions. Je parlais
de mon désir de trouver un ami, de ma soif d'une
sympathie, avec une âme pareille, plus intime que la
destinée ne me l'avait permise; et j'exprimai ma
conviction que l'homme privé de cette joie, ne goûtait,
en vérité, qu'un bien maigre bonheur.

« Je pense comme vous, répondit l'étranger; nous
sommes des créatures informes, à demi réalisées, si
quelqu'un de plus sage, de meilleur, de plus cher que
nous-même (semblable ami devrait exister) ne nous
aide à parfaire notre faible et incomplète nature. Jadis,
j'avais un ami, la plus noble des créatures humaines;
j'ai donc qualité pour juger de l'amitié. Vous avez
l'espérance et l'univers devant vous, vous ne sauriez
désespérer. Mais moi! Moi, j'ai tout perdu et je ne
peux recommencer à vivre. »

En disant ces paroles, son visage revêtit l'expression
d'un chagrin profond et calme qui me toucha jusqu'au
cœur. Mais lui garda le silence, et se retira bientôt dans
sa cabine.

Si accablé qu'il soit, nul ne sent plus profondément
les beautés de la nature. Le ciel étoilé, la mer, et tous

les paysages de ces régions merveilleuses, semblent pouvoir encore élever son âme au-dessus de la terre.

Un homme comme lui a une existence double : il peut souffrir lamentablement, être accablé par la désillusion ; pourtant, lorsqu'il s'est recueilli, il ressemble à un être céleste, entouré d'une auréole à l'intérieur de laquelle ne pénètre ni chagrin ni folie.

Allez-vous sourire de mon enthousiasme pour ce divin voyageur ? Vous ne souririez pas si vous le voyiez. Vous avez puisé inspiration et culture dans les livres et la retraite ; vous êtes, par conséquent, difficile à satisfaire ; mais vous n'en êtes que mieux disposée pour apprécier les mérites extraordinaires de cet homme admirable. J'ai parfois cherché à pénétrer la qualité particulière qui l'élève si immensément au-dessus de tous ceux que j'ai jamais connus ; et je crois que c'est l'intuition, une rapidité de jugement infaillible, sans égale pour la clarté et la précision, puis une grande facilité d'expression, et une voix dont la richesse d'intonations est une musique qui plie l'âme.

12 août 17...

Hier l'étranger m'a dit : « Vous voyez facilement, capitaine Walton, que j'ai subi des revers incomparables. J'avais jadis décidé que le souvenir en périrait en moi ; mais vous m'avez déterminé à modifier ma décision. Vous cherchez, comme je le faisais autrefois, la science et la sagesse ; je souhaite ardemment que la réalisation de vos souhaits ne soit pas un serpent qui vous pique, comme elle le fut pour moi. Je ne sais si le récit de mes malheurs vous sera utile ; pourtant, en réfléchissant que vous poursuivez le même but et que vous vous exposez aux mêmes dangers qui ont fait de moi ce que je suis, j'imagine que vous pourrez tirer de mon histoire une morale opportune, qui puisse vous guider si vous réussissez dans votre entreprise et vous consoler si vous échouez. Disposez-vous donc à apprendre des événements ordinairement jugés merveilleux. Si les spectacles offerts à nos regards étaient moins sauvages, je pourrais craindre votre incrédulité, peut-être le ridicule. Mais bien des choses paraîtront possibles, dans ces régions désertes et mystérieuses, qui provoqueraient le rire de ceux à qui est inconnue la diversité des puissances de la nature. Je ne doute pas d'ailleurs que mon histoire ne porte en sa coordination même la preuve intime de l'exactitude des événements qui la composent. »

Vous imaginez sans peine la joie que me procura l'offre d'une telle confidence ; et pourtant je ne pouvais supporter la pensée que la narration de ses malheurs renouvelât son chagrin. J'avais le plus grand désir d'entendre le récit promis, en partie par curiosité, en partie pour améliorer son destin si c'était en mon pouvoir. J'exprimai tous ces sentiments dans ma réponse.

« Je vous remercie, me dit-il, de votre sympathie, mais elle est inutile : ma destinée est presque accomplie. Je n'attends plus qu'un seul événement, et alors je reposerai en paix. Je comprends votre sentiment, ajouta-t-il en s'apercevant que j'allais l'interrompre ; mais vous vous trompez, mon ami... permettez-moi de vous nommer ainsi ; rien ne saurait modifier mon destin ; écoutez mon histoire et vous verrez combien il est irrévocable. »

Il me dit alors qu'il commencerait le lendemain son récit lorsque nous serions libres. Je le remerciai de la façon la plus chaude. J'ai résolu, lorsque mes devoirs ne m'absorberont pas, de rédiger chaque soir, dans les termes les plus proches possible des siens, ce qu'il m'aura raconté dans la journée. Si je suis occupé, du moins prendrai-je quelques notes. Ce manuscrit vous donnera sans doute le plus grand plaisir ; mais moi qui connais cet homme et qui l'ai entendu parler, avec quel intérêt et quelle sympathie ne ferai-je pas un jour cette lecture ! Maintenant même, en commençant ma tâche, sa voix pleine résonne à mes oreilles ; ses regards humides reposent sur moi dans toute leur mélancolique douceur ; je vois sa main amaigrie qui se soulève lorsqu'il s'anime, et ses traits reflètent l'ardeur de son âme. Étrange et angoissante doit être son histoire; effrayant aussi l'orage qui s'abattit sur sa nef intrépide pour en avoir fait l'épave que j'ai sous les yeux.

CHAPITRE PREMIER

Je suis né à Genève ; et ma famille est l'une des plus distinguée de cette république. Mes ancêtres étaient depuis de nombreuses années conseillers et syndics ; et mon père avait rempli avec honneur et gloire plusieurs fonctions publiques. Tous ceux qui le connaissaient respectaient son intégrité et son dévouement infatigable au bien public. Sa jeunesse fut tout entière consacrée aux affaires de son pays ; diverses circonstances l'avaient empêché de se marier tôt, et ce ne fut que sur le déclin de sa vie qu'il devint époux et père de famille.

Comme les circonstances de son mariage mettent en relief son caractère, je ne peux me retenir de les raconter. L'un de ses amis les plus intimes était un marchand, que de nombreux revers firent tomber d'une grande richesse dans la pauvreté. Cet homme, du nom de Beaufort, était d'une humeur altière et inflexible, et ne put supporter de vivre pauvre et oublié dans le pays même où l'avaient auparavant distingué son rang et sa magnificence. Après s'être acquitté de ses dettes de la manière la plus honorable, il se retira avec sa fille dans la ville de Lucerne, où il vécut inconnu et malheureux. Mon père aimait Beaufort d'une amitié très fidèle, et souffrit profondément de cette retraite accompagnée de circonstances si cruelles. Il déplorait amèrement la fausse honte qui inspirait à son ami une attitude si peu digne de l'affection qui les unissait, et se mit sans perdre de temps à le rechercher, espérant le persuader de tenter à nouveau la fortune, grâce à son crédit et à son aide.

Beaufort avait pris pour se cacher des mesures effi-
caces ; et dix mois s'écoulèrent avant que mon père
découvrît sa résidence. Débordant de joie, il se dirigea
en hâte vers la maison, qui était située dans une rue
pauvre, près de la Reuss [3]. Mais lorsqu'il entra, seuls la
misère et le désespoir l'accueillirent. Beaufort n'avait
sauvé de sa fortune qu'une toute petite somme d'argent ; mais elle suffit à son entretien pendant quelques
mois, durant lesquels il espérait trouver un emploi
acceptable dans une maison de commerce. Il resta donc
inactif dans l'intervalle ; son chagrin ne fit que gagner
en profondeur et en amertume lorsqu'il avait le loisir
de la réflexion ; et il finit par s'ancrer si profondément
dans son esprit qu'au bout de trois mois il dut s'aliter,
incapable d'aucun effort.

Sa fille le soigna avec la plus grande tendresse ; mais
elle constatait avec désespoir la diminution rapide de
leurs ressources, et l'absence de tout autre espoir de
subsistance. Mais Caroline Beaufort avait l'âme d'une
trempe étonnante, et son courage grandit avec l'adversité. Elle trouva des travaux simples, tressa de la paille,
et de diverses manières s'arrangea pour gagner un sa-
laire, à peine suffisant d'ailleurs pour garantir l'existence.

Plusieurs mois se passèrent ainsi. L'état de son père
s'aggrava ; son temps était de plus en plus absorbé par
les soins qui lui étaient nécessaires ; ses moyens de
subsistance diminuèrent ; et, au bout de dix mois, son
père mourut entre ses bras, la laissant orpheline et sans
ressources. Ce dernier coup l'accabla ; elle était agenouillée près du cerceuil de Beaufort, pleurant amèrement, lorsque mon père entra dans la pièce. Il arrivait
auprès de cette malheureuse jeune fille comme un ange
gardien ; elle se confia à ses soins ; et après l'enterre-
ment de son ami, il la conduisit à Genève et la mit sous
la protection d'un parent à lui. Deux ans après, Caroline devenait sa femme.

Mes parents [4] étaient d'âge fort différent, mais les
liens d'affection et de dévouement qui les unissaient
n'en furent que plus étroits. Il existait dans l'âme

droite de mon père un sens tel de la justice, qu'il lui fallait estimer hautement pour aimer profondément. Peut-être avait-il autrefois souffert de l'indignité tardivement découverte d'une femme aimée, et attribuait-il naturellement une valeur plus grande à la vertu éprouvée. On remarquait dans son attachement pour ma mère une nuance de reconnaissance et d'adoration totalement différente des excès séniles de tendresse, car elles étaient inspirées par le respect de ses qualités, et par un désir de compenser dans quelque mesure les malheurs qu'elle avait subis, qui mettait une grâce inexprimable en son attitude à son égard. Il n'épargnait rien pour remplir ses souhaits et ses préférences. Il s'efforçait de la protéger, comme un jardinier abrite contre tout souffle rude une belle fleur exotique, et de l'entourer de tout ce qui pouvait émouvoir agréablement son âme douce et bienveillante. Sa santé, et même le calme de son esprit jusqu'alors tranquille, avaient été ébranlés par tout ce qu'elle avait traversé. Au cours des deux années immédiatement antérieures à leur mariage, mon père avait peu à peu abandonné toutes ses fonctions publiques; dès leur union, ils se rendirent sous le ciel délicieux d'Italie, cherchant dans de nouveaux paysages et dans un voyage à travers cette terre merveilleuse le moyen de raffermir sa santé.

D'Italie, ils se rendirent en Allemagne et en France. Moi-même, leur premier enfant, je naquis à Naples; et sans savoir encore parler, je les accompagnais dans leurs randonnées. Je fus pendant plusieurs années leur seul enfant. Si attachés qu'ils fussent l'un à l'autre, ils paraissaient extraire d'une véritable mine d'amour les ressources inépuisables d'une affection qu'ils reportaient sur moi. Mes premiers souvenirs sont ceux des tendres caresses de ma mère, et du sourire heureux et affectueux de mon père lorsqu'il me regardait. J'étais leur jouet et leur idole, mieux encore, leur enfant, la créature innocente et sans défense que le ciel leur avait donnée, pour l'élever dans le bien, et qu'il dépendait d'eux de guider vers le bonheur ou la misère, selon qu'ils s'acquitteraient de leur devoir envers moi. Lorsqu'on sait leur profonde conscience de ce qu'ils devaient à l'être auquel ils avaient donné la vie, et la tendresse active qui les animait tous les deux, on peut imaginer qu'à chaque moment de mes premières années, les leçons de patience, de charité, de maîtrise de moi-même qui n'étaient données, étaient comme un fil de soie pour me guider vers un bonheur sans mélange.

Pendant longtemps, tous leurs soins se concentrèrent sur moi. Ma mère désirait beaucoup avoir une fille, mais je restai leur seul enfant. Vers ma cinquième année, faisant une excursion au-delà de la frontière italienne, ils passèrent une semaine sur les rives du lac de Côme. Leur bonté naturelle leur faisait souvent visiter les chaumières des pauvres. C'était là pour ma mère plus qu'un devoir, — c'était une nécessité, une passion (car elle se souvenait de ses souffrances et de la façon dont elle avait été soulagée) d'être à son tour l'ange gardien des affligés. Pendant l'une de leurs promenades, une pauvre hutte, située dans les replis d'une vallée, attira leur attention par la désolation singulière qui en émanait, tandis qu'une quantité d'enfants à demi-nus, errant autour d'elle, indiquaient la misère sous sa forme la plus lamentable. Un jour que mon père était parti seul pour Milan, je visitai ce logis en compagnie de ma mère. Elle y trouva un paysan et sa femme, vivant d'un dur travail, courbés par les soucis et le labeur, en train de distribuer un maigre repas à cinq bébés affamés. Parmi ceux-ci, l'un attira ma mère plus que les autres. C'était une petite fille qui semblait d'une race différente. Les quatre autres étaient de petits vagabonds endurcis, aux yeux noirs; la petite était maigre et très blonde. Ses cheveux étaient de l'or le plus éclatant et vivant, et, malgré la pauvreté de ses hardes, la distinguaient comme une couronne. Son front était pur et large, ses yeux bleus, sans nuage; et ses lèvres et les contours de son visage exprimaient à tel point la sensibilité et la douceur, que nul ne pouvait la voir sans la considérer comme d'une espèce distincte, comme un être envoyé par le ciel, et portant sur tous ses traits la marque céleste.

La paysanne, voyant les yeux de ma mère fixés avec surprise et admiration sur cette enfant exquise, lui confia avec animation son histoire. Ce n'était point sa fille, mais celle d'un noble milanais. Sa mère, une Allemande, était morte en lui donnant naissance. L'enfant avait été mise en nourrice chez ces braves gens ; leur situation était alors plus prospère. Ils étaient mariés depuis peu de temps, et leur aîné venait de naître. Le père de leur nourrisson était un de ces Italiens nourris du souvenir de la gloire antique de l'Italie, un des *schiavi ognor frementi*, qui s'efforçait de contribuer à la libération de son pays. Sa faiblesse le perdit. On ne savait s'il était mort, ou s'il languissait encore dans les prisons autrichiennes. Ses propriétés avaient été confisquées, sa fille était devenue orpheline et mendiante. Elle restait avec ses parents nourriciers, et fleurissait dans leur grossière habitation, plus belle qu'une rose cultivée au milieu des ronces aux feuilles sombres.

Lorsque mon père revint de Milan, il trouva jouant avec moi dans le vestibule de notre villa une enfant plus belle que les peintures des chérubins, une créature dont les traits paraissaient répandre la lumière, et dont l'aspect et les mouvements surpassaient la légèreté du chamois des montagnes. On lui expliqua vite cette apparition. Avec sa permission, ma mère persuada aux campagnards qui en avaient la garde de lui transmettre leur charge. Ils aimaient la douce orpheline. Sa présence leur avait semblé une bénédiction ; mais il eût été injuste de la maintenir dans la pauvreté et le besoin, alors que la Providence lui apportait protection si puissante. Ils consultèrent le prêtre de leur village, si bien qu'Elizabeth Lavenza vint résider dans la maison de mes parents, et qu'elle devint plus que ma sœur, la belle compagne adorée de tous mes travaux et de tous mes plaisirs[5].

Tous aimaient Elizabeth. L'enthousiasme, la vénération même de chacun à son égard, que je partageais moi-même, devinrent ma fierté et ma joie. La veille de son arrivée à la maison, ma mère m'avait dit en se

jouant : « J'ai un joli présent pour mon ami Victor ;
c'est demain qu'il l'aura. » Et lorsque, le lendemain,
elle me présenta Elizabeth comme le don qu'elle
m'avait promis, j'interprétai littéralement ses paroles,
avec le sérieux d'un enfant : je considérai Elizabeth
comme étant mienne, pour la protéger, l'aimer et la
chérir. Je recevais toutes les louanges qui lui étaient
adressées comme allant à ce qui m'appartenait. Nous
nous appelions familièrement du nom de cousins.
Nulle parole, nulle expression n'était susceptible de
représenter notre relation mutuelle. Elle était plus que
ma sœur, puisqu'elle ne devait être, jusqu'à sa mort,
autre que mienne [6].

CHAPITRE II

Nous fûmes élevés ensemble ; il y avait à peine entre nos âges une année de différence. A peine est-il besoin de dire que toute espèce de désunion ou de dispute nous était inconnue. L'harmonie était l'âme de notre camaraderie, et la diversité et le contraste de nos caractères nous attiraient plus près encore l'un de l'autre. Elizabeth était d'une humeur plus calme et plus méditative ; mais, avec toute mon ardeur, j'étais capable d'une application plus intense, et plus profondément altéré de savoir. Elle s'absorbait à suivre les créations aériennes des poètes ; et dans les majestueux et merveilleux paysages qui entouraient notre résidence suisse — les formes sublimes des montagnes, les changements des saisons, la tempête et le calme, le silence de l'hiver, puis la vie exubérante de nos étés alpestres — elle trouvait des raisons sans nombre d'admiration et de joie. Tandis que ma compagne contemplait, sérieuse et satisfaite, les apparences magnifiques des choses, je me passionnais à la recherche de leurs causes. L'univers était pour moi un secret, que j'essayais de deviner. La curiosité, la recherche enthousiaste des lois cachées de la nature, une joie voisine de l'extase, objets de révélations successives, font partie des premières sensations présentes à ma mémoire.

A la naissance d'un deuxième fils, de sept ans plus jeune [7] que moi, mes parents abandonnèrent entièrement leur vie de voyages, et se fixèrent dans leur pays natal. Nous avions une maison à Genève, et une campagne à Bellerive, sur la rive est du lac, à environ une

lieue au moins de la ville. Nous résidions surtout dans
cette dernière, et la vie de mes parents se passait pour
une grande partie dans la retraite. Il était en moi
d'éviter la foule, et de m'attacher passionnément à
quelques êtres. Aussi étais-je indifférent à l'ensemble
de mes camarades de classe; mais je m'unis à l'un
d'entre eux par les liens de l'amitié la plus intime.
Henry Clerval était le fils d'un marchand de Genève.
C'était un enfant d'un talent et d'une imagination singulière. Il aimait les risques, les privations, et le danger, fût-ce pour lui-même. Il avait lu un grand nombre
d'ouvrages de chevalerie et d'aventures. Il composait des chants héroïques, il commença maint conte
magique ou d'exploits chevaleresques. Il essayait
de nous faire jouer des pièces et participer à des mas-
carades où les personnages étaient tirés des héros de
Roncevaux, de la Table Ronde du Roi Arthur,
et des légions de chevaliers qui répandirent leur
sang pour racheter le Saint Sépulcre des mains des
infidèles [8].

Nul être humain n'aurait pu passer une enfance plus
heureuse que la mienne. Mes parents étaient la bonté
et l'indulgence mêmes. Nous sentions que ce n'étaient
pas des tyrans qui façonnaient notre sort selon leur
caprice, mais la source et les créateurs des joies nombreuses qui étaient nôtres. Lorsque je fréquentais
d'autres familles, je distinguais nettement tout ce
qu'avait de privilégié mon sort, et la reconnaissance
aidait au développement de l'amour filial.

J'étais parfois violent, et mes passions véhémentes;
mais une loi de mon tempérament tournait celles-ci,
non vers des jeux d'enfant, mais vers la poursuite
ardente de la science, et vers le choix raisonné des
connaissances à acquérir. J'avoue que ni la formation
des langues, ni les codes des nations, ni la politique des
divers Etats n'avaient pour moi d'attraction. C'était les
secrets de la terre et du ciel que je désirais connaître; et
que je fusse préoccupé de la substance extérieure des
choses, ou de l'esprit de la nature et de l'âme mystérieuse de l'homme, mes recherches avaient toujours

pour objets les secrets métaphysiques ou physiques, au sens le plus élevé du terme, de l'univers.

Cependant, Clerval s'occupait, pour ainsi dire, des relations morales des êtres. La scène tumultueuse de la vie, les vertus des héros et les actions des hommes constituaient son thème ; son espoir et son rêve étaient de devenir l'un de ceux dont les noms sont gardés dans l'histoire comme ceux des braves et aventureux bienfaiteurs de notre espèce. L'âme sainte d'Elizabeth brillait dans notre paisible foyer comme la lampe du sanctuaire. Sa sympathie était nôtre ; son sourire, sa voix exquise, la douceur céleste de son regard étaient sans cesse présents pour nous bénir et nous inspirer. Elle était comme l'esprit vivant de l'amour qui adoucit et attire : peut-être l'étude m'aurait-elle conféré quelque rudesse, l'ardeur de ma nature quelque brutalité, si elle n'eût été là pour me faire refléter sa propre douceur. Et Clerval (rien de mal pouvait-il résider dans l'âme noble de Clerval ?) pourtant n'eût-il pas été peut-être si parfaitement humain, si réfléchi dans sa générosité, si riche en bonté et en tendresse, malgré sa passion d'aventures, si elle ne lui avait pas révélé le charme réel de la bienfaisance, et fait de cette vertu la fin et le but de son enthousiaste ambition.

Ce m'est une volupté exquise que de m'étendre sur mes souvenirs d'enfance, d'un temps où le malheur n'avait point corrompu mon esprit et changé ses éclatantes visions d'utilité sociale en de sombres et d'étroites réflexions repliées sur moi-même. D'ailleurs, en traçant le tableau de mes premières années, je rappelle aussi les événements qui, par degrés insensibles, amènent au récit de mes malheurs plus récents : car lorsque j'essaie de m'expliquer la naissance de cette passion qui gouverna par la suite ma destinée, je la vois couler, comme une rivière dans la montagne, de sources humbles et presque oubliées ; mais se gonflant dans son cours, elle est devenue le torrent qui a depuis lors balayé toutes mes espérances et toutes mes joies.

L'histoire naturelle est le génie qui a décidé de mon destin ; il faut donc qu'en ce récit j'expose les faits qui déterminèrent ma prédilection en faveur de cette science. J'avais treize ans, lorsque nous fîmes ensemble une excursion aux bains de Thonon ; le mauvais temps nous força de rester pendant tout un jour enfermés dans l'auberge. Je trouvai par hasard dans cette maison un volume des œuvres de Cornélius Agrippa [9]. Je l'ouvris avec apathie ; la théorie dont il essaie la démonstration, et les faits merveilleux qu'il relate changèrent bientôt ce sentiment en enthousiasme. Une lumière nouvelle semblait surgir devant mon esprit comme une aurore ; et bondissant de joie, je fis part de ma découverte à mon père. Celui-ci jeta négligemment un regard sur le titre de l'ouvrage : « Ah ! dit-il ; Cornélius Agrippa ! Mon cher Victor, ne perds pas ton temps à de pareilles lectures ; c'est d'une insignifiance lamentable ! »

Si, au lieu de faire cette remarque, mon père avait pris la peine de m'expliquer que les principes d'Agrippa étaient totalement abandonnés, et qu'un système moderne avait été trouvé, dont la force était bien plus grande, parce que réelle et pratique au lieu de chimérique comme celle de l'ancien, j'aurais certainement jeté Agrippa au feu, et j'aurais satisfait mon imagination en son ardeur d'alors, en reprenant avec plus d'enthousiasme encore mes premières recherches. Peut-être même l'enchaînement de mes idées n'aurait-il pas reçu cette impulsion qui a déterminé ma ruine. Mais le regard sommaire jeté par mon père sur ce volume ne me convainquit nullement qu'il en connaissait le contenu ; et je poursuivis ma lecture avec la plus grande avidité.

En rentrant chez moi, mon premier soin fut de me procurer toutes les œuvres de cet auteur et, par la suite, celles de Paracelse [10] et d'Albert le Grand [11]. Je parcourus et j'étudiai avec joie les folles fantaisies de ces écrivains ; elles me parurent des trésors connus à bien peu en dehors de moi. Je me suis décrit comme animé d'une ardente impatience de pénétrer les secrets de la nature. Malgré le labeur intense et les découvertes merveilleuses des savants modernes, je sortais toujours de mes recherches mécontent et insatisfait. On dit de Sir Isaac Newton qu'il avait toujours l'impression d'être un enfant qui ramasserait des coquillages près de l'immense océan inexploré de la vérité. Ceux dont je lus les œuvres, parmi ses successeurs dans chaque branche de la physique, parurent, même à mes regards d'enfant, être des novices devant la même œuvre à accomplir.

Le paysan illettré contemplait autour de lui les éléments et connaissait leur utilisation pratique. Le plus grand des savants n'en savait guère davantage. Il avait partiellement dévoilé le visage de la nature, mais ses traits immortels étaient encore une surprise et un mystère. Il pouvait disséquer, analyser, donner des noms; mais, sans parler d'une cause finale, les causes secondaires et tertiaires lui restaient totalement inconnues. J'avais contemplé les fossés et les obstacles qui paraissaient interdire aux humains l'entrée de la citadelle de la nature, et, témérairement, dans mon ignorance, j'avais perdu patience.

Mais voici que des livres et des hommes nouveaux avaient poussé plus loin leurs recherches et appris davantage. Je crus sur parole toutes leurs affirmations, et je devins leur disciple. Il peut paraître étrange que semblables œuvres vissent le jour au dix-huitième siècle; mais tout en recevant l'instruction dispensée selon les règles des écoles de Genève, j'étais, dans une large mesure, un autodidacte en ce qui concernait mes recherches favorites. Mon père n'avait pas fait d'études scientifiques, et c'est avec la cécité d'un enfant, à laquelle s'ajoutait la soif de savoir, qu'on me laissa me débattre parmi les difficultés. Sous la direction de mes précepteurs nouveaux, j'abordai avec la plus grande diligence la recherche de la pierre philosophale [12] et de l'élixir de longue vie; mais ce dernier absorba bientôt mon attention tout entière. La richesse était un but inférieur à atteindre; mais quelle gloire ne résulterait pas de ma découverte, si je pouvais bannir du corps humain la maladie, et, hors les causes de mort violente, rendre l'homme invulnérable?

Et ce ne furent pas là mes seules visions. Mes auteurs favoris promettaient généreusement à leurs disciples qu'ils évoqueraient les esprits et les démons, promesse dont je poursuivis avec la dernière ardeur la réalisation. Si mes incantations échouaient toujours, j'attribuais ces échecs plutôt à mon inexpérience et à mes erreurs qu'au manque d'habileté ou de sincérité de mes guides. C'est ainsi que pour un temps je fus absorbé par des systèmes condamnés, mêlant comme un profane mille théories contradictoires, et me débattant désespérément dans un marécage de connaissances hétérogènes, sans autre guide qu'une imagination ardente et une logique enfantine, jusqu'au jour où un accident changea de nouveau le cours de mes idées.

Vers ma quinzième année, nous nous étions retirés dans notre maison voisine de Bellerive; j'y fus témoin d'un orage extrêmement violent et effrayant. Il venait des monts du Jura; et la foudre éclatait à la fois, avec un bruit terrifiant, de plusieurs côtés du ciel. Tant que dura l'orage, je ne cessai d'en observer le cours avec curiosité et joie. Debout à la porte, je vis soudain un ruisseau de feu sortir d'un vieux chêne magnifique qui se dressait à environ vingt mètres de notre maison; et à peine cette éblouissante lumière s'était-elle dissipée, que le chêne lui-même avait disparu, et qu'il n'en restait plus qu'une souche calcinée. Lorsque nous nous rendîmes sur les lieux, le lendemain matin, nous trouvâmes l'arbre détruit d'une façon extraordinaire : il n'avait pas été fendu de haut en bas par le choc, mais entièrement transformé en rubans de bois. Je n'ai jamais rien vu de détruit si complètement [13].

Les lois les plus simples de l'électricité ne m'étaient pas alors complètement étrangères. Ce jour-là, nous avions avec nous quelqu'un de très versé dans l'étude des phénomènes naturels; excité par le spectacle de cette catastrophe, il nous expliqua une théorie qu'il avait conçue à propos de l'électricité et du galvanisme, dont la nouveauté me jeta de suite dans l'étonnement. Tout ce qu'il disait rejetait profondément dans l'ombre Cornélius Agrippa, Albert le Grand et Paracelse, qui dominaient mon imagination ; par quelque fatalité, la ruine des systèmes de ces savants m'inclina à abandonner mes études coutumières. J'avais l'impression que rien ne se découvrirait plus ou ne se pourrait découvrir. Tout ce qui avait si longtemps absorbé mon attention m'apparut soudain méprisable. Par un de ces caprices de l'esprit dont nous souffrons peut-être le plus dans notre première jeunesse, j'abandonnai tout à coup mes anciens travaux ; je décidai que l'histoire naturelle et toutes les sciences qui en étaient issues, n'étaient que conceptions difformes et avortées ; et j'affichai le plus grand dédain à l'endroit d'une soi-disant science qui ne pouvait même pas franchir le seuil d'une connaissance réelle. C'est dans cet esprit que je m'adonnai aux mathématiques et aux recherches qui en dépendent, en tant que reposant sur des fondements sérieux, et dignes, par la suite, de ma considération.

Telle est l'étrangeté de la structure de nos âmes et la fragilité des liens qui nous attachent à la prospérité ou à la ruine. En regardant en arrière, il me semble que ce changement miraculeux de disposition et de volonté vint de la suggestion immédiate de l'ange gardien de ma vie, et fut le dernier effort de l'esprit de conservation pour écarter l'orage déjà suspendu aux astres et sur le point de m'engloutir. Sa victoire eut pour signe un calme et une joie extraordinaires de l'âme, qui suivirent l'abandon des longues études qui m'avaient récemment causé tant d'angoisses. C'est ainsi que j'appris à associer l'idée du mal et celle de leur poursuite, celle du bonheur et celle de leur abandon.

Ce fut un effort puissant de l'esprit du bien ; mais il n'eut point d'effet. La destinée était trop forte, et ses lois immuables avaient décrété ma ruine, entière et terrible.

CHAPITRE III

Quand j'eus atteint l'âge de dix-sept ans, mes parents résolurent que je deviendrais étudiant à l'université d'Ingolstadt [14]. J'avais fréquenté jusque-là les écoles de Genève ; mais mon père jugea nécessaire, pour compléter mon éducation, de me faire étudier les mœurs d'autres pays que le mien. Mon départ fut donc fixé à une date proche ; mais, avant l'arrivée du jour choisi, se produisit le premier malheur de ma vie, présage, pour ainsi dire, de ma mauvaise fortune à venir.

Elizabeth avait attrapé la fièvre scarlatine ; sa maladie était grave [15], et elle était dans le plus grand danger. Pendant cette maladie, on avait exposé à ma mère de nombreuses raisons pour la faire s'abstenir de la soigner. Elle avait d'abord cédé à nos instances ; mais lorsqu'elle apprit que la vie de cette enfant favorite était menacée, elle ne put davantage vaincre son anxiété. Elle approcha la malade ; ses soins attentifs triomphèrent de la malignité de la fièvre ; Elizabeth fut sauvée, mais les conséquences de cette imprudence furent fatales à celle qui s'était dévouée. Trois jours après, ma mère se sentit atteinte ; la fièvre s'accompagna des symptômes les plus alarmants, et l'attitude de ses médecins présagea une issue fatale. Le courage et la bonté de cette femme, la meilleure de toutes, ne l'abandonnèrent point sur son lit de mort. Elle joignit les mains d'Elizabeth aux miennes. « Mes enfants, nous dit-elle, mon plus ferme espoir de bonheur futur reposait sur votre union à venir. Ce sera désormais la consolation de votre père. Elizabeth, mon amour, il faudra prendre ma place auprès de mes jeunes enfants. Hélas ! je regrette de vous être enlevée ; heureuse et aimée comme je l'ai été, n'est-il pas dur de vous quitter ? Mais ce ne sont pas là pensées dignes de moi : je veux essayer de me résigner joyeusement à la mort, et m'abandonner à l'espoir de vous revoir dans un autre monde. »

Elle mourut tranquille, et, même dans la mort, son visage exprimait l'affection. Je ne vous décrirai point les sentiments de ceux dont les liens les plus chers sont brisés par ce malheur irréparable ; le vide ressenti par l'âme, et le désespoir qui se peint sur le visage. L'esprit est si lent à admettre la disparition définitive de celle que nous voyions chaque jour et dont l'existence semblait faire partie de la nôtre, à se rendre compte que s'est éteint à jamais l'éclat d'un regard aimé, que le son d'une voix si familière, si chère à notre oreille, puisse s'évanouir et ne jamais plus s'entendre ! Telles sont les réflexions des premiers jours ; mais c'est quand l'écoulement du temps nous prouve la réalité du mal, que commence l'amertume véritable de la douleur. Pourtant, qui donc la main rude de la mort n'a-t-elle pas privé d'une présence chère ? Et pourquoi décrirais-je un chagrin que tous ont ressenti ou doivent ressentir ? L'heure arrive, enfin, où le chagrin est plutôt une faiblesse qu'une nécessité ; où le sourire qui erre sur les lèvres, bien qu'on le considère comme un sacrilège, n'est plus banni. Ma mère était morte, mais nous avions encore des devoirs à remplir ; il fallait continuer à vivre avec les autres, et apprendre à nous estimer heureux, tant qu'une seule créature restait encore, que cette main destructrice n'avait pas saisi.

Mon départ pour Ingolstadt, retardé par ces événements, fut à nouveau décidé. J'obtins de mon père un répit de quelques semaines. Il m'apparaissait sacrilège de quitter si tôt le calme de la maison endeuillée, et de me précipiter dans la mêlée de la vie. La souffrance était pour moi chose nouvelle, mais je n'en étais pas moins troublé. Il me coûtait de quitter la vue de ceux qui m'étaient chers, et, par-dessus tout, je désirais voir ma douce Elizabeth quelque peu consolée.

Sans doute, elle voilait son chagrin, et s'efforçait de nous consoler tous. Elle fixait sur la vie un regard ferme, et en assumait les devoirs avec courage et zèle. Elle se consacra à ceux qu'on lui avait appris à nommer oncle et cousins. Jamais son charme ne fut si grand qu'à cette époque où elle se faisait violence pour renouveler la lumière de son sourire et la répandre sur nous. Elle alla jusqu'à oublier sa propre peine dans ses efforts pour nous faire oublier.

Le jour de mon départ finit par arriver. Clerval passa avec nous la dernière soirée. Il avait essayé d'obtenir de son père la permission de m'accompagner et de devenir mon condisciple ; mais en vain. Son père était un commerçant à l'esprit étroit, et ne voyait que paresse et ruine dans les aspirations et les ambitions de son fils. Henry ressentait avec peine le malheur d'être privé d'une éducation libérale. Il était sobre de paroles, mais lorsqu'il parlait, je lisais dans le feu et l'animation de son regard, la ferme résolution de ne pas se laisser enchaîner aux détails mesquins du commerce.

Nous veillâmes tard : nous ne pouvions nous arracher l'un à l'autre, ni arriver à nous dire adieu. Le mot fut enfin prononcé, et nous nous quittâmes, sous prétexte de nous reposer, chacun croyant tromper l'autre. Mais lorsqu'à l'aurore, je descendis vers la voiture qui devait m'emmener, tout le monde était présent : mon père, pour me bénir ; Clerval, pour me serrer encore une fois la main ; mon Elizabeth, pour me supplier encore de lui écrire souvent, et pour donner les derniers soins d'une femme à son compagnon de jeu et à son ami.

Je me précipitai dans la chaise qui devait m'emmener, et me livrai aux réflexions les plus mélancoliques. Moi qu'avaient toujours entouré d'aimables compagnons, toujours en quête de ce qui pouvait nous plaire à tous, je me trouvais seul.

A l'université où je me rendais, il me faudrait me créer moi-même mes amis, et être mon propre protecteur. Ma vie avait jusqu'alors été fort retirée et fami-

liale ; et j'en avais conçu une aversion naturelle pour les
visages nouveaux. J'aimais mes frères, Elizabeth et
Clerval ; ils étaient pour moi les « visages familiers d'autrefois » [16], mais je me considérais comme incapable de
supporter la compagnie d'étrangers. Telles étaient mes
réflexions au début de mon voyage ; mais à mesure qu'il
se poursuivait, mon courage et mes espérances
augmentèrent. J'avais l'ardent désir de m'instruire.
Souvent, à la maison, j'avais jugé pénible de passer ma
jeunesse enfermé dans le même endroit ; j'avais ardemment souhaité de pénétrer dans le monde et de prendre
mon rang parmi les autres humains. Voilà que mes
souhaits se réalisaient ; c'eût été, en vérité, folie que de
me repentir.

J'eus assez de loisir pour faire toutes ces réflexions et
mille autres pendant mon voyage à Ingolstadt, qui fut
long et fatigant. Enfin, le grand clocher blanc de la ville
s'offrit à mes regards. Je descendis, et me fis conduire à
mon appartement solitaire pour y passer la soirée
comme je l'entendrais.

Le lendemain matin, je remis mes lettres d'introduction et fis visite à quelques-uns des principaux professeurs. Le hasard, ou plutôt l'influence mauvaise, l'Ange
de la Destruction, dont l'omnipotence se manifesta
contre moi dès l'heure où je m'éloignai à regret de la
porte de mon père, me fit aller trouver d'abord
M. Krempe, professeur de sciences physiques. C'était
un personnage bizarre, mais profondément versé dans
les secrets de son sujet d'études. Il me posa plusieurs
questions sur ce que je savais des différentes sciences
relatives à la physique. Je lui répondis négligemment,
et, avec quelque mépris, je donnai les noms de mes
alchimistes comme ceux des auteurs principaux que
j'avais étudiés. Le professeur ouvrit de grands yeux.
« Est-il possible, me dit-il, que vous ayez réellement
passé votre temps à étudier des fables pareilles ? »

Je répondis affirmativement. « Chaque minute,
continua M. Krempe avec chaleur, chaque instant
donné par vous à ces ouvrages, est totalement, entièrement perdu. Vous avez imposé à votre mémoire le far-

deau de systèmes condamnés et de vocables inutiles.
Grand Dieu! Dans quel désert avez-vous donc vécu,
pour que personne n'y eût la bonté de vous informer que
ces fantaisies dont vous vous êtes si ardemment pénétré,
sont vieilles de mille ans et aussi moisies qu'anciennes?
Je ne m'attendais guère, dans ce siècle éclairé et scientifique, à rencontrer un disciple d'Albert le Grand et de
Paracelse! Mon cher monsieur, il faut reprendre vos
études tout à fait au commencement.»

Ce disant, il s'écarta, et fit une liste des divers livres
traitant de la physique et qu'il voulait que je me procu-
rasse. Puis il me renvoya, après m'avoir dit qu'au début
de la semaine suivante il avait l'intention de commencer
une série de conférences sur les principes généraux de la
physique, et que M. Waldmann, un de ses collègues,
ferait un cours de chimie un jour sur deux, lorsque
lui-même ne parlerait pas.

Je rentrai chez moi non pas désappointé, car il y avait
longtemps que je considérais comme sans valeur ces
auteurs que condamnait le professeur; mais je n'en étais
nullement plus enclin à reprendre ces études sous une
forme quelconque. M. Krempe était un petit homme
trapu, à la voix bourrue et aux traits repoussants; le
maître ne me disposait donc aucunement à partager ses
recherches. Dans un esprit et avec un enchaînement
peut-être trop philosophiques, j'ai exposé les conclusions auxquelles j'étais parvenu à leur sujet au cours de
mes premières années. Étant enfant, les résultats promis par les professeurs modernes des sciences naturelles
ne m'avaient pas satisfait. Dans une confusion d'idées
explicable seulement par mon extrême jeunesse et par
l'absence de guide en ces matières, j'avais à nouveau
suivi les pas de la science le long de la route du temps, et
échangé les découvertes des chercheurs récents contre
les rêves d'alchimistes oubliés. D'ailleurs, je méprisais
les usages de la physique moderne : qu'elle était loin de
ces maîtres de la science qui cherchaient jadis l'immor-
talité et la puissance! Semblables perspectives, même
inutiles, avaient de la majesté; désormais, le spectacle
n'était plus le même : l'ambition du chercheur paraissait

se limiter à dissiper ces visions sur lesquelles reposait
principalement mon intérêt pour la science ; on me demandait d'échanger des chimères d'une majesté infinie
pour des réalités de peu de prix.

Telles furent mes réflexions pendant les deux ou trois
premiers jours de mon séjour à Ingolstadt, que je passais
surtout à me familiariser avec les aîtres et à faire la
connaissance des principaux résidents de l'endroit.
Mais, au début de la semaine suivante, je réfléchis aux
renseignements que m'avait donnés M. Krempe sur ses
cours. Et bien que je ne pusse consentir à aller écouter
cet orgueilleux petit bonhomme dévider ses phrases
dans une chaire, je me souvins de ce qu'il m'avait dit de
M. Waldmann, que je n'avais pas encore vu, car il était
alors hors de la ville.

En partie par curiosité, en partie par désœuvrement,
j'entrai dans la salle de conférences, où M. Waldmann
pénétra peu après. Ce professeur ressemblait fort peu à
son collègue. Il paraissait avoir cinquante ans, mais son
attitude exprimait la plus grande bienveillance ; quelques cheveux gris couvraient ses tempes, mais derrière
la tête ils étaient presque noirs. Il était de petite taille,
mais se tenait très droit ; et sa voix était la plus douce que
j'eusse jamais entendue. Il commença son cours en ré-
capitulant l'histoire de la chimie et les divers perfectionnements apportés par les hommes de science, prononçant avec ferveur les noms des inventeurs les plus
remarquables. Il donna ensuite une vue d'ensemble de
l'état actuel de cette science, puis expliqua un grand
nombre des vocables les plus élémentaires. Après avoir
fait quelques expériences préliminaires, il termina par
un panégyrique de la chimie moderne, dont je n'oublie-
rai jamais les termes :

« Les anciens professeurs de cette science, dit-il,
promettaient des choses impossibles et n'aboutissaient à
rien. Les maîtres modernes promettent peu ; ils savent
que la transmutation des métaux est impossible, et que
l'élixir de longue vie est une chimère. Mais ces philoso-
phes, dont les mains ne semblent faites que pour manipuler des substances sales, et les yeux pour se pencher

sur le microscope ou le creuset, ont, en réalité, accompli
des miracles. Ils pénètrent dans les recoins de la nature
et montrent comment elle procède dans les endroits où
elle se cache. Ils montent jusqu'aux cieux ; ils ont découvert la circulation du sang, la nature de l'air que nous
respirons. Ils ont acquis des puissances nouvelles et
illimitées ; ils peuvent commander à la foudre céleste,
imiter le tremblement de terre, et faire surgir aux yeux
étonnés du monde invisible la vision de ses propres
ombres. »

Telles furent les paroles du professeur ; ou plutôt
permettez-moi de dire : telles furent les paroles du Destin, prononcées pour ma ruine. Tandis qu'il parlait,
j'avais l'impression que mon âme était aux prises avec
un ennemi palpable ; une par une, il frappa sur les
diverses touches qui formaient le mécanisme de mon
être ; chaque corde résonnait à son tour, et bientôt mon
esprit fut rempli d'une seule pensée, d'une seule
conception, d'un seul but. « Voilà ce qu'on a fait, s'écria
l'âme de Frankenstein ; mais j'accomplirai plus, bien
plus encore : marchant sur les pas déjà tracés, je déblaie-
rai une route nouvelle, j'explorerai des puissances inconnues, et je déploierai devant l'univers les mystères
les plus cachés de la création. »

Cette nuit-là, je ne fermai pas les yeux. Mon être
intérieur était dans un état d'insurrection et de tumulte ;
je sentais que l'ordre sortirait de là, mais que je n'avais
pas le pouvoir de le produire. Peu à peu, après l'aurore,
le sommeil arriva. Je m'éveillai, et mes pensées de la
veille ne furent plus qu'un rêve. Il ne subsistait plus
qu'une résolution de reprendre mes études anciennes,
et de me consacrer à une science pour laquelle je me
croyais doué d'un talent naturel. Le même jour, je fis
visite à M. Waldmann. Ses manières, dans le privé,
étaient plus douces encore et plus attirantes qu'en public ; car son attitude, au cours de ses conférences,
comportait une certaine dignité, qui faisait place, dans
sa maison, à la bonté et l'affabilité les plus grandes.

Je lui rendis compte, à peu près de la même façon
qu'à son collègue, de mes études précédentes. Il écouta

attentivement mon récit, et sourit aux noms de Cornélius Agrippa et de Paracelse, mais sans le mépris
qu'avait témoigné M. Krempe. Il déclara que «c'était à
ces hommes au zèle infatigable que les savants modernes devaient la plupart des fondements de leur science.
Ils nous avaient laissé une tâche plus facile, celle de
donner des noms nouveaux, et de coordonner les faits
qu'ils avaient grandement contribué à mettre en lumière. Les travaux des hommes de génie, si erronée
qu'en soit la direction, manquent bien rarement d'apporter, en fin de compte, à l'humanité des avantages
solides». J'écoutai cette déclaration, qui fut faite sans
la moindre présomption ni affectation ; j'ajoutai alors
que sa conférence avait dissipé mes préjugés contre la
chimie moderne ; je m'exprimai en termes mesurés,
avec la modestie et la déférence dues par un jeune
homme à son maître, sans rien laisser paraître (l'inexpérience de la vie me causait quelque appréhension) de
l'enthousiasme qui allait animer mes recherches. Je lui
demandai conseil au sujet des livres que je devrais me
procurer.

«Je suis heureux, me dit M. Waldmann, d'avoir
gagné un disciple ; et, si votre application est égale à
votre talent, je ne doute pas de votre succès. La chimie
est celle des sciences physiques où les plus grands
progrès ont été faits et sont encore possibles : c'est pour
cela que j'en ai fait mon étude particulière ; mais en
même temps je n'ai point négligé les autres branches de
la science. Un homme ne serait qu'un bien pauvre
chimiste s'il ne s'occupait que de cette province des
connaissances humaines. Si réellement vous voulez devenir un savant, et non un empirique borné, je vous
conseille d'étudier toutes les branches des sciences de
la nature, y compris les mathématiques.»

Il me fit ensuite visiter son laboratoire, et m'expliqua l'usage de ses diverses machines ; il m'instruisit de
ce que je devrais me procurer, et me promit de me
laisser employer ses propres instruments dès que je
serais assez avancé dans cette science pour ne pas déranger leurs mécanismes. Il me donna aussi la liste des

livres que je lui avais demandé de m'indiquer, et je pris congé de lui.

Ainsi se termina pour moi une journée mémorable, qui décida de ma destinée future.

CHAPITRE IV

Depuis ce jour, les sciences physiques, et en particulier la chimie, au sens le plus compréhensif du terme, devinrent presque ma seule étude. Je lisais avec ardeur les ouvrages si pleins de génie et de jugement, que les chercheurs modernes ont écrits sur ces sujets. Je suivais les conférences et je cultivais la connaissance des savants de l'université ; et je trouvais même chez M. Krempe une grande faculté de raisonnement solide et des connaissances sûres (alliées, il est vrai, à une physionomie et à des manières peu attirantes), mais non moins précieuses pour cela. En M. Waldmann je trouvai un fidèle ami. Sa douceur ne portait jamais la marque d'aucun dogmatisme ; et ses conseils nous étaient donnés avec un air de franchise et de bonne humeur qui excluait toute idée de pédantisme. De mille manières il déblaya pour moi le chemin de la science, et rendit claires et faciles à mon intelligence les recherches les plus abstruses. Mon travail fut d'abord irrégulier et incertain ; mais il gagna en puissance à mesure que je progressais, et devint bientôt si ardent et si enthousiaste, que les étoiles s'effaçaient souvent dans les lueurs du matin tandis que je travaillais encore dans mon laboratoire.

Avec une application semblable, on conçoit aisément que mes progrès aient été rapides. Mon ardeur faisait, en vérité, l'étonnement des étudiants, et mes progrès, celle de mes maîtres. Le professeur Krempe me demandait souvent en souriant comment allait Cornélius Agrippa, tandis que M. Waldmann exprimait la joie la

plus cordiale de me voir ainsi réussir. Deux années se
passèrent de la sorte, pendant lesquelles je ne retournai
point à Genève, mais m'absorbai, corps et âme, dans la
poursuite de quelques découvertes que j'espérais faire.
Seuls ceux qui les ont éprouvées peuvent concevoir les
séductions de la science. Dans d'autres champs
d'étude, vous allez jusqu'où d'autres sont parvenus
avant vous, et où il ne reste rien à apprendre ; mais
dans les recherches scientifiques il existe des chances
continuelles de découvertes et d'émerveillement. Une
intelligence moyenne, qui se livre intimement à un seul
sujet d'étude, arrive infailliblement à une compétence
remarquable ; et moi, qui poursuivais sans cesse le
même but et m'absorbais totalement en cette ambition,
j'avançai si rapidement que je découvris, au bout de
deux ans, des perfectionnements à certains instruments de chimie, qui me firent grandement estimer et
admirer à l'université. Arrivé à ce point, aussi versé
dans la théorie et la pratique des sciences physiques
que le permettaient les leçons des professeurs d'Ingolstadt, je considérai que ma résidence à cette université avait donné tous ses fruits ; et je songeais à retourner auprès de mes parents, dans ma ville natale,
lorsque se produisit un icident qui prolongea mon
séjour.

Un des phénomènes qui avaient particulièrement
attiré mon attention était la structure du corps humain,
et à la vérité, de tous les animaux doués de vie. Quelle
était donc, me demandais-je souvent, l'origine du principe de la vie ? Question audacieuse, et que toujours on
a considérée comme mystérieuse ; pourtant, combien
de secrets ne sommes-nous pas sur le point de pénétrer, si seulement la lâcheté ou la négligence ne limitaient pas nos recherches ! Je roulais en mon esprit
toutes ces pensées, et finis par décider de m'appliquer
particulièrement aux branches des sciences naturelles
qui touchent à la physiologie. Si je n'avais été animé
d'un enthousiasme presque surnaturel, mon application à ce sujet aurait été fastidieuse, et presque intolérable. Pour rechercher les causes de la vie, il est indis-

fin = aller jusqu'au bout de
la connaissance
trouvé la vérité

pensable d'avoir d'abord recours à la mort. J'appris donc l'anatomie ; mais cela ne suffisait point ; il me fallait en outre observer la désagrégation et la corruption naturelle du corps humain. Au cours de mon éducation, mon père avait pris le plus grand soin pour que nulle horreur surnaturelle n'impressionnât mon esprit. Je ne me rappelle pas avoir tremblé en entendant un conte superstitieux, ni avoir eu peur de l'apparition d'un fantôme. Les ténèbres n'avaient point d'effet sur mon imagination, et un cimetière n'était, à mes yeux, que le réceptacle de corps privés de vie qui, après avoir été le temple de la beauté et de la force, étaient devenus la nourriture des vers. Voici que j'étais amené à examiner la cause et les étapes de cette corruption, et contraint de passer des jours et des nuits dans les caveaux et les charniers. Mon attention se fixait sur chacun des objets les plus insupportables pour la délicatesse des sentiments humains. Je voyais la forme magnifique de l'homme s'enlaidir et disparaître ; j'observais la corruption de la mort succéder à la fraîcheur des joues vivantes ; je voyais le ver prendre pour héritage les merveilles de l'œil et du cerveau. Je m'arrêtais, examinant et analysant tous les détails du passage de la cause à l'effet, tels que les révèle le changement entre la vie et la mort, entre la mort et la vie, jusqu'au moment où, du milieu de ces ténèbres, surgit soudain devant moi la lumière... une lumière si éclatante et si merveilleuse, et pourtant si simple, qu'ébloui par l'immensité de l'horizon qu'elle illuminait, je m'étonnai que, parmi tant d'hommes de génie, dont les efforts avaient été consacrés à la même science, il m'eût été réservé à moi seul de découvrir un secret aussi émouvant.

Souvenez-vous que je ne vous décris point une vision de fou. Il n'est pas plus certain que le soleil brille en ce moment aux cieux, que ce que je vous affirme n'est vrai. Quelque miracle aurait pu le produire ; et pourtant, les étapes de la découverte furent nettes et vraisemblables. Après des jours et des nuits de labeur et de fatigue incroyables, je réussis à découvrir la cause de la génération et de la vie; bien plus, je devins capable, moi-même, d'animer la matière inerte.

L'étonnement que j'éprouvai tout d'abord à cette découverte fit bientôt place à la joie et à l'enthousiasme. Après de si longues heures de dur travail, arriver soudain au sommet de mes désirs était l'aboutissement le plus heureux de ma peine que je pusse concevoir. Mais cette découverte était si grande et si accablante, que toutes les démarches par lesquelles j'y étais parvenu se trouvèrent oblitérées, et que je n'en contemplais plus que le résultat. Ce que les plus grands savants, depuis la création du monde, avaient cherché et désiré, se trouvait désormais entre mes mains. Non qu'un spectacle magique se fût soudain révélé à moi : la certitude que j'avais acquise était plutôt de nature à diriger mes efforts, dès que je les tournerais vers l'objet de mes recherches, qu'à me livrer cet objet dès lors atteint. J'étais semblable à l'Arabe[17] que l'on avait enterré avec les morts, et qui retrouvait un passage le menant à la vie, avec la seule aide d'une lueur vacillante et apparemment inefficace.

Je vois, à votre impatience, à l'émerveillement et à l'espoir qu'expriment vos regards, ô mon ami, que vous vous attendez à être informé du secret qui me fut révélé; mais c'est impossible; écoutez-moi patiemment jusqu'à la fin, et vous comprendrez ma réserve à ce sujet. Je ne veux pas vous guider, sans protection, et ardent comme je l'étais moi-même, vers votre ruine et votre misère infaillible. Apprenez de moi, sinon par mes préceptes, du moins par mon exemple, combien il est dangereux d'acquérir la science, et combien plus heureux est l'homme qui prend sa ville natale pour l'univers, que celui qui aspire à une grandeur supérieure à ce que lui permet sa nature.

Lorsque je vis entre mes mains une puissance aussi étonnante, j'hésitais longtemps sur la manière dont je devrais l'employer. Bien que possédant le pouvoir d'animer la matière, préparer un corps pour recevoir la vie, réaliser l'entrelacement délicat de ses fibres, de ses muscles et de ses veines, restait toujours une œuvre d'une difficulté et d'une longueur inconcevables. Je ne savais d'abord si j'essaierais de créer un être semblable à moi ou un organisme plus simple ; mais mon imagination était par trop exhaltée par mon premier succès pour me laisser mettre en doute la possibilité pour moi de donner la vie à un animal aussi complexe et aussi merveilleux que l'homme. Les matériaux que j'avais alors à ma disposition ne paraissaient guère suffisants pour une entreprise aussi ardue, mais je ne doutais point de ma réussite finale. Je préparai mon esprit à une quantité de revers ; mes tentatives pourraient échouer sans cesse et mon œuvre se trouver enfin imparfaite ; pourtant, quand je considérais chaque jour les progrès de la science et de la mécanique, j'arrivais à espérer que mes essais actuels poseraient au moins les bases du succès à venir ; je ne regardais d'ailleurs pas l'immensité et la complexité de mon projet comme une preuve qu'il fût impraticable. C'est dans ces sentiments que je me mis à créer un être humain. Comme la petitesse de ses diverses parties constituait un grave obstacle à la rapidité de mon travail, je résolus, contrairement à mon intention première, de lui donner une stature gigantesque, c'est-à-dire d'environ huit pieds de hauteur, et d'une largeur proportionnée. Après avoir pris cette décision, et passé plusieurs mois à rassembler et disposer convenablement mes matériaux, je commençai mon œuvre.

Nul ne peut concevoir les sentiments variés qui me poussaient en avant, tel un ouragan, dans le premier enthousiasme du succès. La vie et la mort m'apparaissaient comme des limites idéales que je devrais d'abord franchir pour déverser sur notre monde ténébreux un torrent de lumière. Une espèce nouvelle bénirait en moi son créateur et sa source ; c'est à moi que devraient l'existence des quantités de natures heureuses et bonnes : nul père ne pourrait mériter la reconnaissance de son enfant comme je mériterais la leur. Poursuivant ces réflexions, je me disais que s'il m'était donné d'animer la matière inerte, je pourrais avec le temps (bien que cela me semblât encore impossible), renouveler la vie lorsque la mort avait apparemment livré le corps à la corruption.

Ces pensées soutenaient mon courage, tandis que je poursuivais mon entreprise avec une ardeur sans défaillance. L'étude avait pâli ma joue, l'absence d'exercice avait amaigri mon corps. Parfois, au bord même de la certitude, je n'aboutissais pas; et pourtant je n'abandonnais pas un espoir que le jour ou l'heure suivante réaliserait peut-être. L'unique secret que seul je possédais, était l'espoir auquel je m'étais consacré; et la lune contemplait mes labeurs nocturnes, tandis que, dans la constance et l'essoufflement de l'impatience, je poursuivais la nature jusque dans ses cachettes. Qui concevra les horreurs de mon travail secret, tandis que je tâtonnais, profanant l'humidité des tombes, ou torturais l'animal vivant pour animer l'argile inerte? Ce souvenir fait aujourd'hui trembler mes membres et trouble mon regard; mais alors une impulsion irrésistible et presque frénétique me poussait en avant; toute mon âme, toutes mes sensations ne semblaient plus exister que pour cette seule recherche. Celle-ci n'était plus, à vrai dire, qu'une extase isolée, qui ne faisait que renouveler l'intensité de mes sentiments dès qu'en l'absence de ce stimulant étrange je reprenais mes anciennes habitudes. Je ramassais des ossements dans les charniers, et mes doigts profanes troublaient les mystères de l'édifice humain. C'était dans une pièce, ou plutôt dans une cellule solitaire, en haut de la maison, et séparée de tous les autres appartements par une galerie et un escalier, que j'avais établi mon atelier d'immonde création; mes yeux sortaient de leurs orbites devant les détails de mon œuvre. La salle de dissection et l'abattoir me fournissaient une grande partie de mes matériaux; et mainte fois mon humanité se détourna avec écœurement de mon œuvre, au moment même où sous l'aiguillon d'une curiosité sans cesse croissante, j'étais sur le point d'aboutir.

Les mois d'été s'écoulèrent tandis que, corps et âme, je me donnais ainsi à cette seule ambition. C'était une saison délicieuse; jamais les champs n'avaient donné moissons plus abondantes, ni les vignes plus généreuse vendange ; cependant mes regards étaient insensibles aux charmes de la nature. Et les mêmes sentiments qui me faisaient négliger les paysages dont j'étais entouré, me faisaient de même oublier ma famille, laissée si loin de moi, et que je n'avais pas vue depuis si longtemps. Je savais que mon silence l'inquiétait, et je me rappelais bien les paroles de mon père : « Je sais que tant que vous serez content de vous-même, vous penserez à nous avec affection, et que nous aurons régulièrement de vos nouvelles. Vous me pardonnerez si je considère une interruption quelconque de votre correspondance comme une preuve que vous négligez aussi vos autres devoirs. »

Je savais donc bien ce que penserait mon père ; mais je ne pouvais arracher mon esprit à mon travail, repoussant par lui-même, mais dont l'emprise sur mon imagination était irrésistible. Je voulais, pour ainsi dire, ajourner tout ce qui avait trait à mes sentiments d'affection, jusqu'au moment où serait complété le grand œuvre qui engloutissait toutes les habitudes de ma nature.

Je réfléchis alors que mon père serait injuste, s'il attribuait ma négligence au vice, ou à un manquement quelconque de ma part ; mais je suis aujourd'hui convaincu qu'il avait raison de penser que je n'étais pas absolument exempt de blâme. Un être humain en état de perfection devrait toujours conserver une âme calme et paisible, et ne jamais permettre à la passion ni à un désir éphémère de troubler sa tranquillité. Je ne pense pas que la poursuite de la science fasse exception à cette règle. Si l'étude à laquelle vous donnez vos efforts tend à affaiblir vos affections, et à faire disparaître en vous le goût des plaisirs simples auxquels ne peut se mêler nul alliage, cette étude est à coup sûr réprouvable, c'est-à-dire mal propre à l'esprit humain. Si l'on observait toujours cette règle, si nul homme ne permettait à aucune ambition de troubler la paix de ses affections familiales, la Grèce n'aurait pas connu l'esclavage ; César aurait épargné sa patrie ; l'Amérique eût été découverte moins soudainement ; et les empires du Mexique et du Pérou n'eussent point été détruits.

Mais je m'oublie à faire de la morale au moment le plus intéressant de mon histoire, et vos regards me rappellent à mon sujet.

Mon père ne me fit aucun reproche dans ses lettres, et ne donna d'autre signe qu'il remarquait mon silence, qu'en me demandant sur mes occupations des renseignements plus précis qu'auparavant. L'hiver, le printemps et l'été s'écoulèrent durant mes travaux ; mais je n'observai ni les fleurs, ni l'épanouissement des feuillages — spectacles qui m'avaient jadis donné une joie si parfaite, — tellement j'étais absorbé par mes recherches. Les feuilles, cette année-là, s'étaient flétries avant que mon travail approchât de sa fin ; et chaque jour alors me démontrait à quel point j'avais réussi. Mais mon anxiété contenait mon enthousiasme, et je ressemblais à un esclave condamné à peiner dans les mines ou à quelque autre labeur malsain, plutôt qu'à un artiste s'adonnant à son œuvre favorite. Toutes les nuits, une fièvre lente m'oppressait, et ma nervosité atteignait un degré douloureux ; la chute d'une feuille me faisait tressaillir, et j'évitais mes semblables comme si j'étais coupable d'un crime. Parfois, je m'alarmais en voyant quelle épave j'étais devenu ; seule l'énergie de ma résolution me soutenait : bientôt mes labeurs toucheraient à leur fin ; je crus que l'exercice et les plaisirs chasseraient ce commencement de maladie, et je me promis de m'y donner dès que ma création serait achevée.

CHAPITRE V

Ce fut par une lugubre nuit de novembre [18] que je contemplai mon œuvre terminée. Dans une anxiété proche de l'agonie, je rassemblai autour de moi les instruments qui devaient me permettre de faire passer l'étincelle de la vie dans la créature inerte étendue à mes pieds. Il était déjà une heure du matin ; une pluie funèbre martelait les vitres et ma bougie était presque consumée, lorsque à la lueur de cette lumière à demi éteinte, je vis s'ouvrir l'œil jaune et terne de cet être ; sa respiration pénible commença, et un mouvement convulsif agita ses membres.

Comment décrire mes émotions en présence de cette catastrophe, ou dessiner le malheureux qu'avec un labeur et des soins si infinis je m'étais forcé de former ? Ses membres étaient proportionnés entre eux, et j'avais choisi ses traits pour leur beauté. Pour leur beauté ! Grand Dieu ! Sa peau jaune couvrait à peine le tissu des muscles et des artères ; ses cheveux étaient d'un noir brillant, et abondants ; ses dents d'une blancheur de nacre ; mais ces merveilles ne produisaient qu'un contraste plus horrible avec les yeux transparents, qui semblaient presque de la même couleur que les orbites d'un blanc terne qui les encadraient, que son teint parcheminé et ses lèvres droites et noires.

Les accidents variés de la vie ne sont pas aussi sujets au changement que les sentiments humains. Depuis près de deux ans, j'avais travaillé sans relâche dans le seul but de communiquer la vie à un corps inanimé. Je m'étais privé de repos et d'hygiène. Mon désir avait été d'une ardeur immodérée, et maintenant qu'il se trouvait réalisé, la beauté du rêve s'évanouissait, une horreur et un dégoût sans bornes m'emplissaient l'âme. Incapable de supporter la vue de l'être que j'avais créé, je me précipitai hors de la pièce, et restai longtemps dans le même état d'esprit dans ma chambre, sans pouvoir goûter de sommeil. La lassitude finit par succéder à l'agitation dont j'avais auparavant souffert, et je me précipitai tout habillé sur mon lit, essayant de trouver un instant d'oubli. Mais ce fut en vain : je dormis, il est vrai, mais d'un sommeil troublé par les rêves les plus terribles. Je croyais voir Elizabeth, dans la fleur de sa santé, passer dans les rues d'Ingolstadt. Délicieusement surpris, je l'embrassais ; mais à mon premier baiser sur ses lèvres, elles revêtaient la lividité de la mort ; ses traits paraissaient changer, et il me semblait tenir en mes bras le corps de ma mère morte ; un linceul l'enveloppait, et je vis les vers du tombeau ramper dans les plis du linceul. Je tressaillis et m'éveillai dans l'horreur ; une sueur froide me couvrait le front, mes dents claquaient, tous mes membres étaient convulsés : c'est alors qu'à la lumière incertaine et jaunâtre de la lune traversant les persiennes de ma fenêtre, j'aperçus le malheureux, le misérable monstre que j'avais créé. Il soulevait le rideau du lit ; et ses yeux, s'il est permis de les appeler ainsi, étaient fixés sur moi. Ses mâchoires s'ouvraient, et il marmottait des sons inarticulés, en même temps qu'une grimace ridait ses joues. Peut-être parla-t-il, mais je n'entendis rien ; l'une de ses mains était tendue, apparemment pour me retenir, mais je m'échappai et me précipitai en bas. Je me réfugiai dans la cour de la maison que j'habitais, et j'y restai tout le reste de la nuit, faisant les cent pas dans l'agitation la plus grande, écoutant attentivement, guettant et craignant chaque son, comme s'il devait m'annoncer l'approche du cadavre démoniaque à qui j'avais donné la vie de façon si misérable.

Ah ! aucun mortel ne pourrait supporter la vue de ce visage horrible. Une momie à qui le mouvement a été rendu ne saurait être aussi hideuse. Je l'avais contemplé avant qu'il fût achevé ; il était laid, sans doute ; mais quand ses muscles et ses articulations purent se mouvoir, cela devint une chose telle que Dante lui-même n'aurait pu la concevoir.

Ma nuit fut lamentable. Tantôt, mon pouls battait si vite et si fort que je sentais palpiter chaque artère ; tantôt, je me laissai presque glisser jusqu'au sol dans ma langueur et ma faiblesse extrême. Mêlée à cette horreur, je ressentais l'amertume de la déception ; les rêves qui, depuis si longtemps, m'avaient tenu lieu de nourriture et des douceurs du repos, s'étaient changés soudain en un enfer ; et quelle n'avait pas été la rapidité du changement ! combien complète n'était pas ma désillusion !

L'aube, lugubre et pluvieuse, finit par apparaître, et découvrit à mes yeux douloureux d'insomnie l'église d'Ingolstadt, son clocher blanc et son horloge qui marquait la sixième heure. Le portier ouvrit la cour qui m'avait pendant la nuit servi de refuge, et je sortis dans les rues, les parcourant d'un pas rapide, comme cherchant à éviter la misérable créature que je craignais de voir apparaître à chaque coin de rue. Je n'osais retourner à l'appartement que j'habitais, mais une force me poussait à me hâter, bien que sous une pluie qui me trempait, sous un ciel sombre sans une lueur de réconfort.

J'errai ainsi pendant longtemps, essayant d'alléger à force de fatigue physique le fardeau qui pesait sur mon âme. Je traversais les rues sans avoir une idée nette des lieux où j'étais, ni de mes actes. Mon cœur palpitait, malade de peur ; et je me pressais toujours à pas irréguliers, n'osant regarder autour de moi :

> *Tel celui qui, sur une route solitaire,*
> *Marche dans la crainte et la terreur.*
> *Et qui, s'étant une fois retourné, marche toujours,*
> *Mais ne retourne plus la tête,*
> *Parce qu'il sait qu'un effrayant démon,*
> *Tout près, s'avance derrière lui*.*

---

* Coleridge : *Le Dit du Vieux Marin.* (Note de l'auteur.)

Je finis par me trouver en face de l'auberge où s'arrêtaient habituellement les diverses diligences et les voitures. Je m'y arrêtai, ne sachant pourquoi ; mais je restai quelques minutes les yeux fixés sur une diligence qui venait vers moi de l'autre bout de la rue. A son approche, je reconnus la diligence de Suisse ; elle s'arrêta juste à l'endroit où je me tenais debout, et lorsqu'on en ouvrit la porte, j'aperçus Henry Clerval qui, à ma vue, descendit immédiatement. « Mon cher Frankenstein, s'écria-t-il, que je suis heureux de vous voir ! Quelle bonne chance que vous vous trouviez là au moment où j'arrive ! »

Rien ne pouvait égaler ma joie de revoir Clerval ; sa présence me rappelait mon père, Elizabeth et toutes ces scènes familiales si chères à mon souvenir. J'étreignis sa main, et en un instant j'oubliai l'horreur de ma vie ; je ressentis soudain, et pour la première fois depuis de longs mois, une joie calme et sereine. Je souhaitai donc la bienvenue à mon ami de la manière la plus affectueuse, et nous nous dirigeâmes vers mon collège. Clerval me parla longuement de nos amis communs, et de la bonne chance qui lui valait enfin l'autorisation de venir à Ingolstadt. « Vous concevrez facilement, me dit-il, combien il a été difficile de persuader mon père que toute la science humaine ne tenait pas dans l'art noble de la comptabilité ; en vérité, je crois qu'il est resté incrédule jusqu'à la fin, car sa réponse perpétuelle à mes supplications inlassables était celle du maître d'école hollandais du *Vicaire de Wakefield* : « Je gagne dix mille florins par an sans « grec ; je mange de bon appétit sans grec. [19] » Mais son affection pour moi a fini par vaincre son aversion pour la science, et il m'a permis d'entreprendre une expédition au pays du savoir.

— Votre présence me donne la plus grande joie ; mais dites-moi comment vous avez laissé mon père, mes frères et Elizabeth.

— Très bien et très heureux, seulement un peu inquiets de la rareté de vos nouvelles. D'ailleurs, j'ai l'intention de vous faire un peu de morale de leur part à ce sujet... Mais, mon cher Frankenstein, poursuivit-il en m'arrêtant et en me regardant en face, je ne m'étais pas d'abord rendu compte de votre mine ; quelle maigreur et quelle pâleur ! On dirait que vous avez passé plusieurs nuits blanches.

— Vous avez deviné juste ; je me suis, ces temps derniers, à ce point absorbé dans le même travail que, comme vous le voyez, je ne me suis pas accordé un repos suffisant ; mais j'espère, j'espère sincèrement, que tout ce travail est désormais fini, et que je suis enfin libre. »

Je tremblais à l'excès ; je ne pouvais supporter de penser, et moins encore que l'on fît allusion aux événements de la nuit précédente. Je marchais d'un pas rapide, et bientôt nous fûmes à mon collège. Je me dis alors, et cette pensée me fit frissonner, que la créature que j'avais laissée dans mon appartement pouvait y être encore, vivante et errante. J'avais une peur horrible de voir ce monstre ; mais plus horrible encore qu'Henry l'aperçût. Je le suppliai donc de rester quelques minutes au bas de l'escalier, et je me précipitai vers ma chambre. Ma main était déjà sur la poignée de la porte avant que j'eusse rassemblé mes pensées. Je m'arrêtai alors, et un frisson glacial m'assaillit. J'ouvris violemment la porte, comme le font ordinairement les enfants lorsqu'ils croient trouver un spectre debout qui les attend de l'autre côté ; mais rien ne m'apparut. J'entrai tout tremblant : l'appartement était vide, et ma chambre était, elle aussi, libérée de son hôte hideux. A peine pouvais-je croire qu'un aussi grand bonheur m'était arrivé ; mais lorsque je m'assurai qu'en vérité mon ennemi s'était enfui, je frappai de joie mes mains l'une contre l'autre et me précipitai pour retrouver Clerval.

Nous montâmes dans ma chambre, et bientôt le domestique apporta le déjeuner ; mais j'étais incapable de me contenir. Ce n'était pas seulement la joie qui me possédait ; ma chair frémissait d'un excès de sensibilité, et mon pouls battait rapidement ; je sautais pardessus les chaises, battais des mains et riais bruyamment. Clerval commença par attribuer ce débordement de gaieté à son arrivée; mais, en m'observant plus attentivement, il vit dans mon regard quelque chose de hagard qu'il ne put s'expliquer, et mon rire bruyant, débordant, sans joie réelle, l'effraya et le stupéfia.

— Mon cher Victor, s'écria-t-il, qu'avez-vous? Grand Dieu! ne riez pas de la sorte! Que vous êtes malade! Comment cela se fait-il?

— Ne me demandez rien, m'écriai-je, couvrant mes yeux de mes mains, car je croyais voir le spectre abhorré se glisser dans la pièce. *Lui* peut vous le dire! Ah! sauvez-moi, sauvez-moi! J'imaginais que le monstre me saisissait; je me débattais furieusement; et je tombai dans un accès de délire.

Pauvre Clerval! que dut-il ressentir, lorsqu'une rencontre qu'il avait attendue avec tant de joie fut la cause de tant d'amertume? Mais je ne fus pas le témoin de son chagrin; car j'étais inanimé, et je ne recouvrai mes sens que longtemps, longtemps après.

C'est ainsi que commença une fièvre nerveuse qui me tint alité pendant plusieurs mois. Pendant tout ce temps, Henry fut la seule personne à me soigner. Je sus par la suite qu'étant donné l'âge avancé de mon père, et l'impossibilité pour lui d'entreprendre un si long voyage, puis la peine que ma maladie causerait à Elizabeth, il leur épargna ce chagrin en cachant la gravité de mon état. Il savait que nul ne pourrait me soigner avec plus de bonté et d'attention que lui-même; et dans le ferme espoir que je me guérirais, il ne doutait pas qu'au lieu de causer quelque mal, il n'agît de la manière la meilleur possible à leur égard.

Mais j'étais, en réalité, fort malade; et rien, à coup sûr, si ce n'est les soins continuels et le dévouement sans limites de mon ami, n'aurait pu amener ma guérison. La forme du monstre à qui j'avais donné l'existence était à chaque instant devant mes yeux, et je délirais continuellement à son sujet. Sans doute, mes paroles surprirent Henry; il crut d'abord que c'étaient les errements d'une imagination troublée; mais la ténacité avec laquelle je revenais sans cesse au même sujet, le persuada que mon état devait vraiment son origine à quelque événement extraordinaire et effrayant.

Très lentement, et avec de fréquentes rechutes qui alarmèrent et affligèrent mon ami, je me souviens que je retrouvai la faculté de considérer les objets extérieurs avec un certain plaisir, que je constatai la disparition des feuilles tombées, et la naissance des premiers bourgeons sur les arbres qui ombrageaient ma fenêtre. Ce printemps-là fut divin, et la saison contribua grandement à ma convalescence. Je sentais aussi la joie et l'affection renaître en mon cœur ; ma tristesse se dissipa, et en peu de temps je recouvrai toute la gaieté des jours qui avaient précédé ma passion fatale.

— Très cher Clerval, m'écriai-je, quelle amabilité, quelle bonté extrême ne m'avez-vous pas témoignée ! Au lieu de passer tout cet hiver au travail comme vous vous l'étiez proposé, vous l'avez donné tout entier à me soigner. Comment vous revaudrai-je jamais cela ? J'éprouve le plus grand remords de la déception dont je suis la cause ; mais vous me pardonnerez.

— Je serai entièrement récompensé, si vous ne vous déprimez point, et si vous vous remettez aussi vite qu'il vous est possible ; et puisque vous me semblez si bien disposé, ne puis-je vous parler d'un certain sujet ?

Je tremblai. Un certain sujet ! De quoi pouvait-il s'agir ? Se pouvait-il qu'il fît allusion à un objet auquel j'osais à peine penser ?

— Calmez-vous, dit Clerval, qui avait remarqué mon changement de couleur, je n'en dirai mot si cela vous trouble ; mais votre père et votre cousine seraient heureux de recevoir de vous une lettre de votre propre main. Ils savent à peine à quel point vous avez été malade, et sont inquiets de votre long silence.

— Est-ce là tout, mon cher Henry ? Comment pouviez-vous supposer que mes premières pensées ne voleraient pas vers ces amis si chers à mon cœur, et qui méritent tant mon amour ?

— Si vous êtes dans cette disposition, mon ami, sans doute serez-vous heureux de lire une lettre arrivée ici pour vous depuis plusieurs jours ; je crois qu'elle est de votre cousine.

CHAPITRE VI

Clerval me remit alors la lettre [19bis] suivante. Elle était de mon Elizabeth :

« Mon très cher Cousin,

« Vous avez été très malade, très malade, et même les lettres continuelles de notre excellent et cher Henry ne suffisent pas à me rassurer à votre sujet. On vous défend d'écrire, de tenir une plume ; et pourtant un seul mot de vous, mon cher Victor, est indispensable pour calmer mes craintes. Depuis longtemps, j'ai cru que chaque courrier m'apporterait ce message, et j'ai réussi à persuader mon oncle de ne pas entreprendre le voyage d'Ingolstadt. J'ai réussi à l'empêcher d'affronter les désagréments et peut-être les dangers d'un si long voyage ; et pourtant, combien n'ai-je pas regretté de ne pouvoir le faire moi-même ! Je me figure que l'on a confié à quelque vieille infirmière mercenaire le soin de veiller sur vous, à quelqu'un d'incapable de deviner vos désirs, comme de les satisfaire avec le dévouement et l'affection de votre pauvre cousine. Tout cela est cependant fini. Clerval nous écrit que vous vous remettez. J'espère ardemment que vous allez bientôt de votre propre main confirmer cette nouvelle.

« Guérissez-vous et revenez-nous ! Vous trouverez un foyer heureux et joyeux, et des amis qui vous aiment tendrement. La santé de votre père est excellente ; il ne demande qu'une chose, vous voir, savoir seulement que vous allez bien ; et nul nuage n'assombrira son cher visage. Que vous seriez heureux de constater les progrès

faits par notre Ernest ! Il a maintenant seize ans, et il est
plein d'activité et d'ardeur. Il veut être un Suisse véritable, et entrer dans une armée étrangère ; mais nous ne
pouvons nous séparer de lui, du moins jusqu'au retour de
son frère aîné. Mon oncle ne goûte pas cette idée d'une
carrière militaire dans un pays lointain ; mais Ernest n'a
jamais eu votre capacité de travail. Il considère l'étude
comme un esclavage odieux ; il passe son temps en plein
air, à faire des ascensions, ou en bateau sur le lac. J'ai peur
qu'il ne fasse qu'un oisif, à moins que nous ne lui cédions
et lui permettions d'entrer dans la carrière qu'il a choisie.

« Sauf les enfants qui ont grandi, peu de changements
ont eu lieu depuis votre départ ; le lac bleu, les montagnes
neigeuses, tout cela ne change jamais ; et je crois que
notre foyer tranquille et nos cœurs heureux sont soumis
aux mêmes lois immuables. Mes occupations insignifiantes prennent mon temps et me distraient, et c'est une
récompense de tous mes efforts que de ne voir autour de
moi que des visages bons et heureux. Depuis que vous
nous avez quittés, un changement est survenu dans notre
petite maison. Vous souvenez-vous à quelle occasion
Justine Moritz est entrée dans notre famille ? Non, sans
doute ; je vais donc vous dire son histoire en quelques
mots. Mme Moritz, sa mère, était veuve avec quatre
enfants, dont Justine était la troisième. Elle avait toujours été la favorite de son père ; mais, par une étrange
perversité, sa mère ne pouvait la supporter, et après la
mort de M. Moritz, la traitait fort mal. Ma tante s'en
aperçut ; et lorsque Justine eût douze ans, persuada à sa
mère de lui permettre de vivre avec nous. Les institutions
républicaines de notre pays ont eu pour résultat des
mœurs plus simples et plus douces que celles des grandes
monarchies qui l'entourent. Les différences sont donc
moindres entre les diverses classes de ses habitants ; et les
rangs inférieurs, n'étant ni aussi pauvres, ni aussi méprisés, ont des mœurs plus cultivées et plus morales. Un
domestique, à Genève, n'est pas la même chose qu'un
domestique en France ou en Angleterre. Justine, ainsi
reçue dans notre famille, apprit les fonctions d'une
servante, condition qui, dans notre pays, ne comporte

pas l'ignorance, non plus que le sacrifice de la dignité de l'être humain.

« Peut-être vous souvenez-vous que Justine était votre grande favorite, et je me rappelle qu'un jour vous fîtes cette remarque, que si votre humeur était chagrine, un seul regard de Justine suffisait à la dissiper, pour la raison même que donne l'Arioste au sujet de la beauté d'Angélique [20] : elle donnait l'impression d'une parfaite franchise de cœur, et celle du bonheur. Ma tante s'attacha à tel point à Justine qu'elle lui fit donner une instruction supérieure à celle qui lui était d'abord réservée. C'est l'enfant la plus reconnaissante du monde ; je ne veux pas dire par là qu'elle se répande en protestations ; à la vérité, je ne lui en ai jamais entendu faire ; mais il était facile de voir à son attitude qu'elle adorait sa protectrice. Bien que d'une nature gaie, et déraisonnable à bien des égards, elle observait avec la plus grande attention chaque geste de ma tante. Elle la considérait comme le modèle de toute excellence, et essayait parfois d'imiter ses expressions et ses manières, si bien qu'elle me la rappelle souvent.

« A la mort de ma très chère tante, nous étions tous trop absorbés par notre chagrin pour penser à la pauvre Justine, qui l'avait soignée pendant sa maladie avec l'affection la plus anxieuse. Mais elle était elle-même fort malade, et d'autres épreuves lui étaient réservées.

« L'un après l'autre, ses frères et sa sœur moururent ; et sa mère, hors cette fille qu'elle avait négligée, restait sans enfants. La conscience de cette femme se troubla ; elle en vint à considérer la mort de ses enfants favoris comme une punition de sa partialité par le ciel. Elle était catholique romaine, et je crois que son confesseur confirma son impression à cet égard. Aussi, quelques mois après votre départ pour Ingolstadt, Justine fut-elle rappelée par sa mère repentante.

« La pauvre enfant ! Elle pleurait lorsqu'elle quitta notre maison ; elle avait beaucoup changé depuis la mort de ma tante ; le chagrin lui avait donné une douceur et un charme qui s'étaient substitués à sa vivacité première. Mais le séjour auprès de sa mère n'était pas fait pour lui rendre sa gaieté. La malheureuse fut fort inconstante en son repentir. Parfois elle demandait à Justine de lui pardonner sa méchanceté ; mais, plus souvent encore, elle l'accusait d'avoir causé la mort de ses frères et de sa sœur. Cette impatience continuelle finit par affaiblir la santé de Mme Moritz, après avoir accru son irritabilité ; mais elle est désormais en paix pour toujours. Elle est morte aux premiers froids, au commencement de l'hiver dernier. Justine est de retour parmi nous, et je vous assure que je l'aime avec tendresse. Elle est très intelligente et bonne, et extrêmement jolie ; comme je vous le disais tout à l'heure, son attitude et ses expressions me rappellent sans cesse ma chère tante.

« Il faut aussi, mon cher cousin, vous dire quelques mots de notre cher petit William. Je voudrais que vous le voyiez ; il est très grand pour son âge, a des yeux bleus, doux et riants, les cils noirs et les cheveux bouclés. Quand il sourit, deux fossettes paraissent sur ses joues qui sont roses de santé. Il a déjà eu une ou deux petites *femmes*, mais sa favorite est Louise Biron, une jolie petite fille de cinq ans.

« Maintenant, mon cher Victor, j'espère que vous lirez avec plaisir un peu de bavardage sur les bonnes gens de Genève. La jolie Miss Mansfield a déjà reçu des visites de félicitations à l'occasion de son prochain mariage avec un jeune Anglais, John Melbourne, Esq. Sa sœur laide, Manon, a épousé, l'automne dernier, M. Duvillard, le riche banquier. Votre camarade de classe favori, Louis Manoir, a subi plusieurs revers depuis le départ de Clerval, et passe pour être sur le point d'épouser une jolie Française, très vive de manières, Mme Tavernier. C'est une veuve, bien plus âgée que Manoir : mais chacun l'admire et lui prodigue les amabilités.

« J'ai repris courage en vous écrivant, mon cher cousin, mais mon anxiété renaît tandis que je finis ma lettre. Écrivez-moi, mon cher Victor ; une seule ligne, un seul mot sera pour nous un véritable bonheur. Remerciez mille fois Henry de son amabilité, de son affection et de ses nombreuses lettres : nous lui en sommes extrêmement reconnaissants. Adieu, mon cousin ; soignez-vous bien, et je vous en supplie, écrivez.

« Genève, le 18 mars 17...
« Elizabeth LAVENZA. »

— Chère, chère Elizabeth, m'écriai-je après avoir lu sa lettre ; je vais lui écrire de suite et soulager leur angoisse.

J'écrivis, et cet effort me fatigua grandement ; mais ma convalescence avait commencé et se poursuivit régulièrement. Une quinzaine de jours après, je pouvais quitter ma chambre.

Un de mes premiers soins, après ma guérison, fut de présenter Clerval aux différents professeurs de l'université. Ce me fut un devoir extrêmement pénible à remplir, dangereux après le choc qu'avait subi mon esprit. Depuis la nuit fatale qui avait marqué la fin de mon labeur et le commencement de mon malheur, j'éprouvais une antipathie violente pour le seul nom de l'histoire naturelle. D'ailleurs, quand ma santé fut redevenue parfaite, la vue d'un instrument de laboratoire renouvelait toute l'angoisse de mes troubles nerveux. Henry s'en aperçut, et fit enlever tous mes appareils de chez moi. Il me fit aussi changer de résidence ; car il observa que j'avais en aversion la pièce qui m'avait servi de lieu de travail. Mais ces soins de Clerval perdirent leur efficacité quand je fis visite aux professeurs. M. Waldmann me mit à la torture en louant avec chaleur et bonté les progrès stupéfiants que j'avais faits dans les sciences. Il s'aperçut vite que le sujet m'était pénible ; mais n'en découvrant pas la cause réelle, il attribua mes sentiments à la modestie, et passa de mes progrès à la science elle-même, dans le désir, je le vis bien, de me donner l'occasion de parler. Que pouvais-je faire ? Il cherchait à me plaire et me suppliciait. J'avais l'impression qu'il exposait soigneusement et un par un, devant moi, des instruments dont on devait, par la suite, se servir pour me mettre à mort de façon

lente et cruelle. Ses paroles me torturaient, mais je
n'osais cependant donner des signes de ce que je ressentais. Clerval, dont les regards et les sentiments dis-
cernaient toujours rapidement les sensations des
autres, déclara ne pouvoir s'intéresser à ce sujet, plai-
dant une ignorance totale ; et la conversation prit une
tournure plus générale. Je remerciai mon ami du fond
du cœur, mais ne parlai point. Je vis bien sa surprise,
mais il n'essaya jamais de m'arracher mon secret ; et
bien que l'aimant avec un mélange d'affection et de
respect sans limites, je ne pus me décider à lui confier
cet événement, si souvent présent à ma mémoire, mais
dont je craignais que le récit détaillé, fait par moi-
même, n'augmentât l'impression que j'en avais ressen-
tie.

M. Krempe ne fut pas aussi docile ; et dans mon état
d'alors, de sensibilité presque insupportable, ses éloges
catégoriques et bourrus me firent souffrir plus encore
que l'approbation bienveillante de M. Waldmann.

— Que le diable l'emporte ! s'écria-t-il ; mais monsieur Clerval, je vous assure qu'il nous a tous laissés
loin derrière lui. Ouvrez de grands yeux si vous voulez,
mais c'est vérité pure. Ce garçon, qui voici seulement
quelques années, croyait en Cornélius Agrippa comme
en l'Evangile, est maintenant à la tête de l'université ;
et si on ne l'arrête pas un peu, il nous intimidera tous.
Parfaitement ! continua-t-il en observant mon visage où
se lisait la souffrance. M. Frankenstein est modeste ;
c'est une excellente qualité chez un jeune homme : les
jeunes gens devraient se méfier d'eux-mêmes, vous le
savez, monsieur Clerval : je le faisais moi-même quand
j'étais jeune, mais cela disparaît vite.

M. Krempe s'était mis ensuite à faire mon propre
éloge, de sorte que la conversation dévia d'un sujet qui
me troublait à l'excès.

Clerval n'avait jamais partagé mes goûts pour les
sciences naturelles ; et ses préoccupations littéraires
différaient totalement de celles qui m'avait absorbé. Il
arrivait à l'université avec le dessein d'étudier à fond
les langues orientales, pour déblayer ainsi le terrain de

l'existence qu'il s'était proposé de mener. Tenant à poursuivre une carrière non dépourvue de gloire, il tournait ses regards vers l'Orient, où son esprit d'aventure trouverait à s'exercer. Le persan, l'arabe et le sanscrit devinrent ses sujets d'étude, et je fus amené moi-même à m'y consacrer. L'oisiveté m'avait toujours été insupportable ; désirant désormais éviter la réflexion et abhorrant mes études précédentes, ce me fut un grand soulagement que de devenir le condisciple de mon ami ; les œuvres des orientalistes me valurent non seulement des connaissances nouvelles, mais me furent une source de consolation. Je n'essayai pas, comme lui, d'acquérir une connaissance critique de leurs dialectes, car je n'y cherchais qu'un intérêt passager. Je ne lisais que pour pénétrer le sens, qui payait largement ma peine. La mélancolie de leurs œuvres est adoucissante, et leur joie vous élève l'âme à un degré que je n'ai jamais éprouvé en lisant les auteurs d'aucun autre pays. En lisant leurs écrits, vous croyez que la vie n'est que chaud soleil et jardins de roses, sourires et colères d'une belle ennemie, en plus du feu qui consume votre cœur. Que l'on est loin alors de la poésie virile et héroïque de la Grèce et de Rome !

L'été se passa dans ces occupations, et mon retour à Genève fut fixé à la fin de l'automne ; mais plusieurs accidents me retardèrent : l'hiver et les neiges arrivèrent, les routes furent considérées comme impraticables, et mon voyage fut ajourné au printemps suivant. Ce retard m'affecta douloureusement ; car je soupirais après ma ville natale et mes parents bien-aimés. Mon retour n'avait été reculé que par ma répugnance à laisser Clerval dans une ville inconnue avant qu'il se fût lié avec aucun habitant. L'hiver, pourtant, se passa joyeusement ; et bien que le printemps fût extraordinairement tardif, sa beauté, lorsqu'il arriva, fit oublier son retard.

Nous étions déjà en mai, et j'attendais chaque jour la lettre qui devait fixer la date de mon départ, lorsque Henry me proposa une excursion à pied aux environs d'Ingolstadt, pour me permettre de dire moi-même adieu au pays que j'avais si longtemps habité. J'acceptai avec plaisir sa proposition : j'aimais l'exercice, et Clerval m'avait toujours accompagné dans les expéditions de cette nature, au milieu des paysages de mon pays natal.

Nous passâmes une quinzaine à errer ainsi ; il y avait longtemps que la santé et le courage m'étaient revenus ; ils ne firent qu'augmenter dans l'air salubre que je respirais, avec les incidents naturels de notre voyage, et la conversation de mon ami. L'étude m'avait auparavant privé de la fréquentation de mes semblables et rendu insociable ; mais Clerval faisait s'épanouir les meilleurs sentiments de mon cœur ; il m'apprit de nouveau l'amour de la nature et des joyeux visages d'enfants. Ami excellent, avec quelle sincérité vous m'avez aimé, et n'avez-vous pas essayé d'élever mon âme au niveau de la vôtre ! Des recherches égoïstes m'avaient rétréci et mutilé l'esprit, avant le jour où votre douceur et votre affection réchauffèrent et ouvrirent mes sens. Je redevins la même créature heureuse qui, quelques années auparavant, aimée et chérie de tous, ne connaissait ni chagrin ni soucis. Lorsque j'étais heureux, la nature inanimée avait le pouvoir de me donner les sensations les plus délicieuses. Un ciel serein, des champs verdoyants, me remplissaient d'extase. La saison était alors divine en vérité ; les fleurs printanières s'épanouissaient dans les haies, tandis que celles de l'été étaient déjà près de s'entrouvrir. J'étais délivré des pensées qui, l'année précédente, malgré tous mes efforts pour les chasser, m'avaient opprimé d'un poids invincible.

Henry se réjouissait de ma gaieté et partageait sincèrement mes sentiments ; il s'efforçait de me distraire, en exprimant les sensations dont son âme était pleine. Les ressources de son esprit, en ces circonstances, étaient vraiment surprenantes ; ses entretiens étaient pleins d'imagination ; et, fort souvent, imitant les conteurs persans et arabes, il inventait des contes merveilleux de fantaisie et de passion. D'autres fois, il récitait mes poèmes favoris, ou m'entraînait dans des

discussions qu'il entretenait avec beaucoup d'ingénio-
sité.

Nous rentrâmes à notre collège un dimanche après-
midi ; les paysans dansaient, et tous ceux que nous
rencontrions paraissaient gais et heureux. Ma propre
ardeur était grande, et je bondissais de joie et d'une
gaieté débordante.

CHAPITRE VII

A mon retour, je trouvai la lettre suivante de mon père :

« Mon cher Victor,

« Vous avez probablement attendu avec impatience une lettre de nous fixant la date de votre retour ; et j'ai d'abord eu la tentation de ne vous envoyer que quelques lignes, vous donnant seulement la date du jour où nous vous attendions ; mais ce serait là un acte d'amabilité cruelle, que je n'ose accomplir. Quelle serait en effet votre surprise, mon fils, alors que vous attendez un accueil joyeux et heureux, d'être, au contraire, témoin de larmes et de tristesse ; et comment, Victor, vous dire notre malheur ? L'absence ne peut vous avoir rendu insensible à nos joies et à nos douleurs ; et comment infliger de la douleur à un fils longtemps absent ? Je veux vous préparer à un événement cruel, mais je sais que c'est impossible ; je vois déjà votre regard parcourir rapidement la page, cherchant les mots qui doivent vous apprendre cette horrible nouvelle.

« William est mort, cet enfant exquis dont les sourires étaient la joie et la chaleur de mon cœur, dont la douceur s'alliait à tant de gaieté. Oh ! Victor, il a été assassiné.

« Je n'essaierai pas de vous consoler ; mais je vais seulement vous donner les faits.

« Jeudi dernier (le 7 mai), j'allais me promener avec ma nièce et vos deux frères, à Plainpalais [21]. La soirée était chaude et calme, et nous prolongeâmes notre promenade plus longtemps que de coutume. Il faisait déjà sombre quand nous pensâmes au retour ; et nous nous aperçûmes alors que William et Ernest qui avaient pris de l'avance sur nous, n'étaient plus là. Nous nous reposâmes donc sur un siège en les attendant. Bientôt Ernest revint, et nous demanda si nous avions vu son frère ; il nous dit qu'il venait de jouer avec lui, que William s'était éloigné pour se cacher, mais qu'il l'avait cherché en vain, puis l'avait attendu longtemps, mais qu'il ne revenait pas.

« Ce récit nous alarma quelque peu, et nous continuâmes de le chercher jusqu'à la nuit tombante, lorsque Elizabeth nous suggéra qu'il était peut-être rentré à la maison. Il n'y était pas. Nous revînmes avec des flambeaux ; car je ne pouvais goûter de repos en pensant que mon délicieux petit garçon s'était perdu, et restait exposé à l'humidité et à la rosée de la nuit. Elizabeth souffrait, elle aussi, d'une angoisse extrême. Vers cinq heures du matin, je découvris mon charmant enfant, que j'avais vu le soir précédent en pleine santé et activité, étendu sur l'herbe, livide et inerte ; les doigts du meurtrier étaient marqués sur son cou.

« On le transporta à la maison, et l'angoisse peinte sur mes traits révéla le secret à Elizabeth. Elle tint absolument à voir le cadavre. J'essayai d'abord de l'en empêcher ; mais elle insista, et entrant dans la pièce où il reposait, elle examina hâtivement le cou de la victime ; puis joignant les mains, elle s'écria : « Grand Dieu ! j'ai assassiné mon enfant chéri ! »

Elle s'évanouit, et ne reprit ses sens qu'à grand peine. Lorsqu'elle revint à elle-même, ce ne fut que pour pleurer et soupirer. Elle me dit que le soir même William l'avait taquinée pour qu'elle lui laissât porter une très belle miniature de votre mère qui était en sa possession. Ce portrait a disparu, et a sans doute été la cause du meurtre. Nous ne savons qui a commis ce dernier, et nos efforts pour le découvrir ne cessent pas ; mais ils ne nous rendront pas mon William bien-aimé.

« Venez, mon cher Victor ; vous seul pouvez consoler Elizabeth. Elle pleure sans cesse, et s'accuse injustement d'avoir causé sa mort ; ces paroles sont déchiran-

tes. Nous sommes tous extrêmement malheureux ;
mais n'est-ce pas là une raison de plus, ô mon fils, de
revenir nous consoler ? Et votre pauvre mère ! Je déclare maintenant qu'il faut remercier Dieu qu'elle n'ait
pas survécu pour être témoin de la mort cruelle, lamentable, du plus jeune de ses enfants chéris.

« Venez, Victor, non pour nourrir contre l'assassin
des pensées de vengeance, mais avec des sentiments de
paix et de douceur, qui guériront, au lieu de les enve-
nimer, les blessures de nos cœurs. Entrez dans cette
maison endeuillée, mon cher ami, en toute affection et
bonté à l'égard de ceux qui vous aiment, et sans haine
contre vos ennemis. — Votre père affectionné et
affligé.

« Alphonse FRANKENSTEIN. »

« Genève, le 12 mai 17… »

Clerval, qui avait observé mon attitude tandis que je
lisais la lettre, s'étonna du désespoir qui suivit mon
expression première de joie en recevant des nouvelles
des miens. Je jetai la lettre sur la table et me couvris le
visage de mes mains.

— Mon cher Frankenstein, s'écria Henry en me
voyant pleurer avec amertume, devez-vous donc être
toujours malheureux ? Que s'est-il passé, mon cher
ami ?

Je lui fis signe de prendre la lettre, tandis que je
marchais de long en large dans la chambre avec la plus
grande agitation. Les larmes jaillirent aussi des yeux de
Clerval en lisant le récit de notre malheur.

— Je ne puis vous donner, mon ami, aucune
consolation ; votre malheur est irréparable. Qu'allez-
vous faire ?

— Partir immédiatement pour Genève ; venez avec
moi, Henry, commander les chevaux.

Pendant que nous marchions, Clerval essaya de prononcer quelques paroles de consolation ; il ne put
qu'exprimer sa sympathie profonde.

— Pauvre William, dit-il ; cher et exquis enfant ; il

repose maintenant auprès de sa douce mère! Qui donc,
l'ayant vu dans l'éclat et la joie de sa jeune beauté, ne
pleurerait sur sa perte prématurée? Mourir d'une façon semblable, se sentir étrangler par l'assassin! Et
combien plus criminel encore n'est pas celui qui a pu
détruire une aussi rayonnante innocence! Pauvre
chéri! Nous n'avons qu'une seule consolation: tandis
que les siens se lamentent et pleurent, il est en paix.
L'agonie est finie, ses souffrances sont à jamais terminées. Sa tendre forme repose sous le gazon, toute douleur lui est inconnue. Il ne peut désormais être un objet
de pitié; nous devons réserver ce sentiment pour les
malheureux qui lui survivent.

Ainsi parlait Clerval tandis que nous nous hâtions le
long des rues; ses paroles s'imprimèrent en mon esprit,
et je me les suis rappelées depuis dans la solitude. Mais
à ce moment où les chevaux arrivaient, je me précipitai
dans un cabriolet et je dis adieu à mon ami.

Mon voyage fut extrêmement triste. Je voulais
d'abord me hâter, car j'étais impatient de consoler ma
famille bien-aimée et affligée, et de partager son chagrin; mais en approchant de ma ville natale, je ralentis
ma course. Je pouvais à peine supporter la multitude
de sentiments qui assaillaient mon âme. Je traversais
des lieux familiers à ma jeunesse, mais que je n'avais
pas vu depuis six ans. Comme tout avait pu changer
pendant ce temps! Un seul changement, soudain et
désolant, avait eu lieu; mais peut-être mille petites
circonstances en avaient-elles peu à peu effectué d'autres, qui, pour s'être produits dans un calme plus
grand, pouvaient n'être pas moins définitifs. La peur
m'accablait; je n'osais avancer, craignant mille malheurs sans nom, qui me faisaient frémir bien que je
fusse incapable de les définir.

Je passai deux jours à Lausanne dans ce pénible état.
Je contemplais le lac; ses eaux étaient tranquilles; tout
alentour était calme; et les monts neigeux, «ces palais
de la nature», n'avaient pas changé. Peu à peu ce
spectacle calme et divin me récréa, et je repris mon
voyage vers Genève.

La route suivait le lac, qui se rétrécissait à mesure que j'approchais de ma ville natale. Je découvrais plus distinctement les monts du Jura, et le sommet éclatant du Mont Blanc. Je pleurais comme un enfant. «Chères montagnes! Mon lac merveilleux! Quel accueil réservez-vous à votre voyageur? Vos cimes sont limpides; le ciel et l'onde sont bleus et calmes. Est-ce là un présage de paix, ou ironie devant mon malheur?»

Je crains, mon ami, de vous ennuyer en insistant sur ces circonstances préliminaires; mais c'étaient là des jours de bonheur relatif, et je me les rappelle avec plaisir. Mon pays, mon pays bien-aimé! Qui donc, si ce n'est celui qui y est né, pourrait dire la joie qui m'envahit en revoyant tes torrents, tes montagnes et par-dessus tout ton lac délicieux?

Pourtant, à mesure que je me rapprochais de ma maison, le chagrin et la peur m'accablèrent à nouveau. De plus, la nuit s'épaississait autour de moi; et lorsque je ne pus voir qu'à peine les montagnes assombries, mes sentiments furent plus lugubres encore. Le paysage m'apparaissait comme un vaste et obscur spectacle funèbre, et je pressentais confusément que j'étais destiné à devenir le plus misérable des êtres humains. Hélas! je ne voyais que trop clairement l'avenir, et je ne me trompais qu'en un seul point, à savoir que, malgré toute la souffrance que j'imaginais, je ne concevais pas la centième partie de tout ce que j'étais destiné à subir.

Il faisait complètement nuit quand j'arrivai aux environs de Genève. Les portes de la ville étaient déjà fermées; et je dus passer la nuit à Sécheron [22], village éloigné d'une demi-lieue de la ville. Le ciel était serein; et comme je ne pouvais me reposer, je décidai de visiter l'endroit où mon pauvre William avait été assassiné. Ne pouvant traverser la ville, je dus traverser le lac en bateau pour arriver à Plainpalais. Pendant ce court voyage, je vis des éclairs composer, au sommet du Mont Blanc, les figures les plus belles. L'orage semblait approcher rapidement; et en abordant, je montai au sommet d'une petite colline pour mieux en observer

le cours : il s'avançait, les cieux étaient couverts de
nuages, et je sentis bientôt la pluie arriver lentement en
larges gouttes ; mais sa violence augmenta rapidement.

Je quittai l'endroit où j'étais assis, et poursuivis ma
marche, bien que l'obscurité et l'orage fussent à chaque minute plus intenses et que la foudre éclatât avec
une force terrible au-dessus de ma tête. Le Salève, les
monts du Jura et les Alpes de Savoie en renvoyaient
l'écho ; des éclairs brillants éblouissaient mes regards,
et illuminaient le lac qui ressemblait à une immense
nappe de feu. Ensuite tout paraissait, pendant un instant, d'une noirceur absolue, jusqu'au moment où les
yeux s'habituaient à ce contraste avec l'éclair précédent. Comme il arrive souvent en Suisse, l'orage surgissait à la fois en divers points du ciel. L'endroit où il
atteignait la plus grande violence était au nord de la
ville, au-dessus de la partie du lac située entre le promontoire de Bellerive et le village de Copêt [23]. Un autre
orage éclairait le Jura de faibles lueurs ; un autre encore
obscurcissait et parfois révélait le Môle, mont pointu
situé à l'est du lac.

Tout en observant la tempête, si belle et pourtant si
terrible, j'errais toujours d'un pas rapide. Cette majestueuse guerre dans le ciel élevait mon âme ; je joignis
les mains et m'exclamai à haute voix : « William, cher
ange, ce sont là tes funérailles et les lamentations sur ta
mort ! » En disant ces paroles, je vis dans l'ombre une
silhouette surgir d'un bouquet d'arbres, non loin de
moi ; je restai le regard fixe, absorbé par cette vision. Il
était impossible de me tromper. Un éclair illumina
cette apparition et m'en découvrit nettement la forme ;
sa stature gigantesque et la difformité de son aspect,
plus hideux que n'en connaît l'humanité, m'indiquè-
rent immédiatement que j'avais sous les yeux le misérable, le démon immonde à qui j'avais donné la vie.
Que faisait-il là ? Se pouvait-il que ce fût (l'idée m'en fit
frémir) le meurtrier de mon frère ? Cette pensée ne me
traversa pas plus tôt l'esprit que j'eus la conviction
qu'elle était vraie ; mes dents claquaient, et je dus
m'appuyer contre un arbre pour me soutenir. Cette

silhouette me dépassa rapidement et se perdit dans les ténèbres. Nulle créature ayant la forme humaine n'aurait pu détruire cet admirable enfant. C'était bien *lui* qui l'avait assassiné; je n'en pouvais douter; la seule présence de cette idée en moi était une preuve irrésistible du fait. Je pensai à poursuivre le démon; mais c'eût été en vain, car un autre éclair me le découvrit s'accrochant aux roches de la montée presque perpendiculaire du Salève, montagne qui sert de limite sud à Plainpalais. Il parvint rapidement au sommet, et disparut.

Je restai immobile. Le tonnerre cessa de se faire entendre; mais la pluie continuait toujours, et la campagne s'enveloppait de ténèbres impénétrables. Je me remémorais les événements que j'avais jusque-là tenté d'oublier: toutes les étapes de mes efforts vers cette création; l'apparition de l'œuvre de mes mains, vivante à mon chevet; puis son départ. Près de deux ans s'étaient écoulés depuis la nuit où, pour la première fois, la vie lui avait été donnée; et était-ce là son premier crime? Hélas! J'avais lâché sur le monde un misérable dépravé, qui trouvait sa joie dans le carnage et le mal; n'était-ce pas lui l'assassin de mon frère?

Personne ne peut imaginer mon angoisse pendant le reste de cette nuit, que je passai dans le froid et la pluie, sans abri. Mais je ne me ressentais point des effets de la température; mon imagination s'absorbait en des scènes de crime et de désespoir. Je ne voyais, en cet être que j'avais déchaîné au milieu des hommes, doué de la volonté et de la puissance de réaliser des projets horribles, tel que l'acte qu'il venait d'accomplir, que mon propre vampire, mon propre fantôme libéré de la tombe et contraint de détruire tout ce qui m'était cher.

Le jour parut, et je dirigeai mes pas vers la ville. Les portes étaient ouvertes, et je me hâtai vers la maison de mon père. Ma première pensée fut de révéler ce que je savais du meurtrier et de le faire immédiatement poursuivre. Mais je l'abandonnai en songeant à l'histoire qu'il me faudrait raconter: un être que j'avais moi-même formé et doué de vie, m'avait rencontré à minuit parmi les précipices d'une montagne inaccessible. Je me rappelais en outre la fièvre nerveuse qui m'avait saisi précisément à l'époque où je datais ma création, et qui ferait attribuer au délire un récit autrement à tel point improbable. Je savais bien que si quelque autre personne m'avait fait part d'événements semblables, je les aurais regardés comme les divagations d'un fou. D'ailleurs, la nature étrange de cette créature rendrait vaine toute poursuite, même si les miens accordaient à mes dires une créance suffisante pour l'entreprendre. Puis, à quoi servirait poursuite semblable ? Qui pourrait arrêter un être capable d'escalader les flancs escarpés du mont Salève ? Ces réflexions me semblèrent décisives, et je résolus de garder le silence.

Il était environ cinq heures du matin quand j'entrai dans la maison de mon père. Je dis aux domestiques de ne pas déranger la famille, et je me rendis dans la bibliothèque pour me présenter à l'heure habituelle de leur lever.

Six ans avaient passé, passé comme un rêve, si ce n'est une seule marque ineffaçable, et je me retrouvais à l'endroit même où j'avais, pour la dernière fois, embrassé mon père avant mon départ pour Ingolstadt. Père bien-aimé et vénérable ! Il me restait encore. Je contemplais le portrait de ma mère au-dessus de la cheminée. C'était un tableau historique, peint sur le désir de mon père, représentant Caroline Beaufort dans l'agonie du désespoir, agenouillée auprès du cercueil de son père mort. Ses vêtements étaient rustiques, ses joues pâles ; mais la dignité et la beauté de son attitude ne laissaient guère de place à la pitié. Au-dessous de ce tableau se trouvait une miniature de William ; et mes larmes coulèrent lorsque je la regardai. C'est alors qu'Ernest entra ; il m'avait entendu arriver et se hâtait de me souhaiter la bienvenue. Il exprima à me revoir une joie mêlée de tristesse :

— Soyez le bienvenu, très cher Victor, me dit-il. Ah ! j'aurais voulu vous revoir il y a trois mois ; alors vous nous auriez tous retrouvés joyeux et enchantés. Vous venez maintenant partager un chagrin que rien ne saurait adoucir ; pourtant j'espère que votre présence ranimera notre père, qui semble s'effondrer sous la douleur; et vous réussirez à persuader la pauvre Elizabeth de cesser de s'accuser elle-même de façon si vaine et si cruelle. Pauvre William! c'était notre amour et notre orgueil!

Mon frère s'abandonna à ses larmes; une sensation de désespoir mortel m'envahit. Jadis, je n'avais fait qu'imaginer la désolation de la maison en deuil; la réalité me frappa comme un malheur nouveau et non moins terrible. J'essayai de calmer Ernest; je demandai des renseignements plus précis concernant mon père et celle que j'appelais ma cousine.

— Elle plus que tous les autres, me dit Ernest, a besoin de consolation; elle s'accusait d'avoir causé la mort de mon frère, et ce lui était une cause de grande souffrance. Mais depuis qu'on a découvert l'auteur du meurtre...

— Découvert l'auteur! Grand Dieu! Comment est-ce possible? Qui a pu essayer de le poursuivre? C'est impossible; autant essayer de dépasser le vent, ou d'arrêter, avec un fétu de paille, les torrents des montagnes. Je l'ai vu, moi aussi. Il était en liberté hier soir.

— Je ne sais ce que vous voulez dire, répondit mon frère d'une voix de surprise; mais pour nous, la découverte que nous avons faite complète notre chagrin. Personne ne voulait y ajouter foi d'abord; et même maintenant Elizabeth ne veut pas se laisser convaincre, malgré tous les faits. Car qui croirait que Justine Moritz, qui était si aimable et qui aimait tant tous les nôtres, aurait pu soudain commettre un crime si affreux, si effrayant?

— Justine Moritz. Pauvre, pauvre fille, est-ce donc elle qu'on accuse? Mais c'est à coup sûr injuste; chacun le sait; personne sûrement ne le croit, Ernest!

— Personne ne l'a cru d'abord; mais plusieurs circonstances se sont révélées qui nous ont presque imposé cette conviction; et sa propre attitude a été si peu nette qu'elle a ajouté au témoignage des faits un poids qui, je le crains, ne laisse aucune place au doute. Mais on la jugera aujourd'hui, et vous serez au courant de tout.

Il déclara que le matin où l'on avait découvert le meurtre du pauvre William, Justine était tombée malade, et avait gardé le lit pendant plusieurs jours. Pendant ce temps, un des domestiques, examinant par hasard les vêtements qu'elle avait portés le soir du meurtre, avait découvert, dans sa poche, le portrait de ma mère, que l'on avait considéré comme ayant tenté l'assassin. Le domestique le montra de suite à un des autres qui, sans rien dire à qui que ce fût de la famille, le porta de suite à un magistrat ; et à la suite de leur déposition, Justine fut arrêtée. Lorsqu'on l'accusa du crime, la pauvre fille confirma fortement le soupçon par sa confusion extrême.

L'étrangeté de ce récit n'ébranla pas ma foi, et je répondis avec conviction :

— Vous vous trompez tous, Justine, la pauvre, l'excellente Justine, est innocente !

C'est alors que mon père entra. Je vis le malheur profondément gravé sur ses traits ; mais il s'efforça de m'accueillir avec courage ; et il eût certainement parlé d'un autre sujet que de celui qui nous accablait, après avoir échangé avec moi de tristes paroles de bienvenue, si Ernest ne s'était pas écrié :

— Grand Dieu ! père, Victor dit qu'il connaît l'assassin du pauvre William.

— Nous aussi, malheureusement, répondit mon père ; car en vérité, j'aurais préféré l'ignorer toujours que de découvrir tant de scélératesse et d'ingratitude en quelqu'un que je plaçais si haut.

— Mon cher père, vous vous trompez, Justine est innocente.

— Si elle l'est, Dieu veuille empêcher qu'elle soit punie comme coupable. On doit la juger aujourd'hui, et j'espère, j'espère de tout mon cœur qu'elle sera acquittée.

Ce discours me calma. J'étais fermement convaincu en moi-même que Justine, comme en fait tout autre être humain, était innocente de ce crime. Je ne craignais donc pas que l'on pût produire aucune circonstance matérielle assez probante pour la condamner. Je ne pouvais livrer mon récit au public, car la stupéfiante horreur en eût été considérée par le vulgaire comme un signe de folie. Y avait-il quelqu'un, en dehors de moi, le créateur du monstre, qui pût croire, autrement que sur le témoignage de ses sens, en l'existence de ce monument vivant de présomption et d'ignorance téméraire que j'avais déchaîné sur l'univers ?

Nous fûmes bientôt rejoints par Elizabeth. Les années l'avaient changée depuis le jour où je l'avais vue pour la dernière fois ; elles lui avaient donné une grâce supérieure à la beauté de son enfance. C'était la même pureté, la même vivacité, mais alliées à une expression plus riche en sensibilité et en intelligence. Elle m'accueillit avec l'affection la plus grande.

— Votre arrivée, mon cher cousin, me dit-elle, me remplit d'espoir. Peut-être trouverez-vous le moyen d'établir l'innocence de ma pauvre Justine. Hélas, qui donc est en sûreté, si on la déclare criminelle ? J'ai en son innocence la même foi qu'en la mienne propre. Notre malheur est doublement cruel ; nous n'avons pas seulement perdu cet enfant chéri, mais cette pauvre fille, que j'aime du fond du cœur, va nous être arrachée par un destin pire encore. Si elle est condamnée, je ne connaîtrai plus jamais la joie. Mais elle ne le sera pas, j'en suis sûre ; et alors, je pourrai être heureuse encore, même après la mort de mon petit William.

— Elle est innocente, mon Elizabeth, lui dis-je, et la preuve en sera faite ; ne craignez rien, mais retrouvez le courage dans la certitude de son acquittement.

— Que vous êtes bon et généreux ! Tous les autres la croient coupable ; j'en étais accablée, car je savais que c'était là chose impossible ; et voir tous les autres prévenus contre elle de façon si épouvantable m'enlevait tout espoir et tout ressort.

Elle se mit à pleurer.

— Très chère nièce, dit mon père, séchez vos larmes. Si, comme vous le croyez, elle est innocente, comptez sur la justice de nos lois, et sur l'énergie que je mettrai à rendre impossible l'ombre la plus légère de partialité.

CHAPITRE VIII

Nous passâmes une triste matinée, jusqu'à onze heures, où le jugement devait commencer. Mon père et
tous les autres membres de la famille étant cités comme
témoins, je les accompagnai à la cour.

Mon supplice fut aigu pendant toute cette comédie
judiciaire. On allait y décider si le résultat de ma
curiosité et de mes pratiques inavouables serait cause
de la mort de deux de mes semblables ; l'un, un enfant
souriant, plein d'innocence et de joie ; l'autre, assassiné
d'une manière bien plus effrayante encore, avec toutes
les aggravations d'infamie susceptibles d'immortaliser
l'horreur du meurtre. Justine aussi était une jeune fille
remarquable, et avait des qualités qui lui promettaient
une vie heureuse ; et tout cela allait subir l'oblitération
d'une tombe ignominieuse ; et de tout cela j'étais la
cause ! J'aurais mille fois préféré m'avouer coupable du
crime imputé à Justine ; mais, par suite de mon absence lorsqu'il avait été commis, mon dire eût été
considéré comme le délire d'un fou, sans contribuer
en rien à disculper celle qui devait mourir à cause de
moi.

Justine avait l'air calme. Elle était vêtue de deuil ; et
sa physionomie toujours attirante, avait revêtu, sous
l'influence de la solennité de ses sentiments, une
beauté exquise. Pourtant, elle semblait se fier à son
innocence ; elle ne tremblait pas, bien que sous le
regard de milliers de gens qui l'exécraient. Car toute la
bienveillance qu'en d'autres circonstances aurait pu
susciter sa beauté, s'effaçait dans l'esprit des specta-

teurs derrière l'imagination du crime énorme qu'on lui
attribuait. Elle était tranquille; et pourtant sa tranquillité portait des marques de contrainte; et
puisqu'on lui avait auparavant reproché sa confusion
comme une preuve de culpabilité, elle s'efforçait de
paraître courageuse. En entrant dans la salle, elle la
parcourut du regard et découvrit rapidement où nous
étions assis. Une larme sembla obscurcir son regard
lorsqu'elle nous aperçut, mais elle retrouva vite son
calme, et une expression d'affection mêlée de tristesse
paraissait attester son innocence parfaite.

Le jugement commença; et lorsque l'avocat général
eût défini l'accusation, plusieurs témoins furent appelés à la barre. Plusieurs faits étranges se combinaient
contre elle, susceptibles d'ébranler quiconque n'avait
pas, de son innocence, les preuves qui étaient en ma
possession. Elle était restée hors de la maison toute la
nuit où le meurtre avait été commis, et elle avait été
aperçue par une maraîchère, non loin de l'endroit où
l'on avait, par la suite, retrouvé le corps de l'enfant
assassiné. La femme lui avait demandé ce qu'elle faisait
là; mais son attitude avait été étrange, et elle n'avait
fait qu'une réponse confuse et inintelligible. Elle était
rentrée à la maison vers huit heures; et lorsqu'on lui
avait demandé où elle avait passé la nuit, elle avait
répondu avoir passé son temps à chercher l'enfant, et
s'était inquiétée de savoir si l'on n'avait rien appris à
son sujet. Lorsqu'on lui avait montré le cadavre, elle
avait eu une violente crise de nerfs, et avait dû garder le
lit plusieurs jours. On produisit alors la miniature
trouvée par un domestique dans une de ses poches; et
lorsque Elizabeth, d'une voix tremblante, déclara que
c'était bien celle qu'une heure avant la disparition de
l'enfant elle lui avait passée autour du cou, un murmure d'horreur et d'indignation remplit la salle.

On appela Justine pour se défendre. A mesure que la
discussion s'était prolongée, sa physionomie s'était al-
térée. La surprise, l'horreur et le désespoir s'y pei-
gnaient intenses. Parfois, elle essayait de réprimer ses
larmes; mais lorsqu'on lui demanda de parler, elle

rassembla ses forces, et le fit de façon à pouvoir être entendue, bien que d'une voix incertaine.

— Dieu sait, dit-elle, que je suis entièrement innocente. Mais je ne présume pas que mes protestations me fassent acquitter ; je fais reposer mon innocence sur une explication franche et simple des faits que l'on m'oppose ; et j'espère que ma réputation constante d'honnêteté inclinera mes juges vers une interprétation bienveillante, si une circonstance quelconque comporte à leurs yeux le doute ou le soupçon.

Elle dit alors comment, avec la permission d'Elizabeth, elle avait passé chez une tante, à Chêne, village situé à environ une lieue de Genève, le soir de la nuit où le meurtre avait eu lieu. A son retour, vers neuf heures, elle rencontra un homme qui lui demanda si elle ne savait rien de l'enfant perdu. Son récit l'alarma, et elle passa, à le chercher, plusieurs heures, de sorte que les portes de Genève se trouvèrent fermées, et qu'elle dut passer une bonne partie de la nuit dans la grange dépendant d'une maison dont elle ne voulut pas réveiller les habitants, de qui elle était bien connue. Elle avait passé là la plus grande partie de la nuit, à veiller ; elle croyait s'être endormie vers le matin, pendant quelques minutes ; des pas troublèrent son sommeil, et elle s'éveilla. Il faisait jour, et elle quitta son refuge pour essayer encore de retrouver mon frère. Si elle s'était aventurée vers l'endroit où se trouvait son cadavre, c'était sans le savoir. Qu'elle ait eu l'air égaré quand elle fut questionnée par la maraîchère, cela n'avait rien d'étonnant, puisqu'elle avait passé une nuit blanche, et que le sort du pauvre William n'était pas encore éclairci. Au sujet de la miniature, elle ne pouvait donner aucune explication.

— Je sais, continua la malheureuse victime, avec quelle lourdeur fatale pèse sur moi cette unique circonstance, mais je n'ai aucun moyen de l'expliquer ; et après avoir dit, à ce sujet, mon ignorance entière, je ne puis que conjecturer les causes probables de sa présence dans ma poche. Mais, là encore je suis arrêtée. Je ne crois pas avoir un ennemi sur terre ; et personne, à

coup sûr, n'aurait eu la méchanceté de causer légèrement ma mort. Est-ce l'assassin qui l'y a mis? Je ne
sache pas lui avoir fourni l'occasion de le faire; et dans
ce cas, pourquoi aurait-il volé ce bijou pour l'abandonner ensuite si tôt?

« Je m'en remets à l'impartialité de mes juges, et
pourtant je ne vois aucune raison d'espérer. Je demande qu'on m'accorde la faveur de questionner plusieurs témoins sur mon passé; et si leur témoignage ne
pèse pas autant dans la balance que la supposition de
mon crime, je me résignerai à être condamnée, bien
que je sois prête à jurer de mon innocence sur mon
salut. »

On appela plusieurs témoins qui la connaissaient
depuis des années, et ils dirent du bien d'elle; mais la
peur et la haine du crime dont ils la supposaient coupable, les intimidaient et les disposaient peu à se produire. Elizabeth s'aperçut que, même cette dernière
ressource, son excellent caractère et sa conduite irré-
prochable, n'allaient servir en rien l'accusée; bien que
dans une agitation extrême, elle demanda que la cour
l'entendît.

— Je suis, dit-elle, la cousine du malheureux enfant
assassiné, ou plutôt sa sœur, car j'ai été élevée par ses
parents et j'ai vécu auprès d'eux depuis sa naissance et
même longtemps auparavant. On peut donc considérer
comme déplacé que je prenne une initiative quelconque en cette circonstance; mais quand je vois une
créature humaine sur le point de périr par la lâcheté de
ceux qui se disent ses amis, je demande l'autorisation
de dire ce que je sais d'elle. Je la connais parfaitement.
J'ai vécu dans la même maison qu'elle, pendant cinq
ans, puis pendant deux ans. Elle m'est toujours apparue alors comme la plus aimable et la plus bienveillante
personne. Elle a soigné Mme Frankenstein, ma tante,
au cours de sa dernière maladie, avec la plus grande
affection et le plus grand dévouement; plus tard, elle a
soigné sa propre mère, pendant une maladie prolongée, d'une façon qui lui a valu l'admiration de tous
ceux qui la connaissaient; ensuite, elle est revenue

vivre chez mon oncle, dont toute la famille l'aimait. Elle était très attachée à l'enfant qui est mort aujourd'hui, et elle a été pour lui la plus affectueuse des mères. Pour ma part, je n'hésite pas à dire qu'en dépit des faits qu'on lui oppose, je crois et j'espère en sa parfaite innocence. Rien ne pouvait la tenter de commettre cet acte. Quant à ce médaillon, qui constitue la preuve principale, je le lui aurais donné avec plaisir, si elle m'avait exprimé le vif désir de l'avoir, tant je l'estime et la place haut.

Cet appel simple et fort d'Elizabeth fut accueilli par un murmure d'approbation ; mais c'était là le résultat de son intervention généreuse, et non une manifestation en faveur de la pauvre Justine, contre laquelle l'indignation publique se retourna avec une violence nouvelle, en l'accusant de la plus noire ingratitude. Elle-même pleurait tandis qu'Elizabeth parlait, mais sans répondre. Pendant tout le jugement, ma propre agitation et mon angoisse furent extrêmes. Je croyais en son innocence ; je la savais pertinemment. Se pouvait-il que le démon qui, je n'en doutais pas un instant, avait tué son frère, eût aussi, en son ironie infernale, livré l'innocence à la mort et à l'ignominie ? Je ne pus supporter l'horreur de ma situation ; et lorsque je m'aperçus que la voix du peuple et l'expression des juges avaient déjà condamné ma malheureuse victime, je me précipitai, désespéré, hors du tribunal.

Les tortures de l'accusée n'égalaient pas les miennes ; elle avait le soutien de son innocence, mais les dents du remords déchiraient mon sein, et ne lâchaient pas leur proie.

Je passai une nuit de souffrance sans mélange. Le matin venu, je me rendis à la cour ; mes lèvres et ma gorge étaient desséchées. Je n'osais poser la question fatale ; mais on me connaissait, et le magistrat devina la cause de ma visite. On avait voté ; toutes les boules étaient noires, et Justine était condamnée.

Je ne peux prétendre décrire ce que je ressentis. J'avais auparavant éprouvé des sensations d'horreur ; et j'ai essayé de les exprimer suffisamment, mais les

paroles ne peuvent donner une idée du désespoir accablant que j'éprouvai alors. La personne à laquelle je
m'adressai ajouta que Justine avait déjà confessé son
crime. «Cette preuve était, dit-il, à peine nécessaire
dans un cas si peu douteux, mais je suis heureux que
nous l'ayons eue; en fait, nul de nos juges n'aime
condamner un criminel sur des présomptions extérieu-
res, si probantes soient-elles.»

Cette nouvelle était étrange et inattendue; quel en
pouvait être le sens? Mes yeux m'avaient-ils trompé?
et étais-je donc aussi fou que tout le monde le croirait si
je découvrais l'objet de mes soupçons? Je me hâtai de
rentrer chez moi, et Elizabeth me demanda avec angoisse le résultat.

« Ma cousine, répondis-je, la décision est celle à
laquelle vous vous êtes peut-être attendue; tous les
juges aiment mieux condamner dix innocents que laisser échapper un seul coupable. Mais elle a avoué.»

Ce fut un coup terrible pour Elizabeth, qui avait
espéré fermement en l'innocence de Justine. «Hélas!
dit-elle, comment jamais croirai-je encore en la bonté
humaine? Comment Justine, que j'aimais et estimais
comme ma propre sœur, a-t-elle pu cacher la trahison
sous ces sourires d'innocence? La douceur de son
regard semblait la déclarer incapable de brutalité ou de
ruse; et pourtant, elle a commis un meurtre.»

Bientôt après, nous apprîmes que la malheureuse
victime avait exprimé le désir de voir ma cousine. Mon
père insistait pour qu'elle n'y allât pas; mais il ajouta
qu'il laissait à son jugement et à ses sentiments le soin
de décider. «Certes, dit Elizabeth, j'irai, bien qu'elle
soit coupable; et vous, Victor, vous m'accompagne-
rez: je ne peux y aller seule.» La pensée de cette visite
m'était une torture; pourtant, je ne pouvais refuser.

Nous entrâmes dans la prison sombre, et nous aperçûmes Justine assise au fond sur la paille; elle portait
des menottes, et sa tête était appuyée sur ses mains.
Elle se leva en nous voyant entrer; et lorsqu'on nous eût
laissés seuls avec elle, elle se jeta aux pieds d'Elizabeth
en pleurant amèrement. Ma cousine pleurait elle aussi.

— Oh! Justine, dit-elle, pourquoi m'avez-vous ravi ma dernière consolation? J'espérais en votre innocence; et bien que souffrant terriblement, je n'étais pas si malheureuse que maintenant.

— Croyez-vous donc vous aussi que je sois à ce point exécrable? Vous aussi vous vous joignez à mes ennemis pour m'écraser, pour me condamner comme un assassin?

Les sanglots étouffaient sa voix.

— Levez-vous, ma pauvre amie, dit Elizabeth; pourquoi vous agenouiller, si vous êtes innocente? Je ne suis point de vos ennemis; je vous croirai innocente, malgré tous les témoignages, jusqu'au moment où je vous entendrai vous-même vous déclarer coupable. C'est un bruit faux, dites-vous; soyez sûre, chère Justine, que rien, si ce n'est votre propre aveu, ne saurait ébranler un instant ma confiance en vous.

— Certes j'ai avoué; mais mon aveu est un mensonge. J'ai avoué pour obtenir ma grâce, peut-être; mais maintenant, ce mensonge est plus lourd en mon cœur que tous mes autres péchés. Le Dieu du Ciel me pardonne! Depuis le moment où j'ai été condamnée, mon confesseur m'a assiégée; il m'a à tel point épouvantée et menacée, que j'ai commencé à me croire le monstre qu'il me déclarait être. Il m'a menacée de l'excommunication et de l'enfer à ma dernière heure, si je persistais à ne pas avouer. Chère amie, je n'avais personne pour me soutenir; tous me regardaient comme une misérable condamnée à l'ignominie et à la perdition! Que pouvais-je faire? En une heure mauvaise, j'ai souscrit à un mensonge; et ce n'est que maintenant que je me sens vraiment misérable.

Elle s'arrêta en pleurant, puis continua: «C'était avec horreur, ma douce amie, que j'imaginais coupable à vos yeux, et d'un crime dont seul le démon lui-même aurait été capable, votre Justine que votre chère tante avait à tel point honorée, et que vous-même vous aimiez! Cher William! Enfant adoré! Je vous reverrai bientôt au ciel où tous nous serons heureux; et c'est là ma consolation, alors que je vais souffrir l'ignominie et la mort.»

— Oh! Justine, pardonnez-moi d'avoir un seul instant manqué de confiance en vous. Pourquoi avez-vous avoué? Mais ne vous lamentez pas, chère enfant. Ne craignez rien. Je vais proclamer, je vais prouver votre innocence. Mes larmes et mes prières adouciront les cœurs de pierre de vos ennemis. Vous ne mourrez point. Vous, ma compagne de jeu, ma sœur, périr sur l'échafaud! Non, non. Je ne survivrais jamais à un malheur semblable!

Justine secoua douloureusement la tête. « Je ne crains pas la mort, dit-elle; cet effroi-là est passé. Dieu me soutient dans ma faiblesse, et me donne le courage nécessaire pour supporter le pire. Je quitte un monde d'amertume et de tristesse; et si vous gardez de moi le souvenir d'une créature injustement condamnée, je me résigne au destin qui m'attend. Apprenez de moi, chère amie, à vous soumettre humblement à la volonté du ciel. »

Pendant cette conversation, je m'étais retiré dans un coin de la prison où je pouvais cacher l'angoisse horrible qui me possédait. Le désespoir! qui donc osait employer ce mot? Cette malheureuse victime, qui, le lendemain, devait franchir la limite terrible entre la vie et la mort, ne ressentait pas une angoisse aussi profonde et amère que la mienne. Je claquais et grinçais des dents, gémissant du plus profond de mon âme. Justine tressaillit. Quand elle vit qui était là, elle s'approcha et me dit: « Cher ami, vous êtes extrêmement bon de me visiter; vous, j'espère, ne croirez pas que je sois coupable? »

Je ne pouvais lui répondre. « Non, Justine, dit Elizabeth; il est plus convaincu de votre innocence que je ne l'étais moi-même; car même lorsqu'il a appris que vous aviez confessé le crime, il ne l'a pas cru. »

— Je le remercie du fond du cœur. Dans ces derniers moments, je ressens la plus profonde reconnaissance pour ceux qui pensent à moi avec bonté! Quelle n'est pas la douceur de l'affection des autres pour une misérable telle que moi! Elle efface plus de la moitié de mon malheur. Il me semble que je vais mourir en paix, maintenant que vous, ma chère amie, et votre cousin, reconnaissez mon innocence.

C'est ainsi que la malheureuse essayait de consoler les autres et de se consoler elle-même. Elle arriva en fait à la résignation à laquelle elle aspirait. Quant à moi, le meurtrier véritable, je sentais dans mon cœur le ver éternel qui rend impossible toute espérance et toute consolation. Elizabeth, de même, pleurait et souffrait ; mais sa souffrance était aussi celle de l'innocence qui, semblable à un nuage qui passe sur la beauté de la lune, la cache un instant, mais ne peut en ternir l'éclat. L'angoisse et le désespoir avaient pénétré au cœur de mon être ; j'emportais avec moi un enfer que rien ne pouvait éteindre. Nous passâmes plusieurs heures avec Justine ; et ce fut à grand-peine qu'Elizabeth put s'arracher d'auprès d'elle. « Je voudrais, s'écriait-elle, pouvoir mourir avec vous ; je ne peux vivre dans ce monde de souffrance. »

Justine réussit à sourire, tout en réprimant à grand-peine ses larmes d'amertume. Elle embrassa Elizabeth, et d'une voix dont elle avait à demi effacé l'émotion : « Adieu, ma douce amie, lui dit-elle, chère Elizabeth, ma bien-aimée, ma seule amie ! puisse le ciel, en sa bonté, vous bénir et vous conserver ! puisse ce malheur être le dernier que vous subirez ! Vivez, soyez heureuse, et rendez heureux les autres ! »

Et Justine mourut le lendemain. L'éloquence déchirante d'Elizabeth ne put rien modifier à la croyance définitive des juges en la culpabilité de la sainte martyre. Mes propres supplications, passionnées et indignées, furent vaines ; et lorsque je reçus leurs froides réponses et que j'entendis leurs raisonnements durs et impassibles, mon intention d'avouer mourut sur mes lèvres. J'aurais peut-être réussi à me faire passer pour fou, non à faire révoquer la sentence de ma malheureuse victime. Elle mourut sur l'échafaud comme une criminelle.

Au milieu des tortures de mon propre cœur, je me retournai pour contempler la souffrance profonde et muette d'Elizabeth. De cela encore, j'étais responsable. Et le chagrin de mon père, et la désolation de ce foyer jadis si souriant, tout cela était l'œuvre de mes mains trois fois maudites. Vous pleurez, malheureux, mais ce ne sont pas vos dernières larmes! De nouveau s'élèveront vos lamentations, vos cris retentiront à mainte et mainte reprise. Frankenstein, votre fils, votre parent, l'ami d'enfance que vous avez tant aimé, celui qui pour vous donnerait jusqu'à la dernière goutte du sang de son cœur, qui n'accueille aucune pensée, aucune sensation joyeuse dont le reflet n'illumine pas aussi vos chers visages, — qui voudrait remplir l'atmosphère de bénédictions et passer sa vie à vous servir, — c'est lui qui ordonne vos pleurs, vos larmes innombrables; et son bonheur dépasserait ses espérances si l'inexorable destin était aujourd'hui satisfait, et si l'œuvre de destruction s'arrêtait avant que la paix de la tombe ait succédé à vos tristes tourments!

Ainsi parlait mon âme prophétique, tandis que, déchiré par le remords, je voyais ces êtres aimés verser de vaines larmes sur les tombes de William et de Justine, premières et malheureuses victimes de mes arts sacrilèges [24].

CHAPITRE IX

Rien n'est plus pénible [25] à l'âme humaine, après l'exaltation des sentiments par une suite rapide d'événements, que le calme plat de l'inaction et de la certitude qui leur succèdent, et qui excluent à la fois l'espérance et la crainte. Justine était morte ; elle reposait ; et j'étais vivant. Le sang coulait librement dans mes veines, mais la lourdeur du désespoir et du remords oppressait mon cœur, rien ne pouvait me soulager. Le sommeil fuyait mes yeux ; j'errais comme un mauvais esprit, car j'avais commis des crimes dont l'horreur était indescriptible, et (je m'en persuadais) d'autres, bien plus nombreux, étaient à venir. Pourtant, mon cœur débordait de bonté et de l'amour de la vertu. J'étais entré dans la vie avec des intentions bienveillantes, et j'aspirais à l'heure où je pourrais les traduire en actes, et me rendre utile à mes semblables. Pour l'instant, tout était ruine ; au lieu de cette sérénité de conscience qui m'eût permis de contempler le passé avec satisfaction, et de tirer de ce spectacle la promesse de nouveaux espoirs, j'étais la proie du remords et de la sensation du crime, qui me précipitaient dans un enfer de tortures intenses, tel que nulle langue ne peut le décrire.

Cet état d'âme rongeait ma santé, qui peut-être ne s'était jamais retrouvée intacte après le premier choc qu'elle avait subi. Je fuyais la face humaine ; tout son joyeux, tout signe de satisfaction m'était un supplice ; la solitude était ma seule consolation, une solitude profonde, sombre, pareille à la mort.

Mon père observa avec peine le changement visible survenu dans mon humeur et mes habitudes, et il tenta, à l'aide d'arguments tirés des sentiments de sa propre conscience sereine et de sa vie intègre, de m'inspirer quelque énergie, d'éveiller en moi le courage nécessaire pour chasser le nuage sombre suspendu au-dessus de ma tête. «Croyez-vous, cher Victor, me disait-il, que je ne souffre pas aussi? Personne ne saurait aimer un enfant plus que je n'aimais votre frère (les larmes lui vinrent aux yeux, tandis qu'il parlait), mais n'est-ce pas un devoir à l'égard des survivants de ne pas augmenter leur chagrin par la vue d'une autre peine immodérée? C'est aussi un devoir envers vous-même; car l'excès du chagrin empêche la guérison ou la joie, et même l'accomplissement des besognes quotidiennes, sans lequel l'homme est impropre à la vie en société.»

Ces conseils, bien qu'excellents, étaient totalement inapplicables en ce qui me concernait; j'aurais été le premier à cacher mon chagrin et à consoler mes amis, si le remords n'avait mêlé son amertume, et la terreur ses alarmes à mes autres sensations. Je ne pus répondre alors à mon père que par un regard de désespoir, et qu'essayer de me cacher à sa vue.

Vers cette époque, nous nous retirâmes à notre maison de Bellerive. Ce changement me fut particulièrement agréable. La fermeture des portes régulièrement à dix heures, et l'impossibilité de rester ensuite sur le lac m'avaient rendu très fastidieuse ma résidence dans les murs de Genève. J'étais désormais libre. Souvent, lorsque les autres membres de la famille s'étaient couchés, je prenais le bateau, et je passais sur l'eau plusieurs heures. Parfois, toutes voiles dehors, j'étais emporté par le vent; et parfois, après avoir atteint à force de rames le centre du lac, je laissais le bateau poursuivre sa course et m'abandonnais à mes misérables réflexions. J'eus souvent la tentation, alors qu'autour de moi tout était paix, et que j'étais moi-même l'unique créature troublée errant sans repos à travers un paysage d'une beauté si divine, sauf peut-être quelque chauve-souris ou les grenouilles dont les coassements irréguliers et rudes ne s'entendaient que lorsque j'approchais de la rive, — j'eus souvent la tentation, dis-je, de plonger dans le lac silencieux, pour que les eaux pussent à jamais m'ensevelir avec mes malheurs. Mais une force me retenait, lorsque je songeais à l'héroïque et douloureuse Elizabeth, que j'aimais tendrement, et dont l'existence était liée à la mienne. Je pensais aussi à mon père et à mon autre frère; les abandonnerais-je lâchement pour les laisser exposés sans protection à la malice du démon que j'avais déchaîné parmi eux?

Alors je pleurais amèrement, et je ne souhaitais le retour de la paix dans mon âme que pour être en mesure de leur procurer consolation et bonheur. Mais c'était là chose impossible : le remords éteignait toute espérance; j'avais causé des maux irrévocables; et je vivais dans une peur quotidienne que le monstre que j'avais créé ne perpétrât quelque atrocité nouvelle. J'avais le sentiment obscur que tout n'était pas fini, qu'il commettrait encore quelque crime étonnant, dont l'énormité effacerait le souvenir du passé. La peur avait toujours lieu d'être, tant que restait derrière moi une créature que j'aimais. On ne peut concevoir la haine que m'inspirait ce démon. Quand je pensais à lui, mes dents grinçaient, mes yeux s'enflammaient, et je souhaitais de tout mon être d'éteindre cette existence que j'avais si légèrement donnée. Quand je réfléchissais à ses crimes et à sa méchanceté, ma haine et mon désir de vengeance renversaient toutes les barrières de la modération. J'aurais fait comme un pèlerinage l'ascension du pic le plus haut des Andes, si j'avais pu, une fois atteint ce sommet, précipiter le monstre jusqu'à leur base. Je voulais le revoir pour pouvoir assouvir sur sa tête toute l'étendue de mon abhorrence, et venger la mort de Guillaume et de Justine.

Notre maison était la maison du deuil. La santé de mon père avait été profondément ébranlée par l'horreur des événements récents. Elizabeth était triste et déprimée; elle ne prenait plus aucun plaisir à ses travaux coutumiers; toute joie lui semblait sacrilège à l'égard des morts; les lamentations et les larmes éter-

nelles étaient à ses yeux le juste tribut qu'elle aurait dû
payer à la ruine et à la mort d'une innocente. Ce n'était
plus cette créature heureuse qui, dans sa première
jeunesse, errait avec moi sur les rives du lac, et parlait
avec extase de nos projets d'avenir. Le premier de ces
chagrins qui nous sont envoyés pour nous détacher de
la terre l'avait frappée, et l'ombre s'en étendait sur ses
plus chers sourires.

« Quand je songe, mon cher cousin, me disait-elle, à
la mort misérable de Justine Moritz, je ne vois plus le
monde et ses œuvres comme il m'apparaissait jadis.
Autrefois, je considérais le récit des vices et des injusti-
ces lus dans les livres ou racontés par les autres, comme
des histoires du temps passé ou comme des maux
imaginaires ; au moins étaient-ils lointains, et plus familiers à ma raison qu'à mon imagination. Désormais,
la souffrance s'est fait vraiment connaître, et les hommes m'apparaissent comme des monstres assoiffés chacun du sang de l'autre. Pourtant, je suis certainement
injuste. Chacun croyait cette malheureuse coupable ; et
si elle avait commis le crime dont elle a subi le châtiment, elle eût été à coup sûr le plus dépravé des êtres
humains : assassiner pour quelques bijoux le fils de son
bienfaiteur et ami, un enfant qu'elle avait soigné depuis sa naissance, et qu'elle paraissait aimer comme s'il
eût été le sien propre ! Je ne saurais consentir à la mort
d'aucun être humain ; mais j'aurais certainement considéré une créature semblable comme indigne de rester
dans la société des hommes. Mais elle était innocente ! Je
sais, je sens qu'elle était innocente ; vous êtes du même
avis, et cela confirme ma conviction. Hélas ! Victor,
quand le faux peut prendre ainsi l'apparence de la vérité,
qui donc peut croire en un bonheur certain ? Il me semble marcher au bord d'un précipice, vers lequel des
milliers s'avancent en foule, essayant de me précipiter
dans l'abîme. William et Justine ont été assassinés, et le
meurtrier échappe ; il erre libre par le monde, peut-être
respecté. Mais même si j'étais condamnée à périr
sur l'échafaud pour les mêmes crimes, je ne changerais
pas mon existence contre celle de pareil misérable. »

J'écoutai ce discours avec une angoisse atroce. C'était moi, non de fait, mais réellement, le véritable assassin. Elizabeth lut l'angoisse sur mon visage, et me prenant doucement la main, me dit : « Mon ami très cher, il faut vous calmer. Ces événements m'ont affectée, Dieu sait combien profondément ; mais je ne suis pas si accablée que vous. Il y a dans votre physionomie une expression de désespoir, et parfois de vengeance, qui me fait trembler ! Mon cher Victor, bannissez ces sombres passions. Souvenez-vous des amis qui vous entourent et qui ont mis tout leur espoir en vous. Avons-nous perdu le pouvoir de vous rendre heureux ? Ah ! tant que nous nous aimons, tant que nous sommes fidèles l'un à l'autre, dans cette terre de paix et de beauté qu'est votre pays natal, nous pouvons cueillir tous les bonheurs calmes. Qui saurait troubler notre paix [26] ? »

Ces paroles de celle que je mettais au-dessus de tous les autres dons du sort, ne pouvaient-elles donc suffire à chasser le démon caché dans mon cœur ? Au moment même où elle parla, je m'approchai d'elle comme sous le coup de la terreur, de peur qu'à cet instant même le destructeur fût là pour me la dérober.

C'est ainsi que ni la tendresse de l'amitié, ni la beauté de la terre, ni celle des cieux, ne pouvaient arracher mon âme à ses tourments ; les accents mêmes de l'amour n'y suffisaient point. J'étais entouré d'un nuage que nulle bienfaisante influence ne pouvait pénétrer. Le cerf blessé qui traîne ses membres défaillants vers quelque fougère cachée pour y contempler la flèche qui l'a transpercé et pour mourir, eût pu me servir de symbole.

Parfois, je pouvais contenir le désespoir tenace qui m'accablait ; mais parfois le tourbillon des passions de mon âme me poussait à chercher, dans l'exercice physique et le changement de lieu, un soulagement à mes sensations intolérables. C'est au cours d'un accès de cette sorte que je quittai soudain mon foyer et que, me dirigeant vers les vallées les plus rapprochées des Alpes, je cherchai dans la magnificence éternelle de semblables spectacles, à oublier avec moi-même mes chagrins éphémères parce qu'humains. J'errai vers la vallée de

Chamounix [27] : je l'avais souvent visitée dans mon enfance ; six ans s'étaient depuis lors écoulés ; moi, j'étais une épave ; mais rien n'avait changé dans ces paysages sauvages et immuables.

Je fis à cheval la première partie de mon voyage ; puis je louai un mulet, comme ayant le pied plus sûr, et étant moins susceptible de souffrir sur ces routes grossières. Le temps était beau ; c'était vers le milieu d'août, deux mois après la mort de Justine, cette date misérable d'où je datais tous mes maux. Le poids qui opprimait mon âme s'allégea sensiblement, tandis que je m'enfonçais au plus profond des ravins de l'Arve. Les montagnes et les précipices immenses qui me surplombaient de tous côtés, le bruit de la rivière mugissant à travers les rocs et les chutes d'eau qui se précipitaient tout alentour, chantaient une puissance égale à l'Omnipotence, et je cessai de craindre, ou de me courber devant un être quelconque moins redoutable que celui qui avait créé et qui gouvernait les éléments, dont la force se manifestait ici sous sa forme la plus terrifiante. Cependant, à mesure que je montais davantage, la vallée prenait un aspect plus magnifique et plus écrasant. Les châteaux en ruine suspendus au bord des précipices sur les montagnes couvertes de pins ; l'Arve impétueuse, et les chalets apparaissant çà et là parmi les arbres, composaient un spectacle d'une beauté singulière. Mais elle était accrue et rendue sublime par les Alpes énormes, dont les dômes et les pyramides d'une blancheur éclatante dominaient, comme si elles eussent appartenu à un autre monde, les habitations d'une autre race d'êtres.

Je dépassai le pont de Pélissier, où le ravin formé par la rivière s'ouvrait devant moi ; et je me mis à escalader la montagne qui le surplombe. Bientôt après, j'entrai dans la vallée de Chamounix. Elle est plus merveilleuse et plus sublime, mais moins belle et moins pittoresque que celle de Servoix, que je venais de traverser. Les montagnes, hautes et neigeuses, en étaient les limites immédiates ; mais je ne voyais plus de châteaux en ruine ni de champs fertiles. D'immenses glaciers s'approchaient jusqu'à la route ; j'entendais le roulement de tonnerre de l'avalanche, et je voyais la fumée s'élever sur son passage. Le Mont Blanc, suprême et magnifique, surgissait au milieu des aiguilles voisines, et son dôme effrayant dominait la vallée.

Une envahissante sensation de plaisir, longtemps oubliée, m'assaillit pendant ce voyage. Un tournant de la route, un objet nouveau soudain aperçu et reconnu, me rappelaient les jours passés, et s'associaient à la gaieté légère de l'enfance. Jusqu'aux vents murmuraient d'une voix consolante à mon oreille, et la nature maternelle m'ordonnait de ne plus pleurer. Puis à nouveau cette bienfaisante influence cessa d'agir, je me retrouvai enchaîné à mon chagrin, et je me livrai à toute la misère de la réflexion. Alors j'éperonnais de nouveau ma bête, m'efforçant d'oublier le monde, et mes craintes, et plus que toute autre chose, moi-même, — ou bien, plus découragé encore, je descendais et me jetais sur le gazon, accablé d'horreur et de désespoir.

J'arrivai enfin au village de Chamounix. L'épuisement succéda à la fatigue extrême du corps et de l'âme que j'avais subie. Pendant un court espace de temps, je restai à la fenêtre, à contempler les éclairs pâles qui se jouaient au-dessus du Mont Blanc, et à écouter le mugissement de l'Arve qui poursuivait au-dessous de moi sa course bruyante. Ces mêmes sons calmants eurent l'effet d'une berceuse sur mes sensations exacerbées, et lorsque je posai ma tête sur l'oreiller, le sommeil m'envahit : je le sentis lorsqu'il arriva, et je bénis ce donneur d'oubli.

CHAPITRE X

Je passai la journée suivante à errer dans la vallée. Je m'arrêtai près des sources de l'Arveiron, sorties d'un glacier qui, lentement, du sommet des monts, s'avance dans la vallée pour la barricader. J'avais devant moi les flancs abrupts de vastes montagnes, au-dessus de moi le mur de glace; quelques pins brisés étaient épars alentour; et le silence solennel du palais resplendissant de la souveraine Nature n'était rompu que par le bruit des torrents, la chute de quelque énorme fragment de roc, le tonnerre de l'avalanche, où l'écho dans les montagnes des craquements de la glace accumulée qui, au cours du travail silencieux guidé par des lois immuables, éclatait et se déchirait de temps à autre comme un jouet entre leurs mains. Ces spectacles sublimes et magnifiques m'apportaient la plus grande consolation que je fusse capable de recueillir. Ils m'élevaient au-dessus de tous les sentiments mesquins; et sans effacer mon chagrin, ils le vainquaient et le calmaient. Dans une certaine mesure, ils éloignaient aussi de mon âme les pensées qui l'avaient absorbée le mois précédent. La nuit, je rentrais pour dormir; et mon sommeil, pour ainsi dire, avait pour serviteurs et pour aides la foule des formes majestueuses que j'avais contemplées durant le jour. Elles s'assemblaient autour de moi : c'étaient les neiges virginales de la cime des monts, l'aiguille étincelante, les forêts de pins et les ravins escarpés et nus; l'aigle planant dans les nuages : tous, rassemblés autour de moi, m'ordonnaient d'être en paix.

Où donc s'étaient-ils enfuis, lorsque je m'éveillais le matin suivant ? Toutes les sources de jeunesse s'échappaient avec le sommeil, et une noire mélancolie assombrissait chacune de mes pensées. La pluie s'abattait en torrents, et des brumes épaisses cachaient le sommet des montagnes, au point que je ne pouvais même pas apercevoir le visage de ces puissantes amies. Et pourtant, je voulais m'enfoncer dans leur voile de brume, et les chercher jusqu'au fond de leur retraite de nuages. Que m'étaient la pluie et l'orage ? On amena mon mulet à la porte, et je résolus de monter jusqu'au sommet de Montanvert. Je me rappelle l'impression qu'avait produite en moi le spectacle du terrible glacier toujours mouvant, lorsque je l'aperçus pour la première fois. Il m'avait alors rempli de cette sublime extase qui donne à l'âme des ailes, et lui permet de prendre son essor du fond de ce monde obscur vers la lumière et la joie. Les aspects terribles et majestueux de la nature ont, en effet, toujours enveloppé mon âme d'une impression solennelle entraînant l'oubli des soucis éphémères. Je résolus de partir sans guide, car je connaissais bien le sentier, et la présence d'un autre être eût aboli la majesté solitaire du spectacle.

La montée est à pic, mais le sentier se divise en zigzags continuels et courts qui permettent de vaincre la perpendicularité de la montagne. La désolation du paysage est terrifiante. En mille endroits, s'aperçoivent les traces de l'avalanche hivernale, arbres brisés, épars sur le sol, certains entièrement détruits, d'autres courbés, penchés sur les rocs qui surplombent les précipices, ou en travers d'autres arbres. Le sentier, à mesure qu'on s'élève, est coupé par des ravins neigeux, le long desquels des pierres se précipitent sans cesse ; l'un d'eux est particulièrement dangereux, car le moindre son, même celui d'une voix forte, ébranle suffisamment l'air pour attirer la mort sur la tête de celui qui parle. Les pins ne sont ni élevés, ni luxuriants, mais sombres, et donnent au paysage un aspect sévère. Je contemplai la vallée sous mes pieds ; de vastes brumes s'élevaient des rivières qui la parcouraient, et s'enrou-

laient en couronnes épaisses autour des montagnes qui
me faisaient face, et dont les sommets disparaissaient
sous des nuages uniformes, tandis que la pluie descendait du ciel sombre et ajoutait à la mélancolie du spectacle. Hélas! pourquoi l'homme s'enorgueillit-il de
posséder une sensibilité supérieure à celle qui se manifeste chez la brute? Elle ne fait qu'accroître son
esclavage. Si nos impulsions se limitaient à la faim, à la
soif, au désir, peut-être serions-nous presque libres;
mais nous voici troublés par le moindre vent qui souffle, et par une parole accidentelle ou par le spectacle
que peut nous représenter cette parole.

Nous dormons : il suffit d'un rêve pour empoisonner le sommeil.
Nous nous levons : une seule pensée errante corrompt le jour.
Nous sentons, concevons, raisonnons, nous rions ou pleurons.
Nous nous abandonnons follement au désespoir ou chassons nos soucis.

Il n'importe : car qu'il s'agisse de joie ou de peine,
Le chemin par où elle peut s'enfuir est toujours libre.
Pour l'homme, la veille peut n'être jamais semblable au lendemain.
Rien n'a de durée sûre, si ce n'est le changement même [28].

Il était près de midi quand j'arrivai au sommet. Je
restai assis un certain temps sur le rocher qui domine la
mer de glace. Une brume la recouvrait, ainsi que les
monts environnants. Bientôt, une brise dissipa le
nuage et je descendis sur le glacier. La surface, très
rugueuse, s'élève comme les vagues d'une mer troublée, avec des dépressions et des déchirures profondes
de place en place. La plaine de glace a près d'une lieue
de large, mais je passai près de deux heures à la traverser. La montagne qui lui fait face est un rocher nu et à
pic. Du côté où je me trouvais alors, j'avais le Montanvert exactement devant moi, à environ une lieue; et
au-dessus s'élevait le Mont Blanc, dans sa majesté terrible. Je restai dans un recoin du rocher à contempler
ce spectacle merveilleux et stupéfiant. La mer, ou
plutôt la vaste rivière de glace, serpentait parmi les
montagnes dépendant d'elle, et dont les sommets aériens surplombaient ses golfes. Leurs pics glacés et
scintillants resplendissaient dans le soleil au-dessus des

nuages. Mon cœur, auparavant triste, se gonflait alors d'un sentiment semblable à la joie. Je m'écriai : « Esprits errants, si vraiment vous errez et ne reposez point dans vos couches étroites, permettez-moi de goûter cette ombre de bonheur, ou emportez-moi avec vous loin des joies de la vie. »

En prononçant ces mots, j'aperçus soudain la silhouette d'un homme qui, à quelque distance, s'avançait vers moi avec une vitesse surhumaine. Il franchissait d'un bond les fentes de la glace, parmi lesquelles je m'étais avancé avec précaution ; en outre, à mesure qu'il s'approchait, sa taille semblait dépasser celle de l'homme. Un trouble me saisit, un brouillard voila ma vue et je me sentis défaillir ; mais la bise froide des montagnes me ramena vite à la pleine conscience. Je m'aperçus à l'approche de cette silhouette (spectacle effrayant et abhorré !) que c'était là le monstre que j'avais créé. Je tremblais de rage et d'horreur, résolu à attendre sa venue et à engager avec lui un corps-à-corps mortel. Il s'approchait ; son expression traduisait une souffrance profonde mêlée de mépris et de malignité, et sa laideur surnaturelle le rendait à peine supportable en son horreur pour des regards humains. Mais j'y fis à peine attention ; la rage et la haine me privèrent d'abord de la parole, et je ne me ressaisis que pour l'accabler sous l'expression de ma haine furieuse et de mon mépris.

— Démon, m'écriai-je, oses-tu donc m'approcher ? et ne crains-tu pas que mon bras se venge cruellement sur ta tête misérable ? Va-t-en, vile créature ! Ou, plutôt, reste, que je te réduise en poussière. Hélas ! si je pouvais, en supprimant ta misérable existence, ramener à la vie ces victimes de ta méchanceté diabolique !

— Je m'attendais à cet accueil, dit le démon. Tous les hommes haïssent les malheureux ; à quel point dois-je donc être haï, moi dont le malheur dépasse celui de toutes les créatures vivantes ! Et pourtant, c'est toi, mon créateur, qui me détestes et me méprises, moi ta créature, à laquelle tu es lié par des liens que l'anéantissement de l'un de nous peut seul rendre dissolubles.

Tu veux me tuer. Comment oses-tu jouer de la sorte avec la vie ? Fais ton devoir à mon égard, et je m'acquitterai du mien, envers toi et envers le reste de l'humanité. Si tu remplis les conditions que je fixerai, je te laisserai en paix ainsi que les hommes ; mais si tu refuses, j'entasserai les cadavres entre les mâchoires de la mort, jusqu'à ce qu'elle soit rassasiée du sang de ceux des tiens qui vivent encore.

— Monstre abhorré ! Démon ! Les tortures de l'enfer sont un châtiment trop doux pour tes crimes. Misérable ! Tu me reproches de t'avoir créé. Viens donc, que je puisse éteindre l'étincelle que je t'ai communiquée si imprudemment !

Ma rage était immense ; je bondis sur lui, poussé par toutes les passions qui peuvent armer un être contre l'existence d'un autre.

Il m'évita facilement, et il me dit :

— Sois calme ! Je te prie de m'écouter, avant de te livrer à la haine qui t'anime contre ma tête sacrifiée. N'ai-je donc pas assez souffert, pour que tu cherches encore à accroître mon malheur ? La vie, bien qu'elle ne soit pour moi qu'une accumulation d'angoisses, m'est chère, et je la défendrai. Souviens-toi, tu m'as fait plus puissant que toi-même ; ma taille est plus grande, mes articulations plus souples. Mais je ne serai pas tenté de m'opposer à toi. Je suis ta créature, et j'irai jusqu'à obéir doucement et docilement à mon maître et à mon roi naturel, si tu veux aussi t'acquitter de ton rôle, de ton devoir envers moi. Oh ! Frankenstein, ne sois pas équitable à l'égard de tout autre être, pour me fouler seul aux pieds, moi à qui sont dues ta justice, et même ta clémence et ton affection. Souviens-toi ! je suis ta créature ; je devrais être ton Adam ; mais je suis bien plutôt l'ange déchu que tu chasses loin de la joie, bien qu'il n'ait pas fait le mal. Partout je vois le bonheur, et j'en suis irrévocablement privé. J'étais bienveillant et bon ; la misère a fait de moi un démon. Rends-moi la joie, et je redeviendrai vertueux.

— Va-t'en ! Je ne veux pas t'entendre. Entre toi et moi rien ne saurait être commun ; nous sommes enne-

mis ! Va-t'en, ou essayons notre force dans un combat
où l'un de nous périra.

— Comment pourrais-je t'émouvoir ? Aucune sup-
plication ne te fera donc tourner un regard favorable vers
ta créature, qui implore ta bonté et ta compassion ?
Crois-moi, Frankenstein : j'étais bon ; mon âme rayonnait d'amour et d'humanité ; mais ne suis-je pas seul,
misérablement seul ? Toi-même, mon créateur, tu
m'abhorres ; quel espoir puis-je mettre en tes semblables
qui ne me doivent rien ? Ils me méprisent et me haïssent !
J'ai pour refuge les montagnes désertes et les glaciers
sauvages. J'y erre depuis de longs jours ; les grottes de
glace, que je suis le seul à ne pas craindre, sont ma
maison, la seule que l'homme m'abandonne sans regret.
Je salue ce ciel glacial, car il m'est meilleur que tes
semblables. Si la multitude humaine savait mon existence, elle s'armerait comme toi pour me détruire. Ne haïrai-je donc point ceux qui m'abhorrent ? Je
ne ferai point de traité avec mes ennemis. Je souffre, et ils
partageront ma souffrance ! Pourtant, il est en ton pouvoir de me rendre justice, de les délivrer d'un mal que
tu n'as plus qu'à rendre tel, que non seulement toi-même
et ta famille, mais des milliers d'autres, seront absorbés dans le tourbillon de sa rage. Puisse ta pitié s'émouvoir, et puisses-tu ne pas me dédaigner ! Écoute mon histoire ; quand tu la sauras, abandonne-moi ou plains-moi,
selon ton jugement de mes mérites. Mais écoute-moi !
Les lois humaines, si sanglantes qu'elles soient, permettent au coupable, avant de le condamner, de plaider sa
propre cause. Écoute-moi, Frankenstein ! Tu m'accuses
de meurtre ; et pourtant, la conscience tranquille, tu dé-
truirais toi-même ta propre créature ! Ah ! tu peux louer
l'éternelle justice de l'homme ! Mais je ne te demande
pas de m'épargner : écoute-moi ! alors, si tu le peux,
et si tu le veux, détruis l'œuvre de tes propres mains.

— Pourquoi rappelles-tu à mon souvenir, répliquai-je, des circonstances dont je frémis de penser que
j'ai été l'origine et l'auteur misérable ? Maudit soit le
jour, démon abhorré, où tu as vu la lumière ! Maudites
(bien que je me maudisse ainsi moi-même), les mains

qui t'ont formé! Tu m'as rendu malheureux au-delà de toute parole. Tu ne m'as laissé aucune faculté de savoir si je suis juste ou injuste. Va-t'en! Épargne-moi la vue de ta forme détestée.

— Je te soulagerai donc ainsi, dit-il en plaçant devant mes yeux ses mains abhorrées que je repoussai loin de moi avec violence; je t'épargne ainsi un spectacle que tu détestes. Encore peux-tu m'écouter et m'accorder ta pitié. Au nom des vertus qui furent un jour miennes, je te le demande instamment. Écoute mon histoire; elle est longue et étrange, et la température de ce lieu n'est pas celle que réclament tes sens délicats; viens dans cette hutte, sur la montagne. Le soleil est encore haut dans le ciel; avant qu'il descende se cacher derrière ces précipices neigeux, et qu'il illumine un autre monde, tu auras entendu mon histoire, et tu pourras décider. C'est de toi qu'il dépend que je quitte à jamais le voisinage de l'homme pour mener une vie innocente, ou que je devienne le fléau de tes semblables, et bientôt l'auteur de ta propre ruine.

En disant ces mots, il me montra le chemin à travers la glace; et je le suivis. Mon cœur débordait, et je ne lui répondis point; mais en marchant, je pesai les divers arguments qu'il avait employés, et je résolus du moins d'écouter son histoire. J'étais en partie poussé par la curiosité, et la pitié confirmait ma résolution. Je l'avais jusque-là pris pour l'assassin de mon frère, et je cherchais ardemment la confirmation ou la négation de cette croyance. Pour la première fois aussi, je sentais ce qu'étaient les devoirs d'un créateur envers sa créature, et la nécessité de la rendre heureuse avant de me plaindre de sa méchanceté. Tels furent les motifs qui me firent accéder à sa requête. Nous traversâmes la glace et parvînmes donc au sommet du rocher qui nous faisait face. L'air était froid, et la pluie se mit à tomber de nouveau; nous pénétrâmes dans la hutte; le démon avait un air d'exultation, et moi, le cœur lourd et l'âme abattue. Mais je consentis à l'écouter; et lorsque je me fus assis près du feu que mon compagnon exécré avait allumé, il commença ainsi son histoire.

CHAPITRE XI

« C'est avec beaucoup de difficulté que je me rappelle la date première de mon être ; tous les événements de cette période m'apparaissent confus et indistincts. Une étrange multiplicité de sensations m'assaillit : je vis, je touchai, j'entendis, je sentis tout à la fois ; et pendant longtemps je ne pus distinguer les opérations de mes divers sens. Peu à peu, cependant, la force de la lumière devint plus sensible à mes nerfs, à tel point que je dus fermer les yeux. L'obscurité m'enveloppa ensuite, et j'en fus troublé ; mais à peine l'avais-je perçue que, je le suppose, en ouvrant les yeux, je me trouvai de nouveau inondé de lumière. Je marchai, puis, me semble-t-il, je descendis ; mais j'observai bientôt un grand changement dans mes sensations. Auparavant, des corps sombres et opaques m'avaient entouré, impénétrables à mon toucher comme à ma vue ; mais je constatai ensuite que je pouvais errer en liberté, sans obstacles impossibles soit à franchir soit à éviter. La lumière me devint de plus en plus pénible ; et comme la chaleur me gênait à mesure que j'avançais, je cherchai un endroit où je pusse jouir de l'ombre. Ce fut la forêt d'Ingolstadt ; là, je m'étendis près d'un ruisseau pour me reposer, jusqu'au moment où la faim et la soif me tourmentèrent. Ces sensations me firent sortir de mon état presque somnolent, et je mangeai des baies que je trouvai suspendues aux arbres ou éparses sur le sol. J'étanchai ma soif dans le ruisseau, et me couchant ensuite, le sommeil m'accabla.

« Il faisait nuit quand je m'éveillai ; j'eus froid et je

me sentis à demi effrayé, instinctivement pour ainsi dire, de me trouver si abandonné. Avant de quitter votre appartement, ayant éprouvé une sensation de froid, je m'étais couvert de quelques vêtements ; mais ils ne suffisaient point à me garantir des rosées de la nuit. Je n'étais qu'un malheureux, pauvre et sans aide ; je ne savais rien, je ne pouvais rien discerner ; mais sentant la souffrance m'envahir de tous côtés, je m'assis et pleurai.

« Bientôt, une douce lumière envahit le ciel et me donna une sensation de plaisir. Je tressaillis, et vis une forme rayonnante s'élever parmi les arbres*. Je la contemplai avec une sorte d'émerveillement. Elle se mouvait lentement, mais elle éclairait ma route. Et je me remis à chercher des baies. J'avais encore froid, quand, sous un des arbres, je trouvai un vaste manteau dont je me couvris ; puis je m'assis sur le sol. Nulle idée distincte n'occupait mon esprit, tout était confus. Je sentais la lumière et la faim, et la soif, et l'ombre ; des bruits innombrables résonnaient dans mes oreilles, et de tous côtés des odeurs diverses m'accueillaient ; le seul objet que je pusse distinguer était la lune brillante, et je fixai les yeux sur elle avec plaisir.

« Plusieurs fois le jour succéda à la nuit ; l'orbe des nuits avait beaucoup décru, lorsque je commençai à distinguer l'une de l'autre mes sensations. Peu à peu, je vis clairement le ruisseau limpide qui me donnait un breuvage et les arbres qui me couvraient de leur ombre. Je fus charmé de découvrir qu'un son agréable qui souvent saluait mes oreilles venait de la gorge des petits animaux ailés qui souvent avaient intercepté à mes yeux la lumière. Je me mis en outre à observer, avec une précision plus grande, les formes qui m'entouraient, et à apercevoir les limites de la rayonnante voûte de lumière qui formait un dais au-dessus de ma tête. Parfois, j'essayais d'imiter d'agréables chants d'oiseaux, mais je ne pouvais y réussir. Parfois je voulais exprimer mes sensations à ma propre manière,

---

* Note de l'auteur : la lune.

mais les bruits bizarres et inarticulés issus de ma gorge m'effrayèrent et me plongèrent dans le silence.

« La lune était disparue de la nuit, et, amoindrie de nouveau, m'était apparue; et j'étais encore dans la forêt. Mes sensations étaient alors devenues distinctes, et chaque jour mon esprit accumulait des perceptions nouvelles. Mes yeux s'habituèrent à la lumière et à percevoir les objets sous leurs formes exactes. Je distinguai l'insecte de l'herbe, et, peu à peu, une herbe d'une autre. Je constatai que le moineau ne produisait que des notes désagréables, tandis que celles du merle et de la grive étaient mélodieuses et attirantes.

« Un jour que j'étais accablé par le froid, je trouvai un feu laissé par des mendiants errants, et sa chaleur m'enveloppa d'une joie extrême. Dans ma joie, je plongeai mes mains dans les tisons ardents, mais je la retirai vite en poussant un cri de douleur. Comme il est étrange, pensai-je, que la même cause produise à la fois des effets si opposés! J'examinai les éléments du feu, et à ma joie, je constatai qu'il était fait de bois. Je ramassai vite quelques branches; mais elles étaient mouillées et ne voulaient pas brûler. J'en fus peiné, et je restai à observer comment le feu se comportait. Le bois mouillé que j'avais placé près de la source de chaleur sécha, puis s'enflamma lui-même. Cela me fit réfléchir; touchant les diverses branches, j'en découvris la cause, et je me mis à ramasser une grande quantité de bois, pour pouvoir le sécher et avoir une provision abondante j'éprouvai la plus grande peur que mon feu ne s'éteignît. Je le couvris soigneusement de bois sec et de feuilles, et plaçai dessus des branches mouillées; puis, étendant mon manteau, je me couchai sur le sol et m'endormis profondément.

« Il faisait jour quand je m'éveillai, et mon premier soin fut de voir où en était mon feu. Je le découvris, et une douce brise le fit rapidement s'élever en une flamme. J'observai cela aussi, et j'inventai un écran de branches qui ranimait les charbons près de s'éteindre. Lorsque la nuit revint, je m'aperçus avec plaisir que le feu donnait de la lumière en même temps que de la

chaleur, et que la découverte de cet élément me serait
encore utile pour ma nourriture, car je vis que certains
restes de leur repas laissés par les voyageurs avaient été
rôtis, et qu'ils étaient bien plus agréables au goût que
les baies que j'avais cueillies aux arbres. J'essayai donc
de préparer ma nourriture de la même manière, en la
plaçant sur des charbons ardents. Je m'aperçus que les
baies étaient gâtées par cette opération, tandis que les
racines et les noix devenaient bien meilleures.

« Cependant, les aliments devenaient rares, et je
passais souvent tout le jour à chercher en vain quelques
glands pour calmer les douleurs de la faim. Je résolus
alors de quitter l'endroit que j'avais jusqu'alors habité,
et d'en trouver un où les rares besoins que j'éprouvais
pourraient se satisfaire aisément. Au cours de ce déplacement, je déplorai beaucoup la perte du feu que je
m'étais procuré accidentellement, et que je ne savais
comment reproduire. Je passai plusieurs heures à étudier cette difficulté ; mais je fus contraint d'abandonner toute tentative pour la vaincre ; et m'enveloppant
de mon manteau, je me dirigeai à travers bois vers le
soleil couchant. Je passai trois jours à errer ainsi, et je
finis par arriver à la plaine. La neige était tombée en
abondance la nuit précédente, et les champs étaient
d'un blanc uniforme ; cet aspect des choses était dé-
primant, et je trouvais mes pieds glacés par la substance froide et humide qui couvrait le sol.

« Il était environ sept heures du matin, et je sentais
un besoin intense de nourriture et d'un abri ; je finis
par apercevoir une petite hutte, sur une élévation de
terrain, qui, sans doute, avait été bâtie pour quelque
berger. C'était là pour moi spectacle nouveau, et j'en
examinai la structure avec une grande curiosité. Trouvant la porte ouverte, j'entrai. Un vieillard y était assis
près d'un feu, sur lequel il préparait son déjeuner. Il se
retourna en entendant du bruit ; en m'apercevant, il
poussa un grand cri, et, quittant la hutte, se mit à
courir à travers champs avec une vitesse dont son
aspect affaibli paraissait peu capable. Son apparence,
différente de tout ce que j'avais encore vu, et sa fuite,

me surprirent quelque peu. Mais je fus enchanté de l'aspect de la hutte ; là, ni la neige, ni la pluie ne pouvaient pénétrer ; le sol était sec ; elle me parut une retraite aussi exquise et divine que dut paraître le Pandémonium [30] aux démons de l'enfer après leurs souffrances dans le lac de feu. Je dévorai gloutonnement le reste du déjeuner du berger, qui se composait de pain, de fromage, de lait et de vin ; je n'aimai cependant pas cette dernière substance. Puis, accablé de fatigue, je m'étendis dans la paille, et je m'endormis.

« Il était midi quand je me réveillai ; attiré par la chaleur du soleil qui brillait avec éclat sur la neige, je résolus de reprendre mes voyages ; déposant les restes du repas du paysan dans un bissac que j'avais trouvé, je marchai à travers champs pendant plusieurs heures, et, au coucher du soleil, j'arrivai dans un village. Comme il m'apparut miraculeux ! Les huttes, les chalets plus coquets, et les maisons majestueuses éveillaient mon admiration tour à tour. Les légumes dans les jardins, le lait et le fromage que je voyais exposés aux étalages de certains chalets, excitaient mon appétit. J'entrai dans un des plus beaux de ceux-ci ; mais à peine avais-je mis le pied à l'intérieur, que les enfants poussèrent des cris perçants et qu'une des femmes s'évanouit. Tout le village fut sur pied ; les uns s'enfuyaient, les autres m'attaquaient, si bien que, grièvement contusionné par les pierres et maintes autres sortes de projectiles, je m'échappai dans la plaine et me réfugiai, effrayé, dans une misérable hutte, complètement nue, et d'apparence lamentable après les palais que j'avais vus dans le village. Cette hutte, cependant, était contiguë à un chalet d'aspect propre et agréable ; mais après ma récente expérience si chèrement achetée, je n'osai y entrer. Mon refuge était construit en bois, mais si bas que je pouvais à grand-peine y rester assis sans me courber. Il n'y avait cependant pas de bois sur la terre qui servait de plancher, mais elle était sèche ; et, bien que le vent y pénétrât par d'innombrables fissures, je trouvai que c'était, contre la neige et la pluie, un abri agréable.

« C'est donc là que je me réfugiai et que je m'étendis, heureux d'avoir trouvé un toit, si misérable fût-il, — d'échapper aux rigueurs de la saison, et, plus encore, à la barbarie humaine.

« Dès que le matin arriva, je me glissai hors de mon repaire pour observer le chalet auquel il était contigu, et pour voir si je pourrais rentrer dans l'abri que j'avais trouvé. Il était situé derrière le chalet, et entouré, des côtés non murés, par un toit à porcs et une mare d'eau claire. Un endroit était ouvert, c'était celui par où j'avais pénétré à l'intérieur ; mais je couvris de pierres et de bois toutes les fissures par lesquelles on eût pu m'apercevoir, de façon cependant à pouvoir à l'occasion enlever ces obstacles pour passer à l'extérieur ; toute la lumière dont je jouissais venait par le toit à porcs, et elle me suffisait.

« Après avoir ainsi arrangé mon habitation et couvert le sol de paille, je me couchai ; car j'apercevais à une certaine distance la silhouette d'un homme, et je me rappelais trop bien le traitement du soir précédent pour me mettre à sa merci. Je m'étais cependant procuré de la nourriture pour cette journée, un pain grossier que j'avais volé, et une tasse dans laquelle je pourrais boire, plus facilement que dans ma main, l'eau pure qui passait auprès de ma retraite. Le plancher était un peu surélevé, de sorte qu'il était parfaitement sec, et la proximité de la cheminée du chalet le rendait passablement chaud.

« Ainsi pourvu, je résolus de vivre dans cette hutte jusqu'à ce que se produisît un événement susceptible de me faire changer de décision. C'était véritablement un paradis, par comparaison avec la forêt glaciale où je résidais jadis, avec les branches dégouttant d'eau, la terre humide et froide. Je pris mon déjeuner avec plaisir, et j'étais sur le point d'enlever une planche pour prendre un peu d'eau, quand j'entendis un pas et, regardant par une petite fissure, aperçus une jeune créature portant un seau sur sa tête et passant devant ma hutte. C'était une jeune fille aux gestes délicats, différente des servantes que j'avais vues dans les maisons et les fermes. Pourtant, elle était pauvrement habillée, n'ayant qu'un jupon bleu d'étoffe grossière, et un corsage de toile ; ses cheveux blonds étaient tressés, mais sans aucun ornement ; elle avait l'air patient, et pourtant triste. Je la perdis de vue ; environ un quart d'heure après, elle revint, portant le seau alors en partie rempli de lait. Tandis qu'elle s'avançait ainsi, apparemment gênée par son fardeau, un jeune homme vint au devant d'elle, dont le visage exprimait une tristesse plus profonde. Prononçant quelques paroles d'un air mélancolique, il souleva le seau de sur sa tête, et le porta lui-même dans le chalet. Elle le suivit, et ils disparurent. Bientôt, je revis le jeune homme, des outils à la main, traverser le champ derrière le chalet ; et la jeune fille aussi était occupée, tantôt dans la maison, tantôt dans la cour.

« En examinant mon habitation, je constatai qu'une des fenêtres du chalet en avait autrefois occupé une partie, mais que les vitres en avaient été remplacées par du bois. Dans l'une de celles-ci, se trouvait une fissure, petite et presque imperceptible, par laquelle le regard pouvait juste passer. Par cet interstice on apercevait une petite pièce, blanchie à la chaux et propre, mais presque vide de meubles. Dans un coin, auprès d'un maigre feu, était assis un vieillard, la tête appuyée sur les mains, dans une attitude désespérée. La jeune fille était occupée à arranger le chalet ; mais au bout de quelques instants, elle prit dans un tiroir un objet dont elle se servait avec ses mains, et elle s'assit auprès du vieillard, qui, prenant un instrument[31], se mit à jouer et à produire des sons plus harmonieux que le chant de la grive ou du rossignol. C'était un spectacle charmant, même pour moi, malheureux qui, auparavant n'avait contemplé nulle beauté. Les cheveux argentés et le visage bienveillant du vieux fermier éveillèrent mon respect, tandis que les attitudes délicates de la jeune fille suscitèrent mon amour. Lui jouait un air mélodieux et triste, qui, je le voyais, tirait des larmes à son aimable compagne, ce dont le vieillard ne s'aperçut que lorsqu'il l'entendit sangloter ; il prononça alors quelques paroles, et la charmante créature, laissant son travail, s'agenouilla à ses pieds. Il la releva, et lui sourit avec tant de tendresse et d'affection que je ressentis des sensations d'une nature particulière et accablante : c'était un mélange de peine et de plaisir tel que je n'avais jamais encore éprouvé, soit lorsque j'avais faim, froid ou chaud, soit lorsque je prenais de la nourriture ; je m'éloignai de la fenêtre, incapable de supporter ces émotions.

« Bientôt après, le jeune homme revint, portant sur ses épaules une charge de bois. La jeune fille alla au-devant de lui jusqu'à la porte, l'aida à déposer son fardeau, et, portant un peu de bois dans le chalet, le mit sur le feu ; alors elle se rendit avec le jeune homme dans un coin de la pièce, et il lui montra un grand pain et un morceau de fromage. Elle parut contente, et alla chercher dans le jardin des racines et des herbes, qu'elle mit dans de l'eau, puis sur le feu. Elle continua ensuite son travail, tandis que le jeune homme allait dans le jardin, où il parut fort occupé à bêcher et à enlever les racines. Quand il eût ainsi travaillé environ une heure, la jeune fille le rejoignit, et ils entrèrent ensemble dans le chalet.

« Pendant ce temps, le vieillard avait paru triste ; mais en les revoyant, il prit un air plus heureux, et ils s'assirent à table. Le repas fut vite expédié. La jeune femme s'occupa encore à ranger la pièce ; le vieillard se promena au soleil devant le chalet pendant quelques minutes, appuyé au bras du jeune homme. Rien ne pouvait surpasser la beauté du contraste entre ces deux êtres excellents. L'un était vieux, ses cheveux d'argent, son visage rayonnait de bienveillance et d'amour ; le plus jeune était mince et gracieux de visage, et la symétrie la plus parfaite avait proportionné ses traits ; pourtant, son regard et son attitude exprimaient la tristesse et la dépression la plus profonde. Le vieillard retourna dans le chalet ; et le jeune homme, avec des outils différents de ceux dont il s'était servi le matin, se mit en marche à travers champs.

« La nuit survint rapidement ; mais, à mon extrême

surprise, je m'aperçus que les habitants du chalet avaient un moyen de prolonger la lumière en allumant des bougies, et je fus charmé de constater que le coucher du soleil ne mettait pas fin au plaisir que j'éprouvais à observer mes voisins humains. Pendant la soirée, la jeune fille et son compagnon s'occupèrent de diverses manières que je ne compris point; et le vieillard reprit l'instrument d'où étaient sortis des sons divins qui m'avaient enchanté le matin. Dès qu'il eût terminé, le jeune homme se mit, non à jouer, mais à produire des sons monotones, sans ressemblance ni avec l'harmonie de l'instrument du vieillard, ni avec les chants des oiseaux : je m'aperçus depuis lors qu'il lisait à haute voix, mais je ne savais rien alors de la science des paroles ni des lettres.

« Après s'être ainsi occupée pendant quelque temps, la famille éteignit les lumières, et, je le suppose, alla se reposer. »

CHAPITRE XII

«J'étais étendu sur ma paille, mais sans pouvoir dormir. Je songeais aux événements de la journée. Ce qui me frappait particulièrement était la douceur des attitudes de ces gens; et j'aurais voulu me joindre à eux, mais je n'osais. Je me rappelais trop bien le traitement que j'avais subi le soir précédent de la part de ces villageois barbares, et je résolus, quelque décision que je prisse par la suite, de rester provisoirement tranquille dans ma hutte, à observer et à tâcher de découvrir les motifs qui influençaient leurs actes.

«Les habitants du chalet se levèrent le lendemain avant le soleil. La jeune femme s'occupait du ménage et de la nourriture; et le jeune homme s'en alla après le premier repas.

«La journée se passa de la même façon régulière que la veille. Le jeune homme était constamment occupé au-dehors, et la jeune fille à divers travaux intérieurs. Le vieillard [32], dont je vis bientôt qu'il était aveugle, passait ses heures de loisir à faire de la musique, ou dans la contemplation. Rien ne saurait dépasser l'amour et le respect que ces jeunes gens témoignaient à leur compagnon vénérable. Ils accomplissaient avec douceur à son égard tous les gestes d'affection comme tous les devoirs ordinaires; et il les récompensait par ses sourires les plus bienveillants.

«Ils n'étaient pas entièrement heureux. Le jeune homme et sa compagne s'écartaient souvent et semblaient pleurer. Je ne voyais aucune cause à leur malheur; mais j'en étais profondément affecté. Si des

créatures aussi charmantes étaient malheureuses, il
était moins étrange que moi, être imparfait et solitaire,
je fusse misérable. Malgré tout, pourquoi ces êtres de
douceur étaient-ils malheureux ? Ils avaient une maison
charmante (car elle était telle à mes yeux) et toute
espèce de luxe ; ils avaient du feu pour les réchauffer
quand ils avaient froid, et des mets délicieux quand ils
avaient faim ; leurs habits étaient excellents ; et, bien
plus, ils jouissaient de la société et de la conversation
les uns des autres, échangeant chaque jour des regards
d'affection et de bonté. Que signifiaient leurs larmes ?
Exprimaient-elles réellement la souffrance ? Je fus
d'abord incapable de résoudre ces questions ; mais
l'attention et le temps finirent par m'expliquer mainte
apparence énigmatique au premier regard.

« Un temps considérable se passa avant que je dé-
couvrisse une des causes d'inquiétude de cette aimable
famille ; c'était la pauvreté ; et ils souffraient de ce mal
à un degré lamentable. Ils se nourrissaient seulement
des légumes du jardin, et du lait d'une seule vache qui
en donnait très peu pendant l'hiver, saison où ses
maîtres pouvaient à peine se procurer la nourriture qui
lui était nécessaire. Il me sembla qu'ils souffraient
souvent de la faim d'une façon très intense, particulièrement les deux jeunes gens, car souvent ils plaçaient
des aliments devant le vieillard, alors qu'eux-mêmes ne
s'en réservaient pas.

« Ce trait de bonté m'émut considérablement. J'avais
pris l'habitude de voler pendant la nuit une part de
leurs provisions pour me soutenir moi-même ; mais
lorsque je constatai que j'étais ainsi pour eux une cause
de souffrance, je m'en abstins, et me contentai de
baies, de noix, de racines que je trouvais dans un bois
voisin.

« Je découvris encore une autre façon de leur être
utile. Je constatai que le jeune homme passait une
grande partie de chaque journée à ramasser du bois
pour le feu familial ; et, pendant la nuit, je pris souvent
ses outils, dont je découvris vite l'usage, et je ramenai à
la maison assez de combustible pour plusieurs jours.

« Je me souviens que la première fois que cela m'arriva, la jeune femme, en ouvrant la porte, le matin, parut très étonnée de voir à l'extérieur un grand tas de bois. Elle prononça quelques paroles à voix haute ; le jeune homme la rejoignit et exprima aussi sa surprise. J'observai avec plaisir qu'il n'allait pas à la forêt ce jour-là, mais qu'il le passa à réparer le chalet et à cultiver le jardin.

« Avec le temps, je fis une découverte d'importance plus grande encore. Je m'aperçus que ces gens employaient méthodiquement, pour se communiquer ce qu'ils éprouvaient, des sons articulés. Je vis que leurs paroles produisaient parfois le plaisir ou la douleur, des sourires ou de la tristesse dans l'âme ou sur le visage de ceux qui les entendaient. C'était là vraiment une science divine, et je désirais ardemment la connaître ; mais tous mes essais en ce domaine aboutirent à une déception. Leur prononciation était rapide ; et les mots qu'ils disaient n'ayant apparemment aucun rapport avec les objets visibles, je ne pouvais découvrir aucun moyen de déchiffrer le mystère de leurs allusions. Pourtant, en m'appliquant grandement, et après avoir passé dans ma hutte l'espace de plusieurs révolutions de la lune, je découvris les noms qu'ils donnaient à certains des objets les plus familiers du discours ; j'appris et j'appliquai les mots *feu, lait, pain* et *bois*. J'appris aussi les noms des personnes elles-mêmes. Le jeune homme et sa compagne avaient chacun plusieurs noms, mais le vieillard n'en avait qu'un seul, qui était *père*. La jeune fille s'appelait *sœur* ou *Agathe ;* et le jeune homme *Félix, frère* ou *fils*. Je ne saurais décrire la joie que je ressentis quand j'appris quelles idées s'associaient à chacun de ces sons, et que je pus les prononcer. Je distinguai certains autres termes, sans pouvoir encore les comprendre ou les appliquer, comme *bon, très cher, malheureux*.

« Je passai l'hiver ainsi. Les manières douces et la beauté des habitants du chalet me les rendaient très chers ; lorsqu'ils étaient malheureux, je me sentais déprimé ; lorsqu'ils se réjouissaient, je partageais leur joie. Je voyais, en dehors d'eux, peu d'êtres humains ; et si quelqu'un d'autre pénétrait par hasard dans le chalet, ses manières rudes et sa démarche lourde ne faisaient que rehausser à mes yeux les vertus supérieures de mes amis. Le vieillard, je m'en rendais compte, essayait souvent d'amener ses enfants (comme je l'entendis parfois les appeler), à chasser leur tristesse. Il parlait alors d'une voix joyeuse, avec une expression de bonté qui me causait à moi-même un plaisir. Agathe écoutait avec respect, les yeux parfois remplis de larmes qu'elle essayait d'essuyer sans qu'il s'en aperçût ; mais je trouvai généralement que son visage et sa voix étaient plus gais après avoir écouté les exhortations de son père. Il n'en était pas ainsi de Félix. Il était toujours le plus triste de leur groupe ; et même, à ma perception inexpérimentée, il paraissait avoir souffert plus profondément que les siens. Mais si son visage était plus douloureux, sa voix était plus joyeuse que celle de sa sœur, surtout quand il s'adressait au vieillard.

« Je pourrais donner mille exemples, si légers qu'ils soient, du caractère de ces aimables gens. Au milieu de la pauvreté et du besoin, Félix portait avec plaisir à sa sœur la première petite fleur blanche qui apparût sous la neige. Très tôt, le matin, avant qu'elle se fût levée, il balayait la neige qui obstruait le sentier de la laiterie, tirait de l'eau du puits et apportait du bois de l'appentis, où, à sa surprise constante, il trouvait toujours sa provision complétée à nouveau par une main invisible. Pendant la journée, je crois qu'il travaillait parfois pour un fermier du voisinage, car il s'absentait souvent et ne revenait que pour dîner, sans cependant apporter de bois avec lui. D'autres fois, il travaillait au jardin ; mais comme il y avait peu à faire pendant la saison froide, il faisait la lecture au vieillard et à Agathe.

« Cette lecture m'avait d'abord extrêmement intrigué ; mais je m'aperçus peu à peu qu'il prononçait en lisant un grand nombre des mêmes sons qu'en parlant. Je supposai donc qu'il trouvait sur le papier des signes représentant des mots qu'il comprenait, et je souhaitais ardemment les comprendre de même; mais comment était-ce possible, alors que je ne comprenais pas même les sons que représentaient ces signes? Je fis cependant des progrès sensibles en cette science, mais pas assez pour suivre une conversation quelconque, quoique appliquant toute mon intelligence à cet effort; car je sentais bien que, malgré mon grand désir de me découvrir aux habitants du chalet, je ne devrais rien tenter avant de m'être d'abord assuré la possession de leur langue, science par laquelle j'arriverais peut-être à leur faire oublier mon aspect difforme; le contraste dont mes yeux étaient continuellement témoins m'avait, en effet, instruit à cet égard.

« J'avais admiré la forme parfaite de mes amis du chalet, leur grâce, leur beauté et leur teint délicat; mais quelle ne fut pas ma terreur lorsque je me mirai dans une eau claire! Je reculai d'abord, ne pouvant croire que ce fût moi que le miroir reflétât; et quand je me rendis compte que j'étais, en réalité, le monstre que je suis, je fus la proie des sensations les plus douloureuses de découragement et d'humiliation. Hélas! je ne connaissais pas encore les effets fatals de cette misérable difformité.

« A mesure que le soleil devenait plus chaud et que la lumière du jour durait davantage, la neige disparaissait; et je vis les arbres nus et la terre noire. A partir de cette époque, Félix travailla davantage; et les signes désolant d'une famine menaçante disparurent. Leur nourriture, comme je le vis par la suite, était grossière, mais saine, et ils s'en procuraient une quantité suffisante. Plusieurs espèces nouvelles de plantes poussèrent dans le jardin, et ils les préparaient; à mesure que la saison avançait, ces signes de bien-être furent de jour en jour plus nombreux.

« Le vieillard, appuyé sur son fils, faisait chaque jour une promenade à midi quand il ne pleuvait pas, terme que je m'aperçus que l'on employait quand le ciel déversait ses eaux. Cela arrivait souvent; mais un grand vent séchait rapidement la terre, et la saison devint bien plus agréable qu'auparavant.

« Mon mode d'existence dans ma hutte était uniforme. Le matin, je surveillais les mouvements des habitants du chalet, et lorsqu'ils s'étaient dispersés à leurs occupations diverses, je dormais ; je passais le reste du jour à les observer. Pendant leur sommeil, si la lune ou les étoiles brillaient, j'allais dans les bois et j'y ramassais ma propre nourriture et le bois de chauffage du chalet. A mon retour, je balayais aussi souvent qu'il le fallait la neige de leur sentier, et je m'acquittais des divers petits travaux que j'avais vu exécuter par Félix. Je m'aperçus ensuite que ces travaux faits par une main invisible les étonnaient extrêmement ; et, une ou deux fois, je les entendis prononcer à ce sujet les mots *esprit bienfaisant, merveilleux ;* mais je n'en comprenais pas alors le sens.

« Ma pensée devenait alors plus active, et je voulais découvrir les motifs et les sentiments de ces créatures charmantes ; j'étais curieux de savoir pourquoi Félix paraissait si malheureux, et Agathe si triste. Je croyais (stupide en mon malheur !) qu'il était peut-être en mon pouvoir de rendre le bonheur à ces gens méritants. Quand je dormais ou m'absentais, l'image du vénérable père aveugle, de la douce Agathe et de l'excellent Félix passait devant mes yeux. Je les considérais comme des êtres supérieurs qui seraient les arbitres de ma destinée future. J'imaginais sous mille formes la façon dont je me présenterais à eux, et celle dont ils m'accueilleraient. J'imaginais leur répulsion, jusqu'au jour où la douceur de mes attitudes et mes paroles conciliantes m'assureraient d'abord leur bienveillance, puis leur amitié.

« Ces pensées me réjouissaient, et me faisaient m'appliquer avec une ardeur nouvelle à l'acquisition de l'art du langage. A coup sûr, mes organes étaient rudes, mais souples ; et bien que ma voix fût extrêmement loin de la musique mélodieuse de leurs intonations, je prononçais cependant avec assez de facilité les mots que je comprenais. C'était la fable [33] de l'âne et du petit chien ; pourtant l'excellent âne aux affectueuses intentions, si rudes que fussent ses manières, méritait un autre traitement que les coups et l'exécration.

« Les ondées rafraîchissantes et la chaleur réconfortante du printemps changèrent grandement l'aspect de la terre. Les hommes qui, avant ce changement, semblaient s'être cachés dans des grottes, se dispersèrent et s'adonnèrent aux divers arts de la culture. Les oiseaux chantaient d'une voix plus gaie, et les feuilles commencèrent à bourgeonner sur les arbres. Heureuse, heureuse terre! habitation digne des dieux, elle qui, si peu de temps auparavant, était glaciale, humide et malsaine. Mon courage s'accrut avec l'aspect enchanteur de la nature; le passé s'effaça de mon souvenir; le présent était calme, et l'avenir se dorait de brillants rayons d'espérance et de l'attente du bonheur. »

CHAPITRE XIII

« Je me hâte maintenant d'arriver à la partie la plus émouvante de mon histoire. Les événements que je vais raconter m'imprimèrent les sentiments qui, de ce que j'étais, m'ont fait ce que je suis.

« Le printemps avança rapidement; le temps devint beau, les cieux sans nuages. Je fus surpris de voir ce qui, jadis, était désert et triste, se parer des plus belles fleurs et de verdure. Mille parfums délicieux et mille spectacles magnifiques caressèrent et recréèrent mes sens.

« Ce fut l'un de ces jours où mes voisins se reposaient périodiquement de leurs travaux, — le vieillard jouait sur sa guitare et les enfants l'écoutaient, — que je remarquai le visage de Félix, empreint d'une tristesse que rien ne saurait exprimer; il soupirait fréquemment; à un moment donné, son père s'arrêta de jouer, et son attitude m'indiqua qu'il lui demandait la cause de son chagrin. Félix répondit d'une voix gaie, et le vieillard recommençait sa musique lorsque quelqu'un frappa à la porte.

« C'était une dame à cheval, accompagnée d'un paysan pour guide. La dame était vêtue d'un costume sombre, et portait un voile noir épais. Agathe posa une question à laquelle l'étrangère répondit en prononçant d'une voix douce le nom de Félix. Sa voix était musicale, mais différente de toutes celles de mes amis. En l'entendant, Félix s'avança en hâte vers elle; lorsqu'elle le vit, elle leva son voile, et j'aperçus un visage d'une beauté et d'une expression angéliques. Sa chevelure brillante était d'un noir corbeau, et curieusement tressée ; ses yeux étaient noirs, mais doux, bien qu'animés ; ses traits étaient régulièrement proportionnés, et son teint était admirable, chaque joue teintée d'un rose délicieux.

« Félix sembla ravi de joie lorsqu'il l'aperçut ; toute trace de chagrin s'effaça de son visage, qui exprima soudain une extase dont je l'aurais à peine cru capable ; ses yeux étincelaient et le plaisir colorait ses joues : et à ce moment je le trouvai aussi beau que l'étrangère. Elle paraissait affectée de sentiments différents ; essuyant quelques larmes de ses yeux charmants, elle tendit la main à Félix qui la baisa dévotement, et l'appela, autant que je pus le distinguer, sa délicieuse Arabe. Elle ne parut pas le comprendre, mais elle sourit. Il l'aida à descendre de cheval et, renvoyant son guide, il la conduisit dans le chalet. Un entretien eut lieu entre elle et le vieillard ; la jeune étrangère s'agenouilla à ses pieds et voulut lui baiser la main ; mais il la releva et l'embrassa affectueusement.

« Je m'aperçus bientôt que l'étrangère, bien qu'elle prononçât des sons articulés et semblât avoir une langue à elle, n'était point comprise de mes amis, et ne les comprenait pas davantage. Ils firent beaucoup de signes que je ne compris point ; mais je vis que cette présence nouvelle répandait la joie dans la maison, chassant le chagrin comme le soleil dissipe les brumes du matin. Félix semblait particulièrement heureux, et accueillait sa belle Arabe avec des sourires de bonheur. Agathe, la toujours douce, baisa les mains de la charmante étrangère ; et, indiquant du doigt son frère, fit des signes qui me semblèrent vouloir dire qu'il n'avait cessé d'être triste avant son arrivée. Plusieurs heures se passèrent ainsi, pendant lesquelles leurs visages exprimèrent une joie dont je ne saisissais point la cause. Je m'aperçus bientôt, par le retour fréquent d'un son que l'étrangère répétait après eux, qu'elle essayait d'apprendre leur langue ; et l'idée me vint immédiatement que je pourrais utiliser cette instruction dans le même but. L'étrangère apprit environ vingt mots à la première leçon, dont la plupart étaient, en vérité, ceux que j'avais compris auparavant ; mais je fis mon profit des autres.

« A la tombée de la nuit, Agathe et l'Arabe se retirèrent. Lorsqu'elles se séparèrent, Félix baisa la main de l'étrangère et lui dit : « Bonsoir, douce Safie. » Il veilla bien plus longtemps, conversant avec son père ; et par la répétition fréquente de son nom, je me rendis compte que leur délicieuse hôtesse était le sujet de leur conversation. Je désirais ardemment les comprendre, et j'y employai toutes mes facultés, mais sans aucunement y parvenir.

« Le lendemain matin, Félix partit à son travail, et quand les occupations ordinaires d'Agathe furent terminées, la jeune femme arabe s'assit aux pieds du vieillard, et, prenant sa guitare, joua quelques airs d'une si ravissante beauté qu'ils me firent verser des larmes à la fois de joie et de tristesse. Elle chanta, et sa voix coulait, richement cadencée, s'enflant ou s'éteignant comme celle du rossignol des forêts.

« Lorsqu'elle eût fini, elle donna la guitare à Agathe, qui, d'abord, refusa. Elle joua un air simple, et sa voix l'accompagna d'accents mélodieux, mais différents des phrases merveilleuses de l'étrangère. Le vieillard parut ravi, et prononça quelques paroles qu'Agathe s'efforça d'expliquer à Safie, et par lesquelles il semblait vouloir exprimer qu'elle lui faisait en jouant ainsi le plaisir le plus exquis.

« Les jours passèrent alors, aussi tranquilles que jadis, si ce n'est que la joie avait remplacé la tristesse sur le visage de mes amis. Safie était toujours gaie et heureuse ; elle et moi fîmes de rapides progrès dans la science de la parole, si bien qu'au bout de deux mois je commençai à comprendre la plupart des mots employés par mes protecteurs.

« Cependant aussi, le sol noir se couvrit de verdure, les talus verdoyants se parsemèrent de fleurs innombrables, douces à l'odorat et à la vue, étoiles aux rayons pâles parmi les bois au clair de lune ; le soleil devint plus chaud, les nuits limpides et embaumées ; et mes

excursions nocturnes me firent un plaisir extrême, bien
que considérablement raccourcies par le coucher tardif
et le lever matinal du soleil ; car je ne m'aventurais
jamais à l'extérieur pendant le jour, craignant de subir
le même traitement que dans le premier village où
j'étais entré.

« Mes jours se passaient à écouter avec la plus
grande attention, pour pouvoir devenir plus rapidement maître de la langue ; et je peux me glorifier
d'avoir fait des progrès plus rapides que la jeune
Arabe, qui comprenait fort peu de chose et ne conversait
qu'en fragments de paroles, tandis que je comprenais
et savais reproduire presque tous les mots employés.

« Tout en apprenant à parler, j'apprenais aussi la
science des lettres, puisqu'on l'enseignait à l'étrangère ;
et cela m'ouvrit un champ immense d'émerveillement
et de joie.

« Le livre à l'aide duquel Félix instruisait Safie était :
La Ruine des Empires [34], de Volney. Je n'en aurais pas
saisi le sens, si Félix n'avait donné en le lisant des
explications fort détaillées. Il avait choisi cette œuvre
parce que le style déclamatoire en imitait les auteurs
orientaux. J'acquis, au moyen de cet ouvrage, une
connaissance sommaire de l'histoire, et des notions
générales des principaux empires actuels du monde ;
j'eus ainsi des clartés des mœurs, des gouvernements et
des religions des diverses nations de la terre. J'entendis
parler des Asiatiques nonchalants ; du génie stupéfiant
et de l'activité intellectuelle des Grecs anciens ; des
guerres et de la vertu admirable des premiers Romains,
de leur décadence par la suite des temps, du déclin de
leur puissant empire ; de la chevalerie, du christia-
nisme et des rois. J'appris la découverte de l'hémi-
sphère américaine, et je pleurai avec Safie sur la destinée misérable de leurs premiers habitants.

« Ces récits merveilleux m'inspirèrent des sentiments étranges. L'homme était-il donc à la fois si
puissant, si vertueux et magnifique, et, d'autre part, si
vicieux et si bas ? Il me semblait n'être à un moment
qu'une branche de l'arbre du Mal, et, à d'autres, tout

ce que l'on peut concevoir de noble et de divin. Etre un homme grand et vertueux paraissait l'honneur le plus élevé que puisse recevoir un être sensible ; être bas et vicieux, comme beaucoup de personnages historiques, semblait être la dégradation la plus complète, une condition plus infime que celle de la taupe aveugle ou du ver inoffensif. Longtemps, je ne pus concevoir qu'un homme pût aller tuer son semblable, ni même pourquoi il existait des lois et des gouvernements ; mais quand j'entendis mentionner des exemples particuliers de vice et de carnage, mon étonnement cessa, et je me détournai avec impatience et dégoût.

« Chaque entretien de mes amis me découvrait de nouveaux et d'admirables horizons. Tandis que j'écoutais ce que Félix enseignait à Safie, le système étrange de la société humaine apparaissait à mes yeux. J'entendais parler de la distribution de la propriété, d'immense richesse et d'ignoble misère, de rang, d'origine et de sang noble.

« Ces paroles m'amenèrent à me considérer moi-même. J'appris que les trésors les plus prisés de vos semblables étaient une haute origine, un sang pur allié à la fortune. Un seul de ces avantages suffisait à faire respecter un homme, mais sans l'un ou l'autre d'entre eux, il passait, sauf quelques cas très rares, pour un vagabond et un esclave, condamné à sacrifier ses facultés au profit de quelques élus. Et qu'étais-je donc ? J'ignorais tout de ma création et de mon créateur ; mais je savais que je ne possédais aucun argent, que j'étais sans amis, sans aucune espèce de propriété. J'avais, d'autre part, un aspect hideusement difforme et repoussant ; je n'étais même pas de la même nature que les hommes. J'étais plus agile qu'eux, et je pouvais me contenter d'un régime plus grossier ; je supportais, sans que ma santé en souffrît autant, les extrêmes du froid et de la chaleur ; ma taille dépassait de beaucoup la leur. En regardant autour de moi, je ne voyais et n'entendais parler de personne qui me ressemblât. Étais-je donc un monstre, une tache sur la terre, que tous les hommes fuyaient et désavouaient ?

« Je ne saurais vous décrire l'angoisse que m'infligeaient ces réflexions. J'essayais de les chasser, mais mon chagrin ne faisait que s'accroître avec mes connaissances. Ah ! que ne suis-je toujours resté dans ma forêt natale, que n'ai-je jamais rien connu ni ressenti en dehors de mes sensations de faim, de soif et de chaleur !

« Combien étrange est la nature de la connaissance ! Elle s'accroche à l'esprit, lorsqu'elle s'en est saisie, comme le lichen au rocher. J'aurais voulu parfois dépouiller toute pensée et tout sentiment ; mais j'appris qu'il n'était qu'un seul moyen de vaincre la sensation de la douleur, à savoir trouver la mort, état que je craignais sans pourtant le comprendre. J'admirais la vertu et les bons sentiments, j'aimais les mœurs douces et les qualités aimables de mes amis ; mais tout rapport avec eux m'était interdit, sauf par des moyens de ruse, sans être vu ni connu, et qui augmentaient plus qu'ils ne satisfaisaient mon désir de vivre parmi des êtres semblables à moi. Les douces paroles d'Agathe, les sourires brillants de la charmante Arabe ne m'étaient pas destinés. Les douces exhortations du vieillard et les entretiens animés du bien-aimé Félix ne m'étaient point destinés ! Misérable, malheureux abandonné !

« D'autres leçons s'imprimèrent en moi plus profondément encore. J'entendis parler de la différence des sexes ; de la naissance et de la croissance des enfants ; du délire du père devant les sourires de l'enfant, des enthousiasmes vivants de l'enfant plus développé, de l'absorption de toute la vie et des soins de la mère en ce précieux dépôt ; du développement de l'esprit pendant la jeunesse, et de l'acquisition de la science ; des frères, des sœurs, et des degrés de parenté divers qui lient entre eux les êtres humains.

« Qui donc étaient mes parents et ma famille ? Aucun père n'avait veillé sur mes jours pendant mon enfance ; nulle mère ne m'avait enchanté de ses sourires et de ses caresses ; ou alors, toute ma vie passée n'était qu'une tache obscure, un vide ténébreux où je ne discernais rien. Depuis ma plus lointaine enfance, je n'avais pas changé de taille ni de proportions. Je n'avais jamais vu d'être que me ressemblât, ou qui prétendît avoir avec moi un rapport quelconque? Qu'étais-je donc? Cette question se posait sans cesse, sans recevoir d'autre réponse que mes gémissements.

« Je vous expliquerai bientôt où tendaient ces sentiments ; mais laissez-moi d'abord revenir aux habitants du chalet, dont l'histoire excitait en moi des sentiments si variés d'indignation, de joie et d'étonnement, mais qui n'aboutissaient qu'à me faire aimer et respecter davantage mes protecteurs (car c'est ainsi que, me trompant moi-même d'une façon à demi-innocente, à demi-douloureuse, j'aimais à les appeler). »

CHAPITRE XIV

« Je n'appris l'histoire de mes amis qu'au bout d'un
certain temps. Elle ne pouvait manquer de s'imprimer
profondément dans mon esprit, car elle illustrait une
quantité de circonstances dont chacune était intéressante et merveilleuse pour un être aussi totalement
inexpérimenté que je l'étais.

« Le vieillard s'appelait de Lacey. Il descendait
d'une vieille famille de France, où il avait vécu riche de
nombreuses années, respecté de ses supérieurs et aimé
de ses égaux, et où Agathe prenait rang parmi les
femmes de la plus grande distinction. Quelques mois
avant mon arrivée, ils avaient vécu dans une grande et
luxueuse ville appelée Paris, entourés d'amis, et jouis-
sant de tous les avantages que peuvent assurer la vertu,
la culture de l'intelligence et du goût, et une fortune
modeste.

« Le père de Safie avait été cause de leur ruine.
C'était un marchand turc qui, pour une raison que je
ne pus savoir, avait encouru la défaveur du gouvernement après avoir habité Paris pendant plusieurs années. Il fut arrêté et jeté en prison le jour même où
Safie arrivait de Constantinople pour le rejoindre.
Puis, on le jugea et on le condamna à mort. L'injustice
de cette sentence était flagrante; tout Paris s'indigna;
et l'on considérait que sa richesse et sa religion, plutôt
que le crime qu'on lui imputait, avaient causé sa
condamnation.

« Félix avait, par hasard, assisté au jugement; il
n'avait pu maîtriser son horreur et son indignation en

apprenant le verdict de la cour. Il fit alors le vœu
solennel de le délivrer, et s'inquiéta des moyens à
employer. Après avoir mainte fois essayé de se faire
introduire dans la prison, il constata l'existence d'une
fenêtre munie d'une grille solide, qui éclairait la cellule
du malheureux mahométan, dans une partie du bâti-
ment qui n'était point gardée. Le prisonnier, chargé de
chaînes, attendait dans le désespoir l'exécution de sa
sentence. Félix parvint la nuit jusqu'à la grille et fit
connaître au prisonnier ses intentions à son égard. Le
Turc, stupéfait et charmé, s'efforça d'exciter le zèle de
son bienfaiteur en lui promettant des récompenses et
de l'argent. Félix rejeta ses offres avec mépris; pourtant, quand il eût vu la délicieuse Safie, à qui l'on
permettait de visiter son père, et dont les gestes exprimaient la vivante reconnaissance, le jeune homme ne
put s'empêcher de s'avouer à lui-même que le prisonnier possédait un trésor capable de pleinement le dé-
dommager de ses peines et des risques courus.

« Le Turc se rendit immédiatement compte de l'impression produite par sa fille sur le cœur de Félix, et
s'efforça de l'attacher plus entièrement encore à sa
cause en lui promettant de lui accorder la main de la
jeune fille dès qu'il serait lui-même en sûreté. Félix
était trop délicat pour accepter cette offre; mais il
attendit cet événement probable comme la réalisation
de son propre bonheur.

« Pendant les jours qui suivirent, alors que se préparait l'évasion du marchand, le zèle de Félix s'enflamma
davantage lorsque lui parvinrent plusieurs lettres de
cette délicieuse jeune fille, qui avait réussi à s'exprimer
dans la langue de celui qui l'aimait, grâce à l'aide d'un
vieillard, serviteur de son père, qui comprenait le français. Elle le remerciait dans les termes les plus ardents
des services qu'il se proposait de rendre à son père, et
elle déplorait en même temps son propre destin.

« J'ai la copie de ces lettres; car pendant mon séjour
dans la hutte, je réussis à me procurer de quoi écrire, et
les lettres étaient souvent entre les mains de Félix ou
d'Agathe. Avant mon départ, je vous les donnerai,

elles vous démontreront l'exactitude de mon récit ;
mais pour le moment, le soleil décline, et je n'aurai que
le temps de vous en donner la substance.

« Safie y racontait que sa mère était une Arabe chrétienne dont les Turcs s'étaient emparée et avaient fait
une esclave ; sa grande beauté lui avait permis de gagner le cœur du père de Safie, qui l'épousa. La jeune
fille parlait en termes élevés et enthousiastes de sa
mère, qui, née dans la liberté, méprisait l'esclavage où
elle était alors réduite. Elle avait inculqué à sa fille les
dogmes de sa religion, lui avait fait désirer de s'élever à
un développement supérieur de l'intelligence, et à une
indépendance de caractère refusés au sexe féminin par
la religion mahométane. Ses leçons, même après sa
mort, laissèrent une impression vivace en l'âme de
Safie, qu'épouvantait l'idée de retourner en Asie, de se
voir emmurée dans un harem où lui seraient seuls
permis des amusements puérils, indignes d'une âme
désormais accoutumée à des aspirations généreuses et à
un zèle admirable pour la vertu. La perspective
d'épouser un chrétien et de rester dans un pays où les
femmes pouvaient prendre rang dans la société, était
pour elle une source d'enchantement.

« Le jour de l'exécution du Turc avait été fixé ; mais,
la veille, il quitta sa prison et, avant l'aube, était déjà à
mainte lieue de Paris. Félix s'était procuré des passe-
ports au nom de son père, de sa sœur et de lui-même. Il
avait d'abord fait connaître son plan à son propre père,
qui l'aida dans son entreprise en quittant sa maison
sous prétexte de faire un voyage, et qui s'était caché
avec sa fille dans un quartier obscur de Paris.

« Félix conduisit les fugitifs jusqu'à Lyon, et, par le
mont Cenis, jusqu'à Livourne, où le marchand avait
décidé d'attendre une occasion favorable de passer en
territoire turc.

« Safie résolut de rester avec son père jusqu'au moment de son départ, avant lequel celui-ci renouvela sa
promesse de l'unir à celui qui l'avait sauvé. Félix resta
avec eux en attendant cet événement, et pendant tout
ce temps il jouit de la société de la jeune Arabe, qui fit

preuve à son égard de l'affection la plus simple et la plus tendre. Ils conversaient l'un avec l'autre au moyen d'un interprète, et parfois sans autre interprète que leurs regards. Et Safie lui chantait les airs divins de son pays natal.

« Le Turc autorisait cette intimité et encourageait les espérances des deux amants, alors que dans son cœur il nourrissait des plans différents. L'idée d'unir sa fille à un chrétien lui répugnait ; mais il craignait le ressentiment de Félix s'il manifestait peu d'empressement à son égard ; car il savait qu'il était encore à la merci de son sauveur, si celui-ci par exemple le livrait à l'état italien où il résidait. Il médita mille plans pour prolonger la trahison jusqu'au moment où elle ne serait plus nécessaire, et pour emmener en secret sa fille avec lui lorsqu'il s'en irait. Leur exécution se trouva facilitée par les nouvelles qui lui parvinrent de Paris.

« Le gouvernement français, fort irrité de l'évasion de sa victime, n'épargna nul effort pour découvrir et châtier le complice. Le complot de Félix fut vite découvert, et de Lacey et Agathe furent jetés en prison. La nouvelle en parvint à Félix, et l'éveilla de son rêve de bonheur. Son père, aveugle et vieux, et sa douce sœur, gisaient dans un infâme cachot, alors que lui-même respirait un air pur et jouissait de la société de la femme qu'il aimait. Cette idée lui était un supplice. Il se hâta de décider avec le Turc que s'il trouvait une occasion favorable pour s'échapper avant que Félix pût retourner en Italie, Safie resterait à Livourne, en pension dans un couvent ; quittant alors la charmante Arabe, il revint en hâte à Paris, et se livra de lui-même à la vengeance des lois, dans l'espoir de libérer ainsi de Lacey et Agathe.

« Il n'y réussit point. Ils restèrent emprisonnés cinq mois avant d'être jugés ; le verdict les privait en outre de leur fortune et les condamnait à s'exiler perpétuellement de leur propre pays.

« Ils trouvèrent un misérable asile dans le chalet allemand où je les découvris. Félix apprit bientôt que le Turc infâme pour lequel lui-même et les siens

avaient souffert tant d'épreuves inouïes, découvrant
que son sauveur se trouvait réduit à la pauvreté et à la
ruine, avait trahi toute bonté et tout honneur, quitté
l'Italie avec sa fille, et insulté Félix en lui envoyant une
somme d'argent, destinée, disait-il, à l'aider à se créer
une position.

« Tels étaient les événements qui rongeaient le cœur
de Félix, et qui faisaient de lui, lorsque je le vis pour la
première fois, le plus malheureux de tous les siens. Il
eût supporté la pauvreté ; et tant que cette détresse fut
la rançon de sa vertu, il s'en fit gloire ; mais l'ingratitude du Turc et la perte de sa bien-aimée Safie, étaient
des coups plus profonds et plus irréparables. L'arrivée
de la jeune Arabe infusa à son âme une vie nouvelle.

« Lorsqu'on sut à Livourne que Félix était privé de
sa fortune et de son rang, le marchand commanda à sa
fille de cesser de penser à son fiancé, et de se préparer à
rentrer dans sa patrie. La nature généreuse de Safie vit
en cet ordre un outrage ; elle essaya de protester devant
son père, mais il la quitta irrité, en renouvelant son
ordre tyrannique.

« Quelques jours après, le Turc pénétra dans l'appartement de sa fille, et lui dit en hâte qu'il avait lieu
de croire que son séjour à Livourne avait été divulgué,
et qu'il serait rapidement livré au gouvernement français ; il avait donc loué un vaisseau pour se rendre à
Constantinople, et mettrait à la voile dans quelques
heures. Il avait l'intention de laisser sa fille aux soins
d'un serviteur intime, pour qu'elle le suivît lorsqu'il lui
serait agréable avec la plus grande partie de sa fortune,
qui n'était pas encore arrivée à Livourne.

« Lorsqu'elle fut seule, Safie mûrit en son esprit le
plan qu'il conviendrait de suivre en cette occurrence.
Elle abhorrait de vivre en Turquie ; sa religion, ses
sentiments le lui interdisaient. Quelques papiers, ap-
partenant à son père, et tombés entre ses mains, lui
apprirent l'exil de son fiancé, et le nom de l'endroit où
il résidait. Elle hésita quelque temps, mais finit par
décider de ce qu'elle ferait. Prenant avec elle des bijoux
qui lui appartenaient, et une somme d'argent, elle

quitta l'Italie avec une domestique née à Livourne, mais qui savait la langue courante en Turquie ; et elle se mit en route pour l'Allemagne.

« Elle arriva saine et sauve à une ville située à environ vingt lieues du chalet habité par de Lacey, lorsque sa domestique tomba dangereusement malade. Safie la soigna avec l'affection la plus dévouée ; mais la pauvre fille mourut, et la jeune Arabe resta seule, sans connaître la langue du pays, non plus que les coutumes du monde. Elle tomba, cependant, en de bonnes mains. L'Italienne avait prononcé le nom de l'endroit qu'elles cherchaient ; et après sa mort, la femme qui les avait logées fit en sorte que Safie put arriver en sûreté au chalet habité par son fiancé. »

CHAPITRE XV

« Telle fut l'histoire de mes amis bien-aimés. Elle m'émut profondément. J'appris, d'après la conception de vie sociale qu'elle illustrait, à admirer leurs vertus et à désapprouver les vices de l'humanité.

« Jusqu'alors, j'avais regardé le crime comme un mal lointain ; la bienveillance et la générosité étaient constamment sous mes yeux, suscitant en moi le désir de devenir un acteur sur cette scène agitée où surgissaient et se manifestaient tant de qualités admirables. Mais en décrivant le progrès de mon intelligence, il ne faut pas oublier un événement qui se produisit au début du mois d'août de la même année.

« Me trouvant une nuit, comme de coutume, dans le bois voisin où je ramassais ma nourriture et du bois de chauffage pour mes protecteurs, je trouvai sur le sol une valise de cuir contenant plusieurs vêtements et quelques livres. Je m'en saisis avec joie et m'en retournai avec à ma hutte. Ces livres étaient heureusement dans la langue dont j'avais acquis les éléments au chalet ; c'étaient le *Paradis perdu,* un volume des *Vies de Plutarque* et les *Chagrins de Werther* [35]. La possession de ces trésors me procura une joie extrême ; j'étudiai alors ces récits et j'exerçai mon esprit à leur sujet, tandis que mes amis se livraient à leurs travaux coutumiers.

« C'est à peine si je puis vous décrire l'effet de ces ouvrages. Ils produisirent en moi un infini d'images et de sentiments nouveaux qui parfois m'élevaient jusqu'à l'extase, mais le plus souvent me plongeaient dans la dépression la plus profonde. Dans *Les Chagrins de Werther,* outre l'intérêt du récit simple et touchant, si nombreuses sont les opinions discutées, et les lueurs jetées sur des sujets jadis obscurs pour moi, que j'y trouvai une source inépuisable de spéculation et d'étonnement. Les mœurs douces et familières décrites en ce livre, ainsi que les attitudes et les sentiments généreux dont l'objet était extérieur en moi, s'harmonisaient avec ce que je savais de mes amis comme avec les besoins toujours vivants en mon propre cœur. Mais je trouvai en Werther lui-même un être plus divin que je n'en avais jamais vu ou imaginé ; son caractère n'était prétentieux en rien ; et pourtant il était d'une signification profonde. Les discussions relatives à la mort et au suicide étaient propres à me remplir d'étonnement. Je ne prétendais point trancher la question, et pourtant j'inclinais vers les opinions du héros, dont je pleurai la mort sans exactement la comprendre.

« Je faisais néanmoins de nombreuses applications de mes lectures à mes sentiments et à ma situation particulière. Je me trouvais semblable aux êtres qui faisaient le sujet de mes lectures et à ceux dont j'écoutais le conversation — et pourtant aussi, au même moment, étrangement différent d'eux. Ma sympathie allait vers eux, je les comprenais en partie ; mais mon esprit n'était pas développé ; je ne dépendais d'aucun, je n'étais en relation avec aucun d'eux. « La route de mon départ était ouverte », et personne n'existait qui pût pleurer ma destruction. Ma personne était hideuse, ma taille gigantesque. Que signifiait tout cela ? Qui étais-je ? Qu'étais-je ? Quelle était mon origine, ma destinée ? Ces questions revenaient sans cesse, mais j'étais incapable de les résoudre.

« Le volume des *Vies de Plutarque,* que je possédais, contenait l'histoire des premiers fondateurs des républiques anciennes. Cet ouvrage me produisit une impression fort différente des *Chagrins de Werther.* Les imaginations de Werther m'enseignèrent le découragement et la mélancolie ; mais Plutarque me donna des pensées élevées ; il me souleva au-dessus de la sphère misérable de mes réflexions personnelles, me fit admirer et aimer les héros des siècles passés. Mille choses que je lus dépassaient mon intelligence et mon expérience. Je n'avais qu'une connaissance fort confuse des royaumes, des immenses étendues de pays, des grands fleuves et des mers illimitées. Mais j'ignorais totalement les villes et les vastes groupements d'hommes. Le chalet de mes protecteurs avait été l'unique école où j'eusse étudié la nature humaine ; mais ce livre ouvrit devant moi des champs d'action nouveaux et grandioses. J'appris qu'il existait des hommes mêlés aux affaires publiques, qui gouvernaient ou massacraient leur espèce. Je sentis naître en moi la plus grande ardeur pour la vertu, et l'exécration du vice, dans la mesure où m'apparut dans leur relativité la signification de ces termes, que je rapportais seulement au plaisir et à la douleur. Sous l'influence de ces sentiments, j'en arrivai naturellement à admirer les législateurs pacifiques. Numa, Solon et Lycurgue, de préférence à Romulus et à Thésée. L'existence patriarcale de mes protecteurs fit que ces impressions pénétrèrent profondément dans mon esprit ; si un jeune soldat affamé de gloire et de massacres, m'avait le premier révélé l'humanité, sans doute une sensibilité différente eût-elle été mienne.

« Mais le *Paradis perdu* suscita en moi des émotions autres et bien plus profondes. Je le lus, — comme tous les autres volumes tombés entre mes mains, — comme une histoire vraie. Il m'inspira tous les sentiments d'admiration et de crainte qu'était susceptible d'exciter le spectacle d'un Dieu omnipotent en guerre avec ses créatures. Je comparais souvent les diverses situations à la mienne, selon les ressemblances qui me frappaient. Comme Adam, je m'apparaissais sans lien quelconque avec un autre être au monde ; mais, à tout autre point de vue, son état différait beaucoup du mien. Il était sorti des mains de Dieu, créature parfaite, heureuse et prospère, protégée par la sollicitude particulière de son Créateur ; il pouvait s'entretenir avec des êtres d'une nature supérieure [36], et s'instruire auprès d'eux. J'étais au contraire misérable, sans secours et seul. Maintes fois, je considérai Satan comme représentant le plus exactement ma condition ; car souvent, comme lui, en voyant le bonheur de mes protecteurs, je sentis la morsure amère de l'envie.

« Un autre événement vint augmenter et confirmer ces sentiments. Peu de temps après mon arrivée dans la hutte, je découvris des papiers dans la poche du vêtement que j'avais emporté de votre laboratoire. Je les avais d'abord négligés ; mais désormais capable de déchiffrer les caractères dans lesquels ils étaient écrits, je me mis à les étudier avec soin. Ils constituaient le journal des quatre mois qui avaient précédé ma création. Vous y décriviez en détail chaque étape de votre œuvre ; et le récit contenait en outre des faits de votre vie quotidienne. Sans doute vous souvenez-vous de ces notes. Les voici ! Tout ce qui a trait à mon origine maudite y est raconté ; tous les détails de la série d'événements horribles d'où je procède, y sont mis en relief ; vous y donnez la description la plus minutieuse de mon odieuse et écœurante personne, en un langage qui reproduit votre propre horreur, et qui a rendu la mienne indélébile. Le dégoût m'assaillit au cours de ma lecture. « Jour maudit que celui où je reçus la vie ! » m'écriai-je en mon désespoir. « Créateur abhorré ! « Pourquoi donc avez-vous formé un monstre assez « hideux pour vous faire vous détourner de lui vous- « même avec dégoût ? Dieu, dans sa miséricorde, a fait « l'homme beau et attirant, selon sa propre image ; « mais ma forme n'est qu'un type hideux de la vôtre, « rendu plus horrible encore par sa ressemblance « même. Satan avait avec lui d'autres démons pour « l'admirer et l'encourager, tandis que je suis solitaire « et abhorré ! »

« Telles étaient les réflexions de mes heures de désespoir et de solitude ; mais quand je contemplais l'existence vertueuse des habitants du chalet, quand j'étais témoin de l'amabilité et de la bienveillance de leur caractère, je me persuadais que lorsqu'ils se rendraient compte de mon admiration pour leurs vertus, ils éprouveraient de la compassion à mon égard et

passeraient sur la difformité de ma personne. Si monstrueuse qu'elle fût, pourraient-ils fermer leur porte à
celui qui sollicitait leur compassion et leur amitié ? Je
finis par me résoudre à ne pas désespérer, mais à me
préparer de toute manière à une entrevue avec eux, qui
déciderait de mon destin. Je reculai de quelques mois
encore cette tentative ; car l'importance que j'attachais
à son succès m'inspirait la crainte de n'y pas réussir.
D'ailleurs, je tenais à ne commencer cette expérience
que lorsque quelques mois auraient ajouté à ma perspicacité, tant je constatais que chaque jour d'expérience
ajoutait au développement de mon intelligence.

« Cependant, plusieurs changements étaient survenus dans le chalet. La présence de Safie répandait le
bonheur parmi ses hôtes ; et je m'aperçus en outre
qu'une plus grande abondance y régnait. Félix et
Agathe consacraient plus de temps à leurs distractions
et à la conversation ; et des serviteurs les aidaient dans
leurs travaux. Ils ne paraissaient pas riches, mais ils
étaient contents de leur sort et heureux ; leurs sentiments étaient sereins et paisibles, tandis que les miens
devenaient chaque jour plus tumultueux. L'accroisse-
ment de mes connaissances ne faisait que me découvrir
de façon plus claire quel paria misérable j'étais. Je
caressais l'espoir, il est vrai ; mais il se dissipait quand
j'apercevais mes traits dans l'eau, ou mon ombre au
clair de lune, même cette pâle image et cette silhouette
éphémère.

« Je m'efforçais d'étouffer ces craintes et de hausser
mon courage au niveau de l'épreuve que dans quelques
mois j'étais résolu à subir ; parfois je laissais mes pensées, sans les soumettre au contrôle de la raison, errer
dans les champs du paradis : j'osais imaginer que des
créatures aimables et exquises partageaient mes sentiments et illuminaient mes ténèbres, et que des sourires
consolateurs naissaient sur leurs visages angéliques.
Mais tout cela n'était qu'un songe ; nulle Ève n'adou-
cissait mes chagrins, ne partageait mes pensées ; j'étais
seul. Je me rappelais les supplications d'Adam [37] à son
créateur. Mais où donc était le mien ? Il m'avait aban-

donné ; et dans l'amertume de mon cœur, je le maudissais...

« Ainsi passa l'automne. Je vis avec surprise et chagrin les feuilles pourrir et tomber, et la nature reprendre l'aspect dénudé et glacial du jour où pour la première fois j'avais aperçu les bois et la lune merveilleuse. Et pourtant, je n'attachais point d'importance aux rigueurs du temps ; ma conformation me rendait plus propre à supporter le froid que la chaleur. Mais ma joie principale était le spectacle des fleurs, des oiseaux, toutes les gaies couleurs de l'été ; lorsque tout cela me fut enlevé, je concentrai toute mon attention sur les habitants du chalet. Leur bonheur ne diminua point du fait de la disparition de l'été. Ils s'aimaient, ils sympathisaient entre eux ; et les joies des uns dépendant des autres, n'étaient point interrompues par les accidents survenus autour d'eux. Plus je les contemplais, et plus grand était mon désir de réclamer leur protection et leur bonté ; mon cœur aspirait chaque jour davantage à me faire connaître et aimer d'eux. Voir leurs chers regards se tourner affectueusement vers moi, c'était mon ambition extrême. Je n'osais penser qu'ils se détourneraient avec mépris et horreur. Les pauvres qui s'arrêtaient à leur porte n'étaient jamais chassés. Je demandais, il est vrai, de plus grands trésors qu'un peu de nourriture et de repos ; j'avais besoin de bonté et de sympathie ; mais je ne m'en croyais pas entièrement indigne.

« L'hiver avança : une révolution entière des saisons s'était accomplie depuis mon éveil à la vie. Mon attention se concentra alors tout entière sur la manière de me présenter au chalet de mes protecteurs. J'examinai plusieurs projets ; mais celui auquel je finis par m'arrêter consistait à pénétrer dans le chalet lorsque le vieillard aveugle y serait seul. J'avais assez de sagacité pour me rendre compte que la hideur inouïe de ma personne était la principale cause de l'horreur chez ceux qui m'avaient aperçu. Ma voix, bien que désagréable, n'avait en elle rien de terrible ; je croyais donc que si, en l'absence de ses enfants, je m'assurais la bienveillance et la médiation du vieux de Lacey, peut-être arriverais-je ainsi à me faire accepter de mes jeunes protecteurs.

« Un jour où le soleil brillait sur les feuilles rouges qui couvraient le sol, et répandait le bien-être tout en refusant la chaleur, Safie, Agathe et Félix partirent pour une longue promenade à travers la campagne, et le vieillard, selon le désir qu'il avait exprimé lui-même, resta seul dans le chalet. Lorsque ses enfants furent partis, il prit sa guitare et joua plusieurs airs tristes mais mélodieux, plus mélodieux et plus tristes que je ne lui en avais encore entendu jouer. D'abord son visage s'illumina de plaisir, mais à mesure qu'il continuait, il devint pensif et triste ; enfin, mettant de côté l'instrument, il resta absorbé dans ses réflexions.

« Mon cœur battait rapidement ; c'étaient l'heure et l'instant de l'épreuve qui déciderait de mes espérances ou qui réaliserait mes craintes. Les serviteurs étaient partis à une foire voisine. Tout était silencieux dans le chalet et à l'entour ; l'occasion était excellente ; cependant, quand je fus sur le point de mettre mon plan à exécution, la force me fit défaut, et je m'affaissai sur le sol. Je me relevai ; et rassemblant toute la fermeté que je possédais, j'enlevai les planches que j'avais placées devant ma hutte pour cacher ma retraite. L'air frais me ranima, et, reprenant courage, je m'approchai de la porte du chalet.

« Je frappai.

« — Qui est là ? dit le vieillard. Entrez ! »

« J'entrai.

« — Pardonnez-moi mon indiscrétion, lui dis-je ; je suis un voyageur qui a besoin d'un peu de repos ; vous m'obligeriez grandement si vous me permettiez de passer quelques minutes près du feu.

« — Entrez, dit de Lacey ; j'essaierai du mieux possible de vous soulager ; mais malheureusement mes enfants sont absents, et comme je suis aveugle, je crains qu'il ne me soit difficile de vous donner à manger.

« — Ne vous dérangez pas, mon bon hôte ; j'ai de quoi manger ; je n'ai besoin que de chaleur et de repos. »

« Je m'assis, et le silence s'établit. Je savais que chaque minute m'était précieuse, et pourtant je ne voyais de quelle façon commencer l'entretien. Le vieillard me parla comme il suit :

« — Par votre langue, étranger, je suppose que vous êtes de mon pays ; êtes-vous Français ?

« — Non, mais j'ai été élevé dans une famille française, et je ne comprends que cette langue. Je m'en vais maintenant demander protection à des amis que j'aime sincèrement, et dont j'espère qu'ils me témoigneront quelque faveur.

« — Sont-ils Allemands ?

« — Non, ils sont Français. Mais changeons ce sujet. Je suis une misérable créature abandonnée ; je regarde autour de moi, et je n'ai sur terre ni parents ni amis. Ces excellentes gens que je vais voir ne m'ont jamais vu, et ne savent de moi pas grand-chose. Je suis plein de craintes ; car si j'échoue dans mon projet, je serai à jamais banni du monde.

« — Ne désespérez pas. Certes, c'est un grand malheur que d'être sans amis ; mais le cœur de l'homme, quand nul intérêt personnel immédiat ne l'obscurcit, est plein d'amour et de charité fraternelle. Appuyez-vous donc sur vos espérances ; et si ces amis sont bons et serviables, ne désespérez pas.

« — Ils sont bons, ce sont les meilleures créatures du monde. Malheureusement, elles ont un préjugé à mon égard. Je suis d'une nature bienveillante ; jusqu'ici ma vie a été innocente et bienfaisante, dans une certaine mesure ; mais une prévention fatale obscurcit leur vue, et au lieu de voir en moi l'ami sensible et bon que je suis, ils n'aperçoivent qu'un monstre exécrable.

« — C'est là, en vérité, un malheur ; mais si vous êtes réellement sans reproche, ne pouvez-vous les détromper ?

« — Je suis sur le point d'entreprendre cette tâche ; et c'est à ce sujet que je ressens des terreurs si accablantes. J'aime tendrement ces amis. Sans qu'ils le sachent, je leur ai, depuis des mois, rendu des services quotidiens ; mais ils imaginent que je leur veux du mal, et c'est cette prévention que je voudrais détruire.

« — Où habitent vos amis ?

« — Près d'ici. »

« Le vieillard s'arrêta, puis ajouta :

« — Si vous voulez me confier, sans réserve, les détails de votre histoire, peut-être pourrais-je vous aider à les détromper. Je suis aveugle et ne puis juger de votre apparence ; mais il y a dans vos paroles quelque chose qui me persuade de votre sincérité. Je suis pauvre et exilé ; mais ce me sera une grande joie que de pouvoir être utile, d'une façon quelconque, à un être humain.

« — Excellent homme ! Je vous remercie, et j'accepte votre offre généreuse. Vous me relevez de la poussière en me témoignant cette bonté ; et j'espère qu'avec votre aide, je ne serai point exclu de la société et de la sympathie de vos semblables.

« — Dieu ne le voudrait point, fussiez-vous criminel, car cela ne saurait que vous pousser au désespoir, et non vous inciter à la vertu. Moi aussi je suis malheureux ; moi et ma famille avons été condamnés, bien qu'innocents ; jugez donc à quel point je compatis à vos malheurs.

« — Comment pourrais-je vous remercier, mon excellent et seul bienfaiteur ? C'est sur vos lèvres que, pour la première fois j'ai entendu la voix de la bonté s'adresser à moi ; je vous serai toute ma vie reconnaissant ; et l'humanité dont vous faites preuve en ce moment m'assure le succès auprès de ces amis que je suis sur le point de rencontrer.

« — Puis-je savoir le nom et le lieu de résidence de ces amis ? »

« Je m'arrêtai. Le moment était venu, me sembla-t-il, qui devait décider de mon sort, me priver à jamais du bonheur ou me le donner. Je cherchai en vain dans mon cœur la fermeté qui m'eût permis de lui répondre, mais cet effort annihila tout ce qui me restait de force ; je tombai sur une chaise et me mis à sangloter. C'est alors que j'entendis les pas de mes jeunes protecteurs. Je n'avais pas un instant à perdre; et saisissant la main du vieillard, je m'écriai :

« — Le moment est arrivé. Sauvez-moi, protégez-moi. C'est vous-même et les vôtres qui êtes les amis que je cherche. Ne m'abandonnez pas en cette heure d'épreuve.

« — Grand Dieu, s'écria le vieillard, qui donc êtes-vous ? »

« En cet instant, la porte du chalet s'ouvrit, et Félix, Safie et Agathe entrèrent. Qui peut décrire leur horreur et leur consternation en m'apercevant ? Agathe s'évanouit; et Safie, incapable de porter secours à son amie, s'enfuit de la maison; Félix se précipita en avant, et, avec une force surnaturelle, m'arracha des genoux de son père que je tenais embrassés; dans un transport de fureur il me précipita sur le sol et me frappa violemment avec un bâton. J'aurais pu séparer ses membres les uns des autres, comme le lion déchire l'antilope. Mais mon courage s'effondra comme sous l'influence d'une langueur profonde, et je me contins. Je le vis sur le point de me frapper à nouveau; accablé de douleur et d'angoisse, je quittai le chalet, et au milieu du désordre général je me réfugiai dans ma hutte sans être vu. »

CHAPITRE XVI

« Créateur mille fois maudit ! Pourquoi vivais-je donc ? Pourquoi en cet instant n'éteignis-je point l'étincelle de vie que vous m'aviez si légèrement transmise ? Je ne le sais pas ; le désespoir ne s'était pas encore emparé complètement de moi ; mes sentiments étaient la rage et le désir de la vengeance. J'aurais avec joie détruit le chalet et ses habitants, et me serais rassasié de leurs cris d'horreur et de leur détresse.

« Lorsque la nuit arriva, je quittai ma retraite et j'errai à travers la forêt ; ne craignant plus désormais d'être découvert, je me laissai aller à exprimer ma souffrance en des hurlements terribles. J'étais semblable à une bête sauvage qui vient de rompre ses chaînes, détruisant les objets qui m'arrêtaient et traversant la forêt avec la vitesse du cerf. Ah ! quelle épouvantable nuit je passai alors ! Les froides étoiles brillaient ironiques, et les arbres nus balançaient au-dessus de moi leurs branches ; de temps à autre la voix mélodieuse d'un oiseau surgissait dans le silence universel. Tous les êtres, sauf moi, goûtaient le repos ou la joie ; et semblable au plus maudit des démons, je portais un enfer en moi-même ; voyant que nulle créature ne compatissait à mes maux, j'aurais voulu arracher les arbres, répandre autour de moi la ruine et la destruction, pour m'asseoir ensuite et savourer le spectacle du mal accompli.

« Mais c'était là un excès de sensation que je ne pouvais supporter ; l'excès même de l'effort physique m'accabla de fatigue, et je m'affaissai sur l'herbe hu-

mide, dans le dégoût et l'impuissance du désespoir.
Parmi les milliers d'hommes existant sur terre, il n'en
était pas un seul qui voulût me donner pitié ou aide ;
devais-je donc nourrir envers mes ennemis des sentiments de bonté ? Non pas ! Dès cet instant, je déclarai à
cette espèce une guerre éternelle, et surtout à celui qui
m'avait formé pour me précipiter dans cette insoute-
nable souffrance.

« Le soleil se leva ; j'entendis la voix des hommes, et
je connus qu'il m'était impossible, pendant toute la
durée de cette journée, de m'en retourner dans ma
retraite. Je me cachai donc dans d'épaisses broussail-
les, résolu à passer les heures suivantes à réfléchir à ma
situation.

« Cette chaude lumière et la pureté de l'air du jour
rétablirent en moi quelque tranquillité ; et réfléchissant
à ce qui s'était passé dans le chalet, je ne pus m'empêcher de croire que je m'étais trop hâté de conclure. A
coup sûr, j'avais agi avec imprudence. Il était évident
que ma conversation avait intéressé le père à mon sort,
et qu'il était stupide de ma part de m'être exposé à
l'horreur de ses enfants. J'aurais dû rendre ma présence familière au vieux de Lacey, et ne me faire
connaître que peu à peu aux autres membres de la
famille, après les avoir préparés à mon arrivée. Mais je
ne croyais pas que mes erreurs fussent irréparables ; et
après avoir longuement réfléchi, je résolus de retourner
au chalet, de retrouver le vieillard et de le persuader de
se consacrer à ma cause.

« Ces pensées me calmèrent, et cette après-midi-là je
tombai dans un sommeil profond ; mais la fièvre de
mon sang ne permettait point que je fusse visité par des
rêves paisibles. L'horrible scène de la veille se perpé-
trait sans cesse à nouveau sous mes yeux ; les femmes
s'enfuyaient ; Félix, en sa fureur, m'entraînait loin des
pieds de son père. Je m'éveillai épuisé ; et voyant que la
nuit était déjà venue, je me glissai hors de mon refuge
et partis à la recherche de ma nourriture.

« Ma faim apaisée, je me dirigeai vers le sentier
connu qui menait au chalet. Tout y était en paix. Je me

glissai dans ma hutte, et j'attendis en silence l'heure habituelle du lever de la famille. L'heure passa, le soleil s'éleva pendant longtemps dans les cieux, mais les hôtes de la maison ne paraissaient point. Je tremblais violemment, craignant quelque malheur horrible. L'intérieur du chalet était sombre, et je n'entendais aucun mouvement ; je ne peux décrire l'angoisse de cette attente.

« Bientôt deux paysans passèrent ; mais s'arrêtant devant le chalet, ils se mirent à converser en faisant des gestes violents ; je ne les comprenais pourtant pas, car ils parlaient la langue du pays, qui n'était pas celle de mes protecteurs. Peu de temps après, cependant, Félix s'approcha avec un autre homme ; j'en fus surpris, car je savais qu'il n'avait pas quitté le chalet ce matin-là ; et j'attendis anxieusement le moment de découvrir, d'après ses propos, la signification de ces circonstances extraordinaires.

« — Vous croyez-vous donc obligé, lui disait son compagnon, de payer trois mois de loyer et de perdre les produits de votre jardin ? Je ne cherche aucun profit injuste et je vous prie de réfléchir quelques jours avant de prendre une décision.

« — C'est complètement inutile, répondit Félix ; nous ne pouvons plus désormais habiter ce chalet. La vie de mon père y est en grand danger par suite des circonstances terribles que je vous ai décrites. Ma femme et ma sœur ne vaincront jamais leur horreur. Je vous prie de ne plus discuter à ce sujet avec moi. Prenez possession de votre logis, et laissez-moi m'enfuir de ces lieux. »

« Félix tremblait violemment en disant ces paroles. Il entra avec son compagnon dans le chalet, où ils restèrent quelques minutes, puis s'en allèrent. Jamais plus je ne revis un seul membre de la famille de Lacey.

« Je restai tout le jour dans ma hutte dans un état d'abattement et de désespoir complet. Mes protecteurs avaient disparu, brisant le seul lien qui m'attachât au monde. Pour la première fois, des sentiments de vengeance et de haine emplirent mon cœur, et je ne fis aucun effort pour les dominer ; mais me laissant emporter par le courant, j'inclinai mon esprit vers le mal et la mort. Lorsque je pensais à mes amis, à la voix calme de De Lacey, à la douceur des yeux d'Agathe, à la beauté exquise de la jeune fille arabe, ces pensées s'évanouissaient, et une crise de larmes m'apaisait quelque peu. Mais en songeant qu'ils m'avaient rejeté et abandonné, ma colère renaissait avec rage ; et incapable de nuire à une créature humaine, je m'attaquai avec fureur aux objets inanimés. A mesure que la nuit avançait, je plaçai autour du chalet divers combustibles, et après avoir détruit dans le jardin toute trace de culture, j'attendis avec impatience le coucher de la lune pour commencer mes opérations.

« Tandis que la nuit poursuivait son cours, la bise, s'élevant des forêts, dispersa rapidement les nuages qui s'attardaient dans les cieux ; l'ouragan passait avec fureur comme une avalanche effrayante, et déchaînait en mon esprit une espèce de folie, qui renversa toutes les barrières de la raison et de la réflexion. J'allumai une branche sèche, et me livrai à une danse sauvage autour du chalet dont j'avais arrêté le sort, les yeux toujours fixés à l'occident sur l'horizon, dont la lune touchait presque le bord. Enfin une partie de son orbe disparut, et je brandis ma torche ; l'astre s'enfonça, et poussant un cri perçant, j'allumai la paille et la bruyère, et les buissons que j'avais accumulés. Le vent avivait les flammes, qui bientôt enveloppèrent le chalet, s'y collèrent, le léchèrent de leurs langues fourchues et destructrices.

« Dès que j'eus constaté qu'aucune aide n'eût pu sauver une seule partie de l'habitation, je quittai ce spectacle et me réfugiai dans les bois.

« Vers quel lieu du monde ouvert devant moi, devais-je alors diriger mes pas ? Je résolus de fuir loin du théâtre de mes malheurs ; mais entouré de haine et de mépris, tous les pays devaient m'être également horribles. Puis, la pensée de votre existence me traversa l'esprit. Je savais, par vos papiers, que vous étiez mon père, mon créateur ; et à qui pourrais-je mieux m'adresser qu'à celui qui m'avait donné la vie ? Parmi les leçons que Félix donnait à Safie, la géographie n'avait pas été omise ; je connaissais ainsi les situations respectives des différents pays de la terre. Vous aviez indiqué Genève comme le lieu de votre naissance ; et c'est vers cette ville que je résolus de me diriger.

« Mais comment me guider ? Je savais qu'il fallait me tourner vers le sud-ouest ; mais je n'avais que le soleil pour guide. J'ignorais les noms des villes que je devais traverser, et je ne pouvais me renseigner auprès de nul être vivant ; mais je ne désespérai point. C'était de vous seul que je pouvais attendre un secours, bien qu'à votre égard je ne ressentisse que de la haine. Créateur indifférent et sans cœur ! Vous m'aviez doué de perceptions et de passions, puis abandonné au mépris et à l'horreur que j'inspirais aux humains. Pourtant, c'était de vous seul que j'avais le droit d'exiger pitié et justice ; et c'est auprès de vous que je résolus d'aller chercher cette justice, que je m'efforçais en vain de trouver auprès de tout autre être à forme humaine.

« Mes voyages durèrent longtemps, et mes souffrances furent intenses. L'automne était déjà fort avancé lorsque je quittai la région où j'avais si longtemps vécu. Je ne voyageais que la nuit, craignant d'apercevoir le visage d'un être humain. Autour de moi, la nature se dépouilla de ses attraits, le soleil perdit sa chaleur, j'étais exposé sans cesse à la neige et aux pluies ; de grandes rivières gelaient ; la surface du sol était dure, glaciale, dénudée, et je ne trouvais point d'abri. O terre ! combien de fois ne couvris-je pas de malédictions la cause de mon existence ! La douceur de ma nature s'était enfuie, et toute chose se changeait dans mon âme en fiel et en amertume. Plus j'approchais de votre résidence, plus je sentais au fond de mon cœur brûler la flamme de la vengeance. La neige tombait, les rivières se changeaient en glace, mais je ne connaissais point le repos. Quelques indications accidentelles me guidaient parfois, et j'avais une carte du pays, mais il m'arrivait souvent d'errer loin de ma route. L'angoisse ne me laissait aucun répit ; nul incident ne surgissait

qui ne pût servir d'aliment à ma rage et à ma souffrance ; mais un événement se produisit à mon arrivée
près des frontières suisses, alors que le soleil avait
retrouvé sa chaleur et la terre repris son aspect ver-
doyant, qui augmenta particulièrement l'amertume et
l'horreur de ce que je ressentais.

« Je me reposais généralement durant le jour, et je
ne voyageais que sous la protection de la nuit contre le
regard des hommes. Un matin, cependant, voyant que
mon chemin traversait une forêt épaisse, je me laissai
aller à poursuivre mon voyage après le lever du soleil ;
le jour, un des premiers du printemps, me ranimait
moi-même par sa lumière charmante et son air em-
baumé. Je sentais revivre en moi des émotions douces
et délicieuses que depuis longtemps je croyais mortes.
A demi surpris par la nouveauté de ces sensations, je
me laissai emporter par elles ; oubliant ma solitude et
ma difformité, j'osais être heureux ! Des larmes de
bonheur couvrirent à nouveau mon visage, et j'allai
jusqu'à lever un regard humide de reconnaissance vers
le soleil béni qui me dispensait une joie si profonde.

« Je continuai d'errer, parmi les sentiers de la forêt,
jusqu'à sa lisière que suivait une rivière rapide et profonde où beaucoup d'arbres plongeaient leurs branches
bourgeonnantes en ce printemps nouveau. Là, je m'arrêtai, incertain du chemin à suivre, lorsqu'un bruit de
voix me fit cacher à l'ombre d'un cyprès. A peine
avais-je disparu, qu'une jeune fille arriva en courant
vers l'endroit où j'étais caché ; elle riait comme si
quelqu'un la poursuivait en jouant. Elle continuait sa
course le long des bords abrupts de la rivière, mais
soudain son pied glissa : elle tomba dans le courant
rapide. Je me précipitai hors de mon abri, et luttant
contre la force de l'eau, je réussis, au prix d'efforts
extrêmes, à la sauver et à la ramener sur la rive. Elle
avait perdu connaissance ; et j'essayais, par tous les
moyens possibles, de lui faire reprendre ses sens,
quand je fus interrompu soudain par l'arrivée d'un
paysan, probablement celui devant qui elle s'enfuyait
dans ses jeux. En m'apercevant, il se précipita sur moi,

arracha de mes bras la jeune fille, et s'enfonça rapidement dans la forêt. Je le suivis immédiatement, sans savoir pourquoi ; mais lorsqu'il me vit m'approcher, il épaula dans ma direction un fusil qu'il portait, et fit feu. Je tombai sur le sol, et l'homme qui m'avait attaqué, redoublant de vitesse, s'échappa dans la forêt [38].

« Telle était donc la récompense de mes intentions bienfaisantes ! J'avais sauvé de la mort un être humain, et pour récompense, je me tordais sous la souffrance aigüe d'une blessure où chair et os étaient broyés. Les sentimentts de bonté et de douceur auxquels je m'étais abandonné quelques instants auparavant, firent place à une fureur démoniaque et à des grincements de dents. Irrité par la douleur, je vouai à l'humanité entière une haine éternelle et vengeresse. Mais l'intensité de la souffrance m'accabla ; mon pouls s'arrêta, et je m'évanouis.

« Je passai dans les bois plusieurs semaines misérables, essayant de guérir ma blessure. La balle m'était entrée dans l'épaule, et je ne savais si elle y était restée ou l'avait traversée ; en tout cas, je n'avais aucun moyen de l'extraire. Ma souffrance s'augmentait, en outre, de l'accablante conscience de l'injustice et de l'ingratitude dont témoignait le geste qui l'avait causée. Chaque jour, mes vœux appelaient la vengeance, une vengeance profonde et mortelle, la seule qui pût compenser l'insulte et le mal que je subissais.

« Au bout de quelques semaines, ma plaie se cicatrisa, et je pus poursuivre ma route. L'éclat du soleil, la tiédeur des brises printanières ne pouvaient adoucir mes malheurs ; chaque joie était un mensonge, un outrage à mon abandon, et me faisait éprouver plus douloureusement encore que je n'avais été créé pour goûter aucune douceur.

« Mais la fin de mes fatigues approchait ; et, en deux mois, j'arrivai aux environs de Genève.

« C'était le soir ; je me retirai en un endroit secret parmi les champs du voisinage pour réfléchir à la manière dont je m'adresserais à vous. J'étais accablé de

fatigue et de faim, et infiniment trop malheureux pour
goûter la douceur des brises du soir ou la beauté du
couchant derrière les monts énormes du Jura.

« Un léger somme m'épargna alors la souffrance de
la réflexion ; mais il fut troublé par l'arrivée d'un bel
enfant, qui entra en courant dans l'abri que j'avais
choisi, avec tout l'enjouement de son âge. En le regardant, l'idée me vint soudainement que cette jeune
créature n'avait aucun préjugé, et avait trop peu vécu
pour concevoir l'horreur de la difformité. Si donc je
pouvais m'en saisir, et en faire mon compagnon et mon
ami, je ne serais pas si abandonné sur cette terre habi-
tée par les hommes.

« Sous cette impulsion, je saisis l'enfant à son passage, et je l'attirai vers moi. Dès qu'il m'aperçut, il se
couvrit les yeux et poussa un cri perçant ; j'arrachai
violemment ses mains de son visage : «Enfant, lui
«dis-je, que veut dire cette attitude? Je ne veux pas te
«faire de mal ; écoute-moi!»

Il se débattait violemment. «Laissez-moi partir,
« cria-t-il ; monstre, vilain misérable, vous voulez me
« manger et me déchirer en morceaux. Vous êtes un
« ogre ; laissez-moi m'en aller ou je le dirai à mon
père!»

« Enfant, tu ne reverras jamais ton père ; tu vas me
suivre.»

« Affreux monstre, laissez-moi partir! Mon père est
« syndic ; c'est M. Frankenstein ; il vous punira. Vous
« n'oseriez pas me garder.»

« Frankenstein! Tu appartiens donc à mon ennemi,
« à celui dont j'ai juré de tirer une vengeance éternelle!
« Tu seras ma première victime!»

« L'enfant se débattait encore, et m'accablait d'inju-
res qui me désespéraient ; je lui serrai la gorge pour
étouffer ses cris ; et en un instant il se trouva mort à
mes pieds.

« Je regardai ma victime, et mon cœur se gonfla
d'exultation, d'un triomphe infernal ; battant des
mains, je m'écriai : «Moi aussi, je peux créer le déses-
« poir : mon ennemi n'est pas invulnérable ; cette mort

« le désespérera, et mille autres malheurs le tourmen-
« teront et causeront sa propre mort. »

« En fixant mes regards sur l'enfant, je vis briller
quelque chose sur sa poitrine. Je m'en emparai ; c'était
le portrait d'une femme admirablement belle. Malgré
ma volonté criminelle, il me calmait et m'attirait. Pendant quelques instants, je restai sous le charme de ses
yeux noirs frangés de longs cils et de ses lèvres exquises. Mais bientôt ma fureur renaquit : je songeais que
j'étais à jamais privé des joies que peuvent dispenser
d'aussi belles créatures ; et celle dont je contemplais les
traits aurait, en m'apercevant, mué cet air de divine
bienveillance en une expression d'horreur et d'épouvante.

« Pourriez-vous vous étonner que semblables pensées m'aient transporté de rage ? Je m'étonne seulement qu'en cet instant, au lieu de traduire mes sentiments à l'aide d'exclamations de souffrance, je ne me
sois pas précipité parmi les humains pour périr en
essayant de les annihiler.

« Alors que ces sentiments m'accablaient encore, je
quittai l'endroit où j'avais commis le meurtre, et cherchant un abri plus secret, j'entrai dans une grange qui
m'avait semblé vide. Une femme dormait sur de la
paille ; elle était jeune ; pas aussi belle, certes, que celle
dont j'avais le portrait ; mais d'un aspect agréable et
d'une fraîcheur exquise d'être jeune et sain. Voici
donc, me dis-je, une de ces créatures dont les sourires
confèrent la joie à tous les êtres, sauf à moi. Et je me
penchai au-dessus d'elle, et je murmurai : « Éveille-toi,
ô toute belle ; celui qui t'aime est près de toi, celui qui
donnerait sa vie pour obtenir de tes yeux un seul regard
d'affection. Ma bien-aimée, éveille-toi ! »

« La femme endormie fit un mouvement ; un frisson
de terreur me traversa ; allait-elle donc s'éveiller, me
voir, me maudire, et dénoncer le meurtrier ? A coup
sûr, elle agirait de la sorte, si ses yeux obscurcis s'ouvraient et si elle m'apercevait. Cette pensée me rendit
fou, et le démon s'éveilla en moi : ce n'est pas moi,
mais elle qui sera châtiée ; c'est elle qui expiera ce

meurtre, que j'ai commis parce que je suis à jamais privé de tout ce qu'elle pourrait me donner. C'est en elle que se trouvait la cause du crime; que sur elle s'abatte donc le châtiment! Grâce aux leçons de Félix et aux lois sanguinaires de l'homme, je savais alors comment causer le mal. Je me penchai sur elle, et je fixai le portrait dans un pli de sa robe. Elle fit encore un mouvement, et je m'enfuis.

« Pendant plusieurs jours, je hantai l'endroit où s'étaient déroulés ces événements; parfois je voulais voir, parfois j'étais résolu à quitter à jamais le monde et ses souffrances. Je finis par errer vers ces montagnes, et, jusqu'à maintenant, j'ai exploré leurs anfractuosités immenses, consumé d'une passion brûlante que vous seul pouvez satisfaire. Il n'est pas permis que nous nous séparions avant que vous m'ayez promis d'obéir à ma demande. Je suis seul, et je souffre; les hommes repoussent ma société; mais une femme, aussi difforme et horrible que moi, ne se refuserait pas à moi. Il faut que ma compagne soit de la même espèce, ait les mêmes défauts que les miens! Tel est l'être qu'il vous faut créer [39]!»

CHAPITRE XVII

La créature cessa de parler, et fixa sur moi ses regards en attendant une réponse. Mais j'étais troublé, perplexe, et incapable de rassembler suffisamment mes idées pour comprendre toute la portée de sa proposition. Il poursuivit :

— Il vous faut me créer une femme avec qui je puisse échanger la sympathie indispensable à mon existence. Vous seul pouvez le faire ; et je l'exige de vous comme un droit que vous ne pouvez me refuser de m'accorder.

La fin de son récit avait ranimé en moi la colère, qui s'était dissipée tandis qu'il me narrait sa vie paisible parmi les gens du chalet ; lorsqu'il ajouta ceci, je ne pus contenir davantage la rage qui brûlait en moi.

— Je vous le refuse, répondis-je ; et aucune torture ne m'arrachera un consentement. Vous pouvez me rendre le plus malheureux des hommes, mais vous ne m'avilirez jamais à mes propres yeux. Dois-je créer un autre être semblable à vous, pour que l'alliance de votre haine dévaste le monde ? Partez ! Je vous ai répondu ; vous pouvez m'infliger la torture, mais je ne consentirai jamais !

— Vous avez tort, répliqua le démon ; et au lieu de vous menacer, je me contenterai de raisonner avec vous. Mes crimes ont ma souffrance pour cause : le genre humain tout entier ne me repousse-t-il et ne me hait-il pas ? Vous-même, mon créateur, vous voudriez me déchirer en lambeaux et triompher ensuite. Ne l'oubliez pas, et dites-moi pourquoi j'aurais pour

l'homme plus de pitié qu'il n'en a pour moi. Vous ne
considéreriez pas comme un assassinat de me précipiter dans une crevasse de ce glacier, et de détruire mon
corps que vos mains ont formé. Respecterai-je donc
l'homme, alors qu'il me méprise ? Faites en sorte qu'il
vive avec moi dans l'exercice d'une bonté mutuelle : et
au lieu de lui nuire, je m'efforcerai de le servir de toute
manière, en pleurant de reconnaissance s'il y consent.
Mais cela ne peut être ; les sens humains sont à notre
alliance un obstacle insurmontable. Je ne me soumet-
trai cependant pas comme un misérable esclave : je me
vengerai du mal qui m'a été fait ; si je ne peux inspirer
l'amour, je sèmerai la peur ; et surtout en ce qui vous
concerne, vous mon ennemi mortel, je fais un serment
de haine inépuisable. Soyez sur vos gardes ; je travaille-
rai à votre destruction, et je ne m'arrêterai que lorsque
j'aurai si bien versé le désespoir en votre cœur, que
vous maudirez l'heure où vous êtes né.

Une fureur démoniaque l'animait en prononçant ces
paroles ; son visage se ridait et se contractait à tel point
que des regards humains n'auraient pu le contempler ;
mais bientôt il se calma et poursuivit :

— J'avais l'intention de raisonner ; cette colère nuit
à ma cause ; car vous ne vous rendez pas compte que
l'excès vous en est imputable. Si un être quelconque
éprouvait à mon égard une émotion bienveillante, je la
rendrais multipliée au centuple ; pour l'amour de cette
seule créature, je ferais la paix avec toute l'espèce
humaine ! Mais je m'abandonne maintenant à des rêves
de bonheur irréalisables. Ce que je vous demande est
raisonnable et modéré ; je veux une créature d'un autre
sexe, mais aussi hideuse que moi-même ; c'est là un
don bien humble, mais c'est le seul que je puisse
accepter, et je m'en contenterai. Il est vrai que nous
serons des monstres séparés du monde entier ; mais
nous n'en seront que plus attachés l'un à l'autre. Notre
existence ne sera pas heureuse, mais elle sera innocente, et ma misère présente nous sera inconnue. Ah !
mon créateur, rends-moi heureux ; fais en sorte qu'un
seul de tes bienfaits suscite ma reconnaissance ; rends

visible à mes yeux la sympathie à mon égard d'une seule créature vivante; ne me refuse pas ce que je te demande!

Je me sentis ému; je frissonnai en pensant aux conséquences possibles de mon consentement; mais je sentais que son raisonnement était juste en quelque sorte. Son histoire, et les sentiments qu'il exprimait alors, démontraient la finesse de sa sensibilité; et ne lui devrais-je pas, en ma qualité de créateur, tout le bonheur qu'il était en mon pouvoir de lui donner? Il s'aperçut du changement survenu en moi, et poursuivit:

— Si vous consentez, ni vous ni aucun être humain ne nous reverrez jamais; j'irai habiter les déserts immenses de l'Amérique du Sud. Ma nourriture n'est pas celle des hommes; je ne tue ni l'agneau ni le chevreau pour apaiser ma faim; les glands et les baies sauvages suffisent à ma subsistance. Ma compagne sera d'une nature semblable, et se contentera des mêmes aliments. Le tableau que je vous présente est paisible et humain; et vous devez vous rendre compte que seul l'arbitraire de la puissance et de la cruauté pourraient vous dicter un refus. Si peu de pitié que vous ayez jusqu'ici à mon égard, je lis en cet instant la compassion dans vos yeux; puissé-je saisir ce moment favorables, et vous persuader de promettre ce que je désire si ardemment!

— Vous vous proposez, répondis-je, de fuir les habitations des hommes, de vivre en ces déserts où les animaux des champs seront vos seuls compagnons. Comment pourrez-vous, vous qui soupirez après la sympathie des hommes, persévérer en cet exil? Vous reviendrez, vous chercherez encore leur amitié, et vous vous trouverez en face de leur haine; vos passions mauvaises renaîtront, et vous aurez alors une compagne pour vous aider dans votre œuvre de mort. Cela ne saurait être; cessez de discuter à ce sujet, car je ne saurais consentir.

— Que vos sentiments sont inconstants! Il n'y a qu'un instant, mes protestations vous émouvaient;

pourquoi donc vous durcissez-vous devant mes plaintes ? Je vous le jure, par la terre que j'habite et par vous-même qui m'avez créé, avec la compagne que vous me donnerez, je quitterai le voisinage des hommes, et j'irai vivre dans les lieux les plus sauvages que je pourrai trouver. Mes passions mauvaises auront disparu, car j'aurai fait naître la sympathie ! Ma vie s'écoulera tranquille, et à l'heure de ma mort je ne maudirai pas mon créateur.

Ses paroles produisirent sur moi un effet étrange. J'éprouvais pour lui de la compassion, et parfois je désirais lui offrir une consolation ; mais quand je le regardais, quand j'apercevais cette masse affreuse qui se mouvait et parlait, la répulsion m'envahissait... mes sentiments se changeaient en horreur et en haine. J'essayai d'étouffer ces sensations ; je réfléchissais que, ne pouvant partager ses sentiments, je n'avais pas le droit de le priver de la moindre parcelle de bonheur qu'il fût en mon pouvoir de lui accorder.

— Vous jurez, lui dis-je, de ne faire aucun mal ; mais n'avez-vous pas déjà témoigné d'assez de malignité pour justifier ma défiance ? Ces protestations ne sont-elles même pas une feinte qui accroîtra votre triomphe en donnant à votre vengeance une étendue plus grande ?

— Comment cela ? Je ne souffrirai pas qu'on se joue de moi ; et j'exige une réponse. Si je n'ai aucun lien, aucune affection, la haine et le vice seront nécessairement mon partage ; l'amour d'un autre être supprimerait la cause de mes crimes, et je serais une créature dont chacun ignorerait l'existence. Mes vices sont les fruits d'une solitude forcée que j'abhorre ; et mes vertus se développeront fatalement quand je vivrai en communion avec un égal. J'éprouverai les sentiments d'un être sensible, et je me rattacherai à la chaîne [40] d'êtres et d'événements d'où je suis aujourd'hui exclu.

Je me tus pendant un certain temps pour réfléchir à tout ce qu'il m'avait raconté et aux divers arguments qu'il avait employés. Je me rappelai la promesse de vertus qu'avait été le début de son existence, et com-

ment, par la suite, la répulsion et le mépris que lui
avaient manifestés ses protecteurs avaient corrompu en
lui tout sentiment de bienveillance. Je n'oubliai dans
mes calculs ni sa puissance, ni ses menaces : un être
capable de vivre dans les anfractuosités des glaciers et
d'échapper à ceux qui le poursuivraient en gagnant les
crêtes de précipices inaccessibles, détenait une puissance contre laquelle il eût été vain de lutter. Après
avoir longtemps réfléchi en silence, je conclus qu'en
toute justice à son égard comme à l'égard de mes
semblables, je devais nécessairement exaucer sa requête. Me tournant donc vers lui, je lui dis :

— Je consens à vous accorder ce que vous demandez, si vous me jurez solennellement de quitter pour
toujours l'Europe et tout autre endroit voisin des habitations des hommes, dès que je vous livrerai une
femme qui vous accompagnera dans votre exil.

— Je jure, s'écria-t-il, par le soleil et par la voûte
azurée des cieux et par le feu de l'amour qui brûle en
mon cœur, que si vous exaucez ma prière, tant que ces
choses existeront, vous ne me reverrez jamais. Rentrez
à votre foyer et commencez votre œuvre : j'en suivrai le
progrès dans une angoisse inexprimable ; ne doutez
point qu'à l'heure où vous serez prêt, je ne paraisse
auprès de vous.

En disant ces mots, il me quitta soudain, craignant
peut-être un changement en moi. Je le vis descendre la
montagne avec une vitesse plus grande que celle de
l'aigle, et se perdre rapidement dans les ondulations de
la mer de glace.

Son récit avait occupé le jour entier, et, lorsqu'il s'en
alla, le soleil était au bord de l'horizon. Je savais qu'il
me fallait descendre en hâte dans la vallée, pour ne pas
être entouré soudain par la nuit ; mais mon cœur était
accablé, et mes pas étaient lents. Dans l'anxiété des
émotions suscitées par les événements du jour, c'était
un effort absorbant que de suivre les sinuosités des
étroits sentiers de la montagne, et, tandis que j'avançais, de trouver pour mes pas un appui ferme. La nuit
était fort avancée, quand, arrivant à l'abri qui marquait

le milieu du chemin, je m'assis près de la source. De temps à autre, les étoiles brillaient, lorsque les nuages s'écartaient d'elles; les pins sombres se dressaient devant moi, et çà et là un arbre brisé gisait sur le sol; spectacle d'une solennité admirable, et qui suscitait en moi des pensers étranges. Je pleurai amèrement; et, joignant les mains dans mon angoisse, je m'écriai : «O vous, étoiles, nuages et vents, vous êtes tous autour de moi pour m'accabler de sarcasmes; si vraiment vous avez pour moi quelque pitié, annihilez en moi tout sentiment et tout souvenir; sinon disparaissez et abandonnez-moi aux ténèbres.»

C'étaient là folles et lamentables pensées; mais je ne saurais vous décrire l'accablement qu'étaient pour moi ces étoiles éternellement scintillantes, ni comment j'écoutais chaque rafale comme le souffle morne et affreux d'un sirocco déchaîné pour me consumer.

L'aube parut avant mon arrivée à Chamonix; je ne pris aucun repos, mais je retournai immédiatement à Genève [41]. Même au fond de mon cœur je ne pouvais d'aucune manière exprimer mes sensations; elles m'accablaient comme le poids d'une montagne, et leur excès même écrasait mon angoisse. Je rentrai donc chez moi, et, pénétrant dans la maison, je me présentai aux miens. Mon aspect hagard et affolé éveilla en eux une alarme extrême; mais je ne répondis à aucune question, je parlais à peine : il me semblait être au ban de l'humanité, n'avoir aucun droit à leur sympathie, ne pouvoir désormais jouir d'aucun rapport avec eux. Et pourtant, à cette heure même, je les aimais jusqu'à l'adoration; pour les sauver, je résolus de me consacrer à ma tâche la plus abhorrée. La perspective de cette œuvre faisait passer devant moi tout autre événement comme un rêve; et seule cette pensée revêtait à mes yeux la réalité de la vie.

CHAPITRE XVIII

Les jours et les semaines se succédèrent après mon retour à Genève[42], sans que je pusse rassembler le courage nécessaire pour reprendre mon œuvre. Je craignais la vengeance du démon déçu, et pourtant j'étais incapable de surmonter ma répugnance pour la tâche qui m'était assignée. Je m'aperçus que je ne pouvais composer un être femelle sans consacrer encore plusieurs mois à des études profondes et à des recherches laborieuses. J'avais eu vent de découvertes, dues à un savant anglais, dont la connaissance était indispensable à mon succès, et je songeais souvent à obtenir le consentement de mon père pour faire en Angleterre le voyage nécessaire. Mais je saisissais aussi la moindre occasion de retard, et j'hésitais à faire le premier pas dans une entreprise dont la nécessité immédiate commençait à m'apparaître moins absolue. En réalité, un changement s'était opéré en moi : ma santé qui, jusque-là, avait décliné, s'était alors beaucoup améliorée ; et lorsque le souvenir de ma malheureuse promesse ne l'abattait pas, mon courage renaissait de même. Mon père constatait avec joie ce changement, et cherchait le meilleur moyen de déraciner les restes de ma mélancolie, qui, de temps à autre, reparaissait par crises et dont les ténèbres avides obscurcissaient le retour du soleil. Je me réfugiais alors dans la solitude la plus complète. Je passais des jours entiers seul sur le lac, dans une petite embarcation, à observer les nuages, et, dans le silence et la tristesse, à écouter le murmure des vagues. Mais la fraîcheur de l'air et l'éclat du soleil me rendaient presque toujours un certain degré de calme ; et, à mon retour, je répondais à l'accueil des miens par un sourire plus spontané, et d'un cœur plus léger.

Ce fut au retour d'une de ces promenades que mon père m'appela pour m'entretenir en particulier, et me parla ainsi :

— Je suis heureux de constater, mon cher fils, que vous avez repris vos distractions passées, et que vous semblez redevenir vous-même. Et pourtant vous souffrez encore, et vous évitez notre société. Pendant longtemps, je me suis perdu en conjectures sur la cause de cette attitude ; mais, hier, une idée m'a traversé l'esprit, et si elle est fondée, je vous conjure de me l'avouer. Garder quelque réserve sur un sujet pareil serait non seulement inutile, mais attirerait sur nous tous une triple souffrance.

Je fus saisi à cet exorde d'un tremblement violent, et mon père poursuivit :

— Je vous avoue, mon fils, que j'ai toujours espéré en votre mariage avec Elizabeth comme en le raffermissement de notre bonheur familial et le soutien de ma vieillesse. Vous êtes attachés l'un à l'autre depuis votre plus tendre enfance ; vous avez fait vos études ensemble, et vous sembliez, par votre caractère et vos goûts, parfaitement faits l'un pour l'autre. Mais l'expérience humaine est chose si aveugle, que ce que je croyais le mieux favoriser mon plan l'a peut-être entièrement ruiné. Peut-être la regardez-vous comme une sœur, sans aucunement désirer qu'elle devienne votre femme. Bien plus, peut-être en avez-vous rencontré quelque autre que vous aimez ; et si vous vous considérez comme engagé d'honneur à l'égard d'Elizabeth, votre lutte avec vous-même est peut-être la cause des souffrances terribles que vous paraissez subir.

— Mon cher père, rassurez-vous ; j'aime tendrement et sincèrement ma cousine. Je n'ai jamais vu de femme qui suscitât comme Elizabeth mon admiration et mon affection la plus ardente. Toutes mes espérances et mes projets d'avenir sont entièrement liés à l'attente de notre union.

— Les sentiments que vous exprimez à ce sujet me causent, mon cher Victor, plus de joie que je n'en ai éprouvé depuis longtemps. Puisqu'il en est ainsi, nous sommes sûrs du bonheur, quelle que soit l'ombre jetée sur nous par les événements présents. Mais c'est cette ombre, qui semble s'être si puissamment emparée de votre esprit, que je veux dissiper. Dites-moi donc si vous voyez inconvénient à la célébration immédiate de votre mariage. Nous avons souffert, et la paix qui convient à mon âge et à mes infirmités s'est récemment éloignée de nous. Vous êtes jeune ; je ne suppose cependant pas qu'avec la fortune suffisante qui est vôtre, un mariage à votre âge puisse nuire aux projets que vous avez peut-être formés de vous créer une situation honorable et utile. Ne supposez pas, cependant, que je veuille vous dicter le bonheur, ou qu'un retard de votre part puisse me causer une inquiétude sérieuse. Interprétez mes paroles sans arrière-pensée, et répondez-moi, je vous en supplie, avec confiance et sincérité.

J'écoutai mon père en silence, et je restai pendant assez longtemps incapable de rien lui répondre. Une multitude de pensées traversaient successivement mon esprit, et j'essayais d'arriver à une conclusion quelconque. Hélas ! à mes yeux, l'idée d'une union immédiate avec mon Elizabeth était horrible et accablante. J'étais lié par une promesse solennelle, que je n'avais pas encore remplie et que je n'osais rompre ; ou si je le faisais, je ne savais quelles calamités innombrables me menaceraient ainsi que ma famille perdue. Pourrais-je participer à une fête avec un poids semblable encore pendu à mon cou, et qui me courbait vers la terre ? Il fallait tenir mon serment, et faire en sorte que le monstre disparût avec sa femelle, avant de m'abandonner aux joies d'une union dont j'attendais la paix.

Je n'oubliais pas non plus la nécessité qui m'était imposée, soit de me rendre en Angleterre, soit d'engager une longue correspondance avec les savants de ce pays, dont les connaissances et les découvertes m'étaient indispensables pour mener à bien mon entreprise. Cette dernière manière de me procurer les renseignements voulus était lente et incommode [43] ; en outre, je ne pouvais surmonter ma répugnance à entreprendre cette œuvre affreuse dans la maison de mon père, alors que j'entretenais des rapports familiers avec les êtres que j'aimais. Je savais que mille accidents effrayants pouvaient se produire, dont le moindre révélerait à tous ceux qui me connaissaient une histoire qui les ferait frissonner d'horreur. Je savais aussi qu'il m'arriverait souvent de perdre toute maîtrise de moi-même, toute faculté de cacher les sensations atroces qui me posséderaient au cours de mon labeur inhumain. Il me fallait me séparer de tous ceux que j'aimais pendant toute la durée de ce travail. Une fois commencé, il s'achèverait rapidement, et je pourrais rentrer dans ma famille dans la paix et le bonheur. Ma promesse remplie, le monstre disparaîtrait à jamais. Ou bien (c'est du moins ce que se représentait mon imagination troublée) quelque accident surviendrait peut-être pour le détruire et mettre fin pour toujours à mon esclavage.

Ces sentiments dictèrent ma réponse à mon père. J'exprimai le désir de voir l'Angleterre ; mais, cachant les raisons véritables de ma demande, je fis en sorte que mes désirs ne pussent exciter le soupçon, et je les exprimai avec une chaleur qui persuada à mon père d'y acquiescer. Après une aussi longue période de mélancolie accablante, dont l'intensité et les effets faisaient croire à la folie, il fut heureux de constater que je pouvais trouver quelque plaisir à l'idée de voyage, et il exprima l'espoir que le changement d'atmosphère et la variété des distractions me rendraient à moi-même avant mon retour.

Il me laissa juge du temps de mon absence ; il la supposait devoir durer quelques mois, ou une année au plus. Sa bonté paternelle lui avait suggéré comme précaution de me procurer un compagnon. Sans rien m'en dire auparavant, il avait, d'accord avec Elizabeth, fait en sorte que Clerval me rejoignît à Strasbourg. La solitude que je cherchais pour poursuivre mon travail était ainsi impossible ; pourtant, au début de mon voyage, la présence de mon ami ne pouvait en rien me gêner, et je me réjouis sincèrement que me fussent ainsi épargnées de longues heures de réflexion solitaire et affolante. En outre, Henry pourrait empêcher mon ennemi de m'approcher. Si j'avais été seul, celui-ci ne m'eût-il pas parfois imposé sa présence abhorrée, pour me rappeler mon devoir et en observer l'accomplissement?

J'étais donc en route pour l'Angleterre, et il était entendu que mon union avec Elizabeth se célébrerait dès mon retour. L'âge avancé de mon père lui rendait tout ajournement extrêmement pénible. Quant à moi, je ne me promettais qu'une seule récompense de mes travaux exécrés, une seule consolation pour mes souffrances inouïes; c'était la perspective du jour où, affranchi de mon misérable esclavage, je pourrais venir chercher Elizabeth, et, dans notre union, oublier le passé.

Je fis donc mes préparatifs de voyage; mais une seule pensée me hantait, qui m'emplissait de peur et de trouble. Pendant mon absence, j'allais laisser les miens ignorants de l'existence de leur ennemi, et sans protection contre ses attaques, au cas où mon départ l'exaspérerait. Mais il avait promis de me suivre partout où j'irais; ne m'accompagnerait-il donc pas en Angleterre? Cette perspective était en elle-même horrible, mais elle me calmait dans la mesure où elle impliquait la tranquillité des miens. L'idée d'une possibilité contraire était pour moi une angoisse. Mais pendant tout le temps où je devais rester l'esclave de ma créature, je me laissai gouverner par l'impulsion du moment; mes sensations d'alors me signifiaient clairement que le démon me suivrait et libérerait ainsi ma famille du danger de ses machinations.

Ce fut à la fin de septembre [44] que je quittai de nouveau mon pays natal. J'avais moi-même suggéré mon voyage, Elizabeth y consentit donc. Mais l'inquiétude l'envahissait à l'idée que je serai exposé, loin d'elle, à des accès de désespoir et de chagrin. C'était par ses soins que j'avais en Clerval un compagnon

— et, pourtant, un homme reste aveugle devant mille circonstances minimes qui suscitent de la part d'une femme une attention diligente. Elle avait l'ardent désir de me faire hâter mon retour, et mille émotions diverses l'arrêtèrent, au moment où, pleurant en silence, elle me dit adieu.

Je me précipitai dans la voiture qui devait m'emmener, sachant à peine où j'allais, et sans voir ce qui se passait autour de moi. Je pensai seulement, et ce fut avec une angoisse cruelle que j'y réfléchis, à donner l'ordre de joindre à mes bagages mes instruments de laboratoire. L'esprit rempli d'images effrayantes, je traversai un grand nombre de merveilleux et majestueux paysages ; mais mon regard était fixe, incapable d'observer ; je ne pouvais songer qu'au but de mon voyage et à l'œuvre qui devait m'absorber pendant toute mon absence.

Au bout de plusieurs jours passés dans la tristesse et l'immobilité, après avoir parcouru mainte et mainte lieue, j'arrivai à Strasbourg, où j'attendis deux jours l'arrivée de Clerval. Il arriva. Hélas ! quel contraste entre nous deux ! Tout spectacle nouveau suscitait son attention ; la joie l'envahissait à la vue du couchant, elle était plus grande encore au lever du soleil, à l'heure où commençait un jour nouveau. Il me montrait les couleurs changeantes du paysage et les aspects du ciel. «Voilà ce que j'appelle vivre, s'écriait-il ; maintenant, je savoure l'existence ! Mais toi, mon cher Frankenstein, pourquoi donc es-tu mélancolique et souffres-tu ?» Il est vrai que j'étais absorbé par des pensées sombres, et que je ne voyais ni le coucher de l'étoile du soir, ni se refléter dans le Rhin la splendeur dorée de l'aurore. — Et vous-même, mon ami, vous trouveriez plus d'intérêt au journal de Clerval, qui contemplait le paysage avec les regards d'un homme sensible et enthousiaste, qu'à écouter mes réflexions. Car je n'étais qu'un malheureux pitoyable, hanté par une malédiction qui fermait à la joie toute avenue.

Nous étions convenus de descendre le Rhin en bateau de Strasbourg à Rotterdam, où nous pourrions nous embarquer pour Londres. Pendant ce voyage, nous passâmes devant mainte île couverte de saules, et nous vîmes plusieurs villes magnifiques. Nous restâmes un jour à Mannheim; et, cinq jours après notre départ, nous arrivâmes à Mayence. Le cours du Rhin en aval de Mayence devient beaucoup plus pittoresque. La rivière est rapide, et ses courbes passent entre des collines peu élevées, mais escarpées, et dont la forme est admirable. Nous aperçûmes maints châteaux en ruine, debout au bord des précipices, entourés de forêts sombres, hautes et inaccessibles. Cette région présente, en effet, un choix singulièrement varié de paysages. En un lieu, vous voyez des monts rocheux et des châteaux en ruine qui dominent des précipices effrayants, aux pieds desquels se précipitent les eaux sombres du fleuve; et, soudain, contournant un promontoire, des vignobles prospères, des rives aux pentes verdoyantes, une rivière sinueuse et des villes peuplées s'étendent devant vous.

C'était l'époque des vendanges, et nous entendions le chant des paysans tout en glissant au fil de l'eau. Même aussi déprimé que je l'étais, et continuellement troublé d'émotions effrayantes, j'éprouvais moi-même des sensations agréables. Étendu au fond du bateau, je contemplais le ciel bleu sans nuages, et je me sentais envahi d'une paix qui depuis longtemps m'étais étrangère. Et si tel était mon état, qui pourrait décrire celui d'Henry? Il lui semblait être transporté au pays des fées; il goûtait un bonheur rarement éprouvé par l'homme. «J'ai vu, disait-il, les plus beaux paysages de mon pays natal; j'ai vu les lacs de Lucerne et d'Uri, où les montagnes neigeuses descendent presque perpendiculairement dans les eaux, et projettent une ombre noire et impénétrable qui prêterait au paysage un aspect ténébreux et morne, si des îles verdoyantes ne le relevaient par l'éclat de leurs couleurs; j'ai contemplé ce lac agité par une tempête qui en faisait surgir des tourbillons d'eau, et qui vous donnait l'idée de ce que doit être le cyclone sur l'océan immense; j'ai vu les vagues se précipiter avec furie contre la base des montagnes, à l'endroit où le prêtre et sa maîtresse périrent sous l'avalanche, et où leurs voix, dit-on, s'entendent encore entre les rafales du vent nocturne ; j'ai vu les monts du Valais et le Pays de Vaud ; mais cette région, ô Victor, est à mes yeux plus belle que toutes ces merveilles. Les montagnes suisses sont plus majestueuses et plus étranges ; mais un charme réside aux bords de ce fleuve, dont nulle part je n'ai ressenti l'égal. Voyez ce château dressé au-dessus de ce précipice ; et cet autre sur l'île, presque caché par le feuillage de ces arbres merveilleux ; et ce groupe de paysans arrivant de leurs vignes ; et ce village à demi-caché au creux de la montagne ! Ah ! certes, l'esprit qui habite et protège ces lieux est doué d'une âme plus proche de la nôtre que ceux qui entassent les glaciers ou qui choisissent pour retraite les pics inaccessibles de notre pays natal. »

Clerval ! Ami bien aimé ! même aujourd'hui, ce m'est une joie que de rapporter vos paroles et de prolonger les louanges qui vous sont si justement dues. Son être avait son essence en «la poésie même de la nature». Son imagination libre et enthousiaste était châtiée par la sensibilité de son cœur. Son âme débordait d'affections ardentes, son amitié avait cette nature dévouée et merveilleuse que ceux que le monde absorbe nous enseignent à ne chercher que dans le rêve. Mais les sympathies humaines elles-mêmes ne suffisaient pas pour satisfaire son âme ardente. Ces spectacles de la nature extérieure, que d'autres ne considèrent qu'avec admiration, il les aimait avec ardeur :

> ... *L'écho de la cataracte*
> *Le hantait comme une passion ; le roc immense,*
> *La montagne, le bois profond et ténébreux,*
> *Leurs couleurs et leur formes, étaient alors en lui*
> *Un besoin, une émotion et un amour*
> *Auxquels n'était nécessaire nul charme plus lointain*
> *Issu de la réflexion, nulle raison d'être*
> *Que le seul regard n'y trouvât point.*
>
> (Wordsworth, Tintern Abbey.)

Et, maintenant, où est-il ? Cet être d'une douceur exquise est-il à jamais perdu ? Cet esprit si fertile en idées, en images pleines de fantaisie et de magnificence, qui constituait un monde dont l'existence était liée à celle de son créateur, cet esprit a-t-il péri ? N'existe-t-il plus aujourd'hui que dans mon souvenir ? Non, cela n'est pas ; ta forme si divinement achevée, rayonnante de beauté, s'est corrompue, mais ton âme visite et console encore ton ami malheureux !

Pardonnez-moi cette explosion de chagrin ; ces misérables mots ne sont qu'un bien léger hommage à la valeur sans exemple d'Henry, mais ils apaisent mon cœur, qui déborde de souffrance à son souvenir. Je veux poursuivre mon récit.

Au-delà de Cologne, nous descendîmes jusqu'aux plaines de Hollande, et nous résolûmes de poursuivre notre voyage en diligence ; car le vent nous était contraire, et le courant du fleuve était trop lent pour nous entraîner.

Notre voyage perdit alors l'intérêt que lui donnaient des spectacles magnifiques ; mais nous arrivâmes en quelques jours à Rotterdam, d'où nous gagnâmes par mer l'Angleterre. Ce fut par une claire matinée, aux derniers jours de décembre, que j'aperçus pour la première fois les falaises blanches de la Grande-Bretagne. Les rives de la Tamise offraient à nos yeux un spectacle nouveau ; elles étaient unies, mais fertiles, et presque chaque ville s'illustrait du souvenir de quelque événement historique. Nous vîmes Tilbury Fort, et nous nous rappelâmes l'Armada espagnole, Gravesend, Woolwich et Greenwich, dont j'avais entendu parler dans mon pays même. Enfin, nous aperçûmes les multiples clochers de Londres, celui de Saint-Paul les dominant tous, et la Tour fameuse dans l'histoire d'Angleterre.

CHAPITRE XIX

Nous choisîmes alors Londres comme lieu de repos, et nous décidâmes de séjourner plusieurs mois dans cette cité merveilleuse et illustre. Clerval tenait à entrer en relation avec les hommes de génie et de talent fameux à cette époque ; mais ce n'était là pour moi qu'un projet secondaire ; je voulais surtout me procurer les renseignements nécessaires à l'exécution de ma promesse, et j'utilisai rapidement les lettres d'introduction que j'avais apportées, et qui s'adressaient aux physiciens les plus distingués.

Si ce voyage avait eu lieu à l'époque où j'étais étudiant et heureux, il aurait été pour moi la source d'un plaisir inexprimable. Mais un poison subtil avait envahi ma vie : je n'allais voir ces gens que pour ce qu'ils pourraient m'apprendre sur un sujet qui m'intéressait de façon si profonde et si terrible. La société m'était à charge ; quand j'étais seul, je pouvais emplir mon esprit des spectacles des cieux et de la terre ; la voix d'Henri me calmait, et je réussissais à me donner l'illusion d'une paix éphémère. Mais la vue de visages affairés, insignifiants et joyeux, ramenait le désespoir en mon cœur. J'apercevais un obstacle insurmontable entre moi-même et mes semblables ; cet obstacle était teint du sang de William et de Justine ; et songer aux événements évoqués par leurs noms, accablait mon âme de souffrance.

En Clerval, au contraire, j'apercevais l'image de mon moi d'autrefois ; c'était un esprit curieux, avide d'expérience et de savoir. Les mœurs nouvelles qu'il obser-

vait étaient pour lui une source inépuisable de faits et
de distractions. Lui aussi poursuivait un objet depuis
longtemps aperçu : il voulait visiter l'Inde, croyant que
sa connaissance des diverses langues de ce pays et
l'étude qu'il avait faite de sa civilisation, lui permet-
traient de contribuer puissamment à étendre la coloni-
sation et le commerce des Européens. Ce n'était qu'en
Angleterre qu'il pouvait avancer l'exécution de son
projet. Son activité ne s'interrompait jamais ; et le seul
obstacle à ses joies venait de mon chagrin et de ma
dépression. J'essayais de les cacher le plus possible,
pour ne pas lui interdire les plaisirs naturels à un
homme libre de soucis ou de souvenirs amers au moment où il s'avance sur un théâtre nouveau de vie
humaine. Je refusais souvent de l'accompagner, allé-
guant un autre engagement pour pouvoir rester seul. Je
commençais, en outre, à rassembler les matériaux nécessaires à ma création nouvelle, et c'était une torture
semblable à la chute continuelle d'une goutte d'eau sur
ma tête. Chacune des pensées que j'y consacrais me
causait une angoisse extrême ; chacune de mes paroles,
lorsque j'y faisais allusion, faisait trembler mes lèvres
et palpiter mon cœur.

Après avoir passé quelques mois à Londres, nous
reçûmes une lettre d'un Écossais qui nous avait fait
visite à Genève. Il parlait des beautés de son pays natal,
et nous demandait si elles ne devaient point suffire à
nous faire prolonger notre voyage jusqu'à Perth, où il
résidait. Clerval tenait beaucoup à accepter son invita-
tion ; et moi-même, quoique incapable de souffrir la
société, je voulais revoir les montagnes et les torrents,
et toutes les œuvres merveilleuses dont la Nature em-
bellit les lieux qu'elle a choisis pour son séjour.

Arrivés en Angleterre au commencement d'octobre,
nous étions alors en février. Nous décidâmes donc de
partir pour le nord un mois après. Nous ne voulions
pas, au cours de cette expédition, suivre la grande
route d'Édimbourg, mais visiter Windsor, Matlock, les
lacs de Cumberland, pour terminer ce voyage vers la
fin de juillet. J'emballai mes instruments de laboratoire

et les matériaux que j'avais rassemblés, décidant d'achever mes travaux dans quelque coin obscur des montagnes du nord de l'Écosse.

Nous quittâmes Londres le 27 mars, et nous nous arrêtâmes quelques jours à Windsor, parcourant en tous sens sa forêt magnifique. C'était là un spectacle nouveau pour nous autres montagnards : la majesté des chênes, l'abondance du gibier, les troupeaux de cerfs majestueux nous étaient encore inconnus. De là, nous nous rendîmes à Oxford. En pénétrant dans cette cité, nous étions absorbés par le souvenir des événements qui s'y étaient accomplis plus d'un siècle et demi auparavant. C'était là que Charles Ier avait rassemblé ses forces. La cité lui était restée fidèle quand toute la nation avait abandonné sa cause pour suivre l'étendard du parlement et de la liberté. Le souvenir de ce roi malheureux et de ses compagnons, — l'aimable Falkland, l'insolent Goring, — de sa reine et de son fils, donnaient un intérêt particulier à toutes les parties de cette ville où l'on pouvait supposer qu'ils avaient résidé. L'esprit des temps lointains y trouvait un abri, et nous prenions plaisir à en suivre les traces. Si notre imagination n'avait pu fournir d'aliments à cet état d'âme, l'aspect de la ville elle-même était assez remarquable pour susciter notre admiration. Les collèges sont vénérables et pittoresques ; les rues sont presque somptueuses ; et l'exquise Isis, qui coule près de la ville, au milieu de prairies d'une verdure merveilleuse, s'étend en une nappe tranquille où se reflètent le majestueux ensemble de tours, de flèches et de dômes au sein des arbres séculaires.

Je jouissais de ce spectacle ; et pourtant ma joie était empoisonnée à la fois par le souvenir du passé et par la crainte de l'avenir. J'étais fait pour goûter un bonheur paisible. Pendant ma jeunesse, jamais mon sort ne m'avait inspiré de mécontentement : si parfois l'ennui me surprenait, la vue des beautés de la nature, ou l'étude de ce qu'il y a de sublime dans les œuvres humaines, avaient toujours réussi à intéresser mon cœur et à donner du ressort à mon courage. Mais je suis un arbre frappé par la foudre : le coup a pénétré mon âme ; je sentis alors que je survivrais pour fournir, jusqu'à ma mort prochaine, le misérable spectacle d'une épave humaine, objet de pitié pour les autres, intolérable à moi-même.

Nous passâmes à Oxford un temps considérable, explorant les environs et nous efforçant de retrouver chaque endroit où avait pu se produire un événement quelconque de cette période la plus passionnante de l'histoire d'Angleterre. Nos excursions et nos recherches se prolongeaient souvent avec les objets successifs qui se présentaient d'eux-mêmes. Nous nous rendîmes à la tombe de l'illustre Hampden et sur les lieux où tomba ce héros de l'indépendance. Pendant un instant, mon âme s'éleva au-dessus de ses peurs avilissantes et misérables, pour contempler les idées divines de liberté et d'abnégation que ces monuments proclament et enseignent. Pendant un instant, j'osais secouer mes chaînes, et jeter autour de moi les regards d'une âme libre et fière ; mais le fer était entré dans ma chair, et je retombai, tremblant et désespéré, en mon moi misérable.

Nous quittâmes Oxford à regret, et nous nous rendîmes à Matlock où nous avions décidé de faire notre prochaine halte. Le pays, aux alentours de ce village, ressemblait davantage à la Suisse ; mais tout y est à une échelle inférieure, et les collines verdoyantes n'y ont point cette couronne des Alpes blanches et lointaines, toujours présente sur les montagnes couvertes de pins de mon pays natal. Nous visitâmes la grotte merveilleuse, et les petites collections d'histoire naturelle où les curiosités sont disposées de la même façon que dans les musées de Servox et de Chamonix. Ce dernier nom me fit trembler lorsque Henry le prononça ; et je me hâtai de quitter Matlock, qui suggérait ainsi la vision de cette scène effrayante.

Au-delà de Derby, poussant toujours plus au nord, nous passâmes deux mois dans le Cumberland et le Westmoreland. Je me figurais presque être alors au milieu des montagnes suisses. Les taches de neige qui s'attardaient encore au flanc nord des montagnes, les lacs et l'élan des torrents rocheux, étaient des spectacles familiers et chers à mes yeux Là encore, nous fîmes quelques connaissances qui réussirent presque à me donner l'illusion du bonheur. La joie de Clerval, comparée à la mienne, était d'autant plus grande, son esprit s'exhaltait dans la société des hommes de talent, et il trouvait en sa propre nature des capacités et des ressources plus grandes qu'il n'aurait pu soupçonner en lui-même quand il ne fréquentait que des inférieurs. « Je pourrais passer ici ma vie, me disait-il. Au milieu de ces montagnes, c'est à peine si je regretterais la Suisse et le Rhin.»

Mais il s'aperçut que la vie du voyageur comporte beaucoup d'efforts au milieu de ses plaisirs : ses sentiments sont sans cesse tendus ; et lorsqu'il commence à s'abandonner au repos, il se voit contraint de quitter ce qui lui procure une joie calme, pour un objet nouveau qui absorbe à son tour son attention, et qu'il abandonne de même pour une nouveauté différente.

Nous avions à peine fini d'explorer les divers lacs du Cumberland et du Westmoreland, et nous commencions à peine à nous attacher à certains habitants, quand arriva l'époque de notre rendez-vous avec notre ami écossais, et que nous dûmes poursuivre notre route. Personnellement, je ne les regrettais pas ; il y avait déjà longtemps que je négligeais ma promesse, et je craignais les effets de la déception du démon. Peut-être était-il resté en Suisse et assouvirait-il sa haine sur les miens ; cette idée me poursuivait, et me tourmentait à chacun des instants où j'aurais pu goûter quelque repos et quelque paix. J'attendais ma correspondance avec une impatience fiévreuse ; le moindre retard me rendait malheureux et sujet à mille craintes, et lorsqu'elle arrivait, et que je reconnaissais l'écriture d'Elizabeth ou de mon père, c'est à peine si j'osais lire et connaître mon sort. Parfois, je me voyais poursuivi par le démon, que je croyais capable de chercher à abréger mon retard en assassinant mon compagnon. Quand ces pensées s'emparaient de moi, je ne quittais pas Henry un seul instant, mais je le suivais comme son ombre pour le protéger contre la rage imaginée de son meurtrier. Il me semblait avoir commis quelque crime immense dont le remords me hantait. J'étais innocent, mais en vérité j'avais attiré sur ma tête une malédiction horrible, aussi mortelle que celle du crime lui-même.

Je visitai Édimbourg, le regard et l'esprit languissants. Pourtant, cette cité aurait pu intéresser l'être le plus infortuné. Clerval ne l'aimait pas autant qu'Oxford, car l'antiquité de cette dernière ville le charmait davantage. Mais la beauté et la régularité de la ville neuve d'Édimbourg, son château pittoresque et ses environs, les plus agréables du monde, la retraite d'Arthur, le puits de Saint-Bernard et les collines de Pentland, le dédommageaient du changement et le remplissaient de joie et d'admiration. J'étais, au contraire, impatient d'arriver au terme de mon voyage.

Nous quittâmes Édimbourg au bout d'une semaine, en passant par Coupar, Saint-Andrews, et le long des rives de la Tay, jusqu'à notre arrivée à Perth où nous attendait notre ami. Mais je n'étais aucunement disposé à me réjouir et à m'entretenir avec des étrangers, ni à partager leurs sentiments ou leurs projets avec la bonne humeur que l'on attend d'un invité ; je déclarai donc à Clerval que je voulais explorer seul l'Écosse. «Amusez-vous seul, lui dis-je ; et que cet endroit soit notre lieu de rendez-vous. Il se peut que je sois absent un mois ou deux ; mais ne vous inquiétez pas de mes déplacements, je vous en prie ; laissez-moi, pendant une courte période, à ma paix et à ma solitude ; et quand je reviendrai, j'espère que ce sera d'un cœur plus léger, plus en harmonie avec votre propre caractère. »

Henry voulait me dissuader de ce projet ; devant mon insistance, il cessa cependant de s'y opposer. Il me pressa de lui écrire souvent. «Je préférerais être près de vous, me dit-il, au cours de vos excursions solitaires, plutôt qu'avec ces Écossais que je ne connais point. Hâtez-vous donc, mon cher ami, de revenir, pour que de nouveau je me sente à l'aise, ce qui ne saurait être en votre absence. »

Après avoir quitté mon ami, je résolus de me rendre en quelque endroit écarté de l'Écosse, et de terminer mon œuvre dans la solitude. Je ne doutais point que le monstre ne me suivît et qu'il ne se présentât à moi quand je l'aurais achevée, pour recevoir alors sa compagne.

Je traversai donc, dans cette intention, les montagnes du nord de l'Écosse, et je choisis, pour y accomplir ma tâche, une des Orcades les plus éloignées. C'était un lieu propre à ce travail, à peine autre chose qu'un rocher dont les flancs escarpés étaient continuellement battus des vagues. Le sol était stérile; il fournissait à peine de quoi nourrir quelques vaches, et un peu de farine d'avoine à ses habitants, cinq personnes dont les membres maigres et décharnés témoignaient de leur misérable chère. Lorsqu'ils voulaient goûter les douceurs des légumes et du pain, et même de l'eau douce, il leur fallait gagner la terre ferme, d'où cinq milles environ les séparaient.

Sur toute l'île ne se trouvaient que trois masures misérables, dont l'une était inoccupée lors de mon arrivée; je la louai; elle n'avait que deux pièces, où s'étalait la saleté de la misère la plus lamentable. Le chaume s'était effondré, le plâtre des murs était tombé, et la porte ne tenait plus sur ses gonds. Je la fis réparer; j'achetai quelques meubles et je m'y installai; événement qui sans doute eût excité la surprise, si le besoin et la pauvreté la plus abjecte n'eussent émoussé les sens des habitants. Je vécus donc ainsi à l'abri des regards et des ennuis sans presque recevoir de remerciements pour mes aumônes de nourriture et de vêtements, à tel point la souffrance efface jusqu'aux émotions les plus primitives des hommes.

Dans cette retraite, je consacrais la matinée au travail; mais le soir, quand le temps le permettait, je me promenais sur la plage pierreuse de la mer, pour écouter les flots qui mugissaient et s'élançaient à mes pieds. C'était là un spectacle monotone, et pourtant toujours nouveau. Je songeais à la Suisse, si différente de ce paysage désolé et accablant: ses coteaux sont couverts de vignes, et ses chalets nombreux se dispersent dans les plaines. Ses lacs limpides réfléchissent la douceur du ciel bleu ; et lorsque le vent les trouble, leur tumulte ressemble aux jeux d'un petit enfant qui s'anime, quand on les compare aux rugissements du gigantesque océan.

C'est ainsi que je répartis mon activité dès mon arrivée ; mais à mesure qu'avançait mon travail, il me devenait de jour en jour plus horrible et odieux. Parfois, pendant plusieurs jours de suite, je ne pouvais me contraindre à pénétrer dans mon laboratoire ; parfois, je m'acharnais nuit et jour à poursuivre mon travail. C'était, en vérité, une écœurante tâche que celle que je m'étais assignée. Au cours de ma première expérience, une sorte de frénésie enthousiaste me voilait l'horreur de ma besogne ; mon esprit s'absorbait tout entier à mener à bien mon œuvre, et mes yeux se fermaient à l'horreur de ses détails. Cette fois, au contraire je travaillais de sang-froid, le cœur me manquait souvent devant le travail de mes mains.

C'est ainsi, accaparé par la plus exécrable des occupations, plongé dans une solitude où rien ne pouvait un seul instant distraire mon attention du spectacle même qui m'absorbait, que mon équilibre disparut. Je devins agité et nerveux. A chaque instant je craignais de me trouver face à face avec mon persécuteur. Parfois, je restais les yeux fixés sur le sol, n'osant les lever de peur de rencontrer l'objet que je craignais tant d'apercevoir. Je craignais de m'éloigner des regards de mes semblables, de peur que, pendant ma solitude, il ne vînt réclamer sa compagne.

Cependant, je poursuivais mon travail, déjà considérablement avancé. J'attendais son achèvement en tremblant de désir, et d'un espoir que je n'osais mettre en doute, mais entremêlé de pressentiments obscurs et terribles qui faisaient s'évanouir en moi mon courage.

CHAPITRE XX

J'étais assis un soir dans mon laboratoire ; le soleil était couché et la lune se levait sur la mer ; je n'avais pas assez de lumière pour continuer, et je restais oisif, me demandant si j'interromprais mon travail pendant la nuit, où si j'en hâterais l'achèvement en m'y donnant sans relâche. Tandis que je veillais, une série de réflexions m'amenèrent à étudier les résultats de mes efforts actuels. Trois ans auparavant je me consacrais à une œuvre semblable, et j'avais créé un démon dont la barbarie sans exemple avait semé la désolation dans mon cœur et le remords le plus amer. Or, j'étais sur le point de composer une créature dont le caractère m'était également inconnu ; elle pouvait devenir mille fois aussi criminelle que sa pareille, et prendre plaisir pour eux-mêmes à l'assassinat et au mal. Lui avait juré de quitter les régions habitées par l'homme et de se cacher dans les déserts ; mais non pas elle ; et celle-ci, qui selon toute probabilité, allait devenir un animal doué de pensée et de raison, refuserait peut-être de se plier à un pacte fait avant sa création. Peut-être même se haïraient-ils l'un l'autre ; celui qui vivait déjà exécrait sa propre difformité ; ne concevrait-il pas pour elle une horreur plus grande encore quand elle se présenterait à ses yeux sous la forme féminine ? Et elle aussi pourrait se détourner de lui avec dégoût vers la beauté supérieure de l'homme ; elle le quitterait peut-être, et il se retrouverait seul, exaspéré par la provocation nouvelle d'un abandon par un être de son espèce.

Et même s'ils quittaient l'Europe et allaient habiter

les déserts du Nouveau Monde, un des premiers résultats de ces sympathies dont le démon éprouvait le besoin, serait la naissance d'enfants, et une race de démons se propagerait sur terre, qui ferait peut-être de l'existence même de l'espèce humaine une condition précaire et où régnerait la terreur. Avais-je le droit, dans mon propre intérêt, d'imposer éternellement ce fléau aux générations à venir ? J'avais jadis été ému par les sophismes de l'être que j'avais créé ; ses menaces infernales m'avaient privé de mes sens ; mais alors, pour la première fois, le danger de ma promesse m'apparut soudain ; je tremblai à la pensée que les siècles à venir me maudiraient peut-être comme l'être responsable de leur malheur, dont l'égoïsme n'avait pas hésité à acheter sa propre paix au prix de l'existence, peut-être, de la race humaine tout entière.

Je tremblais et me sentais défaillir, quand, levant les yeux, j'aperçus au clair de lune, le démon à ma fenêtre. Un ricanement sinistre rida ses lèvres au moment où il me regarda, tandis que je me consacrais à la tâche qu'il m'avait assignée. A coup sûr, il m'avait suivi dans mes voyages ; il s'était arrêté dans les forêts, caché dans des grottes ou réfugié dans les landes immenses et désertes ; et il était maintenant là pour suivre mon travail et réclamer l'accomplissement de ma promesse.

Tandis que je le regardais, sa physionomie exprimait la malice et la traîtrise les plus noires. Je ressentis une sensation de folie en songeant à ma promesse de créer un second être pareil à lui, et tremblant de colère, je déchirai en lambeaux l'œuvre que j'avais commencée. Le misérable me vit détruire la créature dont dépendait le bonheur de sa vie à venir, et disparut en poussant un hurlement de désespoir et de vengeance.

Je quittai la pièce, et fermant la porte à clé, je fis en mon cœur le serment solennel de ne jamais reprendre mes travaux ; puis, d'un pas tremblant, je me rendis dans ma propre chambre. J'étais seul ; nul n'était près de moi pour dissiper les ténèbres, ni pour me soulager de l'oppression accablante issue de cauchemars terribles.

Plusieurs heures se passèrent, et je restais près de ma fenêtre à contempler la mer ; elle était presque immobile, car les vents étaient assoupis, et la nature entière reposait sous le regard de la lune sereine. Seules quelques barques de pêche faisaient tache sur l'onde, et de temps à autre une douce brise m'apportait le bruit de la voix des pêcheurs s'appelant les uns les autres. Je sentais le silence, bien qu'à peine conscient de sa profondeur extrême, quand soudain je perçus le clapotis de rames tout auprès du rivage, et quelqu'un aborda tout près de mon logis.

Quelques minutes après, j'entendis craquer ma porte, comme si on essayait de l'ouvrir doucement. Je tremblais de la tête aux pieds ; je pressentais qui venait ; je voulus avertir un des paysans qui habitaient une chaumière proche de la mienne ; mais je fus accablé d'une sensation d'impuissance, que déjà j'avais si souvent éprouvée au cours de ces cauchemars terribles où l'on essaie en vain d'échapper à un danger menaçant, et je me sentis cloué au sol.

Bientôt j'entendis des pas dans le corridor ; la porte s'ouvrit, et le misérable que j'attendais apparut. Fermant la porte, il s'approcha de moi, et me dit d'une voix étouffée :

— Vous avez détruit l'œuvre que vous aviez commencée ; quelle est donc votre intention ? Oserez-vous rompre votre promesse ? J'ai supporté le travail et la détresse ; j'ai quitté la Suisse en même temps que vous ; j'ai suivi secrètement les rives du Rhin ; je suis passé par ses îles couvertes de saules et j'ai franchi les sommets de ses monts. J'ai habité plusieurs mois les landes de l'Angleterre et les déserts de l'Écosse. J'ai enduré des fatigues immenses, le froid et la faim ; oserez-vous détruire mes espérances ?

— Disparaissez ! En effet, je romps ma promesse ; jamais je ne créerai d'être semblable à vous, d'une difformité et d'une malice égales.

— Esclave ! Jadis j'ai raisonné avec vous, mais vous vous êtes démontré indigne de ma condescendance. Souvenez-vous de ma puissance ; vous vous croyez malheureux, mais je peux vous rendre à tel point misérable que la lumière du jour vous sera odieuse. Vous êtes mon créateur, mais je suis votre maître, obéissez !

— L'heure de mon irrésolution est passée, et celle de votre puissance est arrivée. Vos menaces ne peuvent m'émouvoir jusqu'à me faire accomplir un acte de méchanceté ; mais elles me confirment dans ma résolution de ne pas vous créer une compagne dans le crime. Vais-je donc, de sang-froid, lâcher sur le monde un démon dont la joie réside dans la mort et le malheur ? Partez ! Je suis ferme, et vos paroles ne feront qu'exaspérer ma rage.

Le monstre vit ma détermination peinte sur mon visage, et grinça des dents, dans l'impuissance de sa colère.

— Chaque homme, s'écria-t-il, trouvera donc une épouse pour son sein, et chaque bête aura sa femelle, tandis que je resterai seul ? J'avais en moi des sentiments d'affection, qui ont trouvé pour récompense la haine et le mépris. Homme ! tu peux haïr, mais prends garde ! tes heures se passeront dans la terreur et la souffrance, et le coup tombera bientôt qui doit te ravir le bonheur pour toujours. Seras-tu heureux tandis que je m'avilirai dans l'intensité de ma souffrance ? Tu peux détruire mes autres passions, mais la vengeance me reste, la vengeance ! désormais plus chère à mon cœur que la lumière ou la nourriture ! Je mourrai peut-être, mais toi d'abord, mon créateur et mon bourreau, tu maudiras le soleil qui contemplera ta misère. Prends garde ; car je suis sans peur, par conséquent puissant. Je veillerai avec la ruse du serpent pour pouvoir piquer du même venin. Homme, tu te repentiras du mal que tu causes !

— Cesse, démon, d'empoisonner l'air de ces paroles de haine. Je t'ai fait connaître ma résolution, et ne suis pas lâche au point de me courber sous des mots. Va-t'en, je suis inexorable.

— Bien, je pars ; mais souviens-toi ! je serai près de toi le soir de ton mariage.

Je bondis en avant et m'écriai :

— Lâche ! avant de signer mon arrêt de mort, assure-toi d'abord de ta propre sécurité.

Je l'aurais saisi ; mais il m'échappa et quitta précipitamment la maison. Quelques instants après, je le vis dans sa barque, qui s'élança sur les eaux avec la rapidité de la flèche et se perdit bientôt au milieu des vagues.

Tout redevint silencieux, mais ses paroles résonnaient encore à mes oreilles. Je brûlais du désir furieux de poursuivre le destructeur de ma paix et de le précipiter dans l'océan. Je parcourais ma chambre avec hâte et dans le trouble, tandis que mon imagination évoquait mille scènes qui m'angoissaient et me suppliciaient. Pourquoi ne l'avais-je pas suivi, et attaqué corps à corps en une lutte mortelle ? Mais je l'avais laissé partir, et il s'était dirigé vers la terre. Je frémissais en me demandant quelle serait la première victime sacrifiée à son insatiable vengeance. Puis je me souvenais encore de ses paroles : *Je serai près de toi le soir de ton mariage.* Telle était donc la date fixée pour l'accomplissement de ma destinée. C'était alors que je mourrais, pour satisfaire et éteindre à la fois sa haine. Cette perspective ne me causait aucune peur ; pourtant, quand je songeais à mon Elizabeth bien-aimée, à ses larmes et à son chagrin sans fin en voyant si cruellement arraché de ses bras celui qui l'aimait, des larmes, les premières que j'eusse versées depuis des mois, coulèrent de mes yeux ; et je résolus de ne pas tomber sous les coups de mon ennemi sans lutter désespérément.

La nuit s'écoula, et le soleil se leva sur l'océan ; mes sentiments se calmèrent, si l'on peut appeler calme cet état où la rage disparaît dans la profondeur du désespoir. Je quittai la demeure où avait eu lieu cette discussion horrible, et je me promenai sur la plage de la mer, que je considérais presque comme une barrière insurmontable entre moi et mes semblables ; bien plus, j'allais jusqu'à souhaiter qu'il en fût ainsi. J'aurais voulu pouvoir passer ma vie sur ce rocher stérile, vie morne il est vrai, mais sans jamais subir le choc soudain d'un

malheur. Si je repartais, c'était pour être sacrifié, ou
pour voir ceux que j'aimais le plus mourir sous
l'étreinte d'un démon créé par moi-même.

Je parcourais l'île comme un spectre sans repos,
séparé de tout ce qu'il aime et angoissé de cette sépara-
tion. Lorsque le soleil atteignit sa hauteur du midi, je
m'étendis sur l'herbe, et un sommeil profond m'accabla. J'étais resté éveillé toute la nuit précédente, mes
nerfs étaient agités, et mes yeux enflammés à force de
veille et de souffrance. Le sommeil où je tombai alors
me rafraîchit ; quand je me réveillai, il me sembla de
nouveau appartenir à une race d'êtres semblables à
moi-même, et je me mis à réfléchir avec plus de calme
sur ce qui s'était passé ; pourtant, les paroles du démon
retentissaient toujours comme un glas à mes oreilles ;
elles avaient l'apparence d'un rêve, mais avec la netteté
et le poids de la réalité.

Le soleil était déjà bas, et j'étais encore assis sur le
rivage, calmant ma faim, devenue intense, à l'aide d'un
gâteau d'avoine, lorsque je vis une barque de pêche
atterrir près de moi ; un des hommes m'apporta un
paquet ; il contenait des lettres de Genève, et une de
Clerval insistant pour que je le rejoignisse. Il disait que
son temps se passait inutilement où il se trouvait ; que
des lettres des amis qu'il s'était faits à Londres souhai-
taient son retour pour conclure les négociations enta-
mées en vue de son voyage aux Indes. Il ne pouvait
ajourner davantage son départ ; mais comme son retour
à Londres pouvait être suivi, plus tôt même qu'il ne le
supposait alors, de son grand voyage il me suppliait de
lui accorder le plus possible de mon temps. Il me
conjurait donc de quitter mon île solitaire et de le
rencontrer à Perth, pour partir ensemble vers le sud.
Cette lettre me rappela, dans une grande mesure, à la
vie, et je résolus de quitter mon île dans les deux jours.

Cependant, avant de partir, il me fallait accomplir
un acte dont la pensée me faisait frissonner ; il fallait
emballer mes instruments de laboratoire, entrer pour
cela dans la pièce où avait eu lieu mon affreux travail,
et manier des objets dont la vue m'atterrait. Le lende-

main matin, au lever du jour, je rassemblai mon courage et j'ouvris la porte de mon laboratoire. Les restes de la créature à demi formée que j'avais détruite, étaient éparpillés sur le plancher, et il me semblait presque avoir mutilé la chair vivante d'un être humain. Je m'arrêtai pour me recueillir, je pénétrai dans la pièce. D'une main tremblante j'emportai les instruments; mais je réfléchis que je ne devrais point laisser là les restes de mon œuvre, qui exciteraient l'horreur et les soupçons des paysans; je les mis donc dans un panier avec une grande quantité de cailloux, et les ayant rangés, je résolus de les jeter dans la mer le soir même; dans l'intervalle, je restai assis sur la grève, à nettoyer et à mettre en ordre mes appareils de chimie.

Nul changement ne saurait être plus complet que celui qui s'était produit en moi depuis la nuit où le démon m'était apparu. Je considérais auparavant ma promesse avec des sentiments de ténébreux désespoir, comme devant être remplie en dépit de toutes les conséquences possibles; il me semblait désormais qu'un voile était tombé devant mes yeux, et que pour la première fois j'y voyais clairement. L'idée de reprendre mes travaux ne se présenta pas une seule fois à mon esprit; la menace que j'avais entendue était un poids sur ma pensée, mais je ne réfléchissais pas qu'un acte volontaire de ma part pût l'écarter. J'avais décidé en mon esprit que la création d'un autre être semblable au démon que j'avais d'abord formé, serait un acte de l'égoïsme le plus vil et le plus atroce; et je bannissais de mon esprit toute pensée susceptible de conduire à une conclusion différente.

Entre deux et trois heures du matin, la lune se leva; mettant alors mon panier sur un petit bateau, je m'éloignai jusqu'à environ quatre milles du rivage. L'endroit était complètement solitaire; quelques barques rentraient vers la terre, mais je pris une direction opposée. Il me semblait que j'allais commettre un crime épouvantable, et que j'évitais avec un frisson d'angoisse, toute rencontre avec mes semblables. A un certain moment la lune, limpide l'instant d'auparavant, passa soudain sous un nuage épais, et je profitai de l'ombre pour jeter mon panier dans la mer ; j'écoutai le bouillonnement qu'il fit en s'enfonçant, et m'éloignai de l'endroit. Des nuages couvrirent le ciel, mais l'air était pur, bien que refroidi par une brise qui se levait du nord-est ; il me rafraîchit, et me remplit de sensations si agréables que je résolus de prolonger mon séjour sur l'eau ; je fixai donc le gouvernail dans le sens où voguait le bateau, et je m'étendis au fond de l'embarcation. Des nuages cachaient la lune, tout était obscur, et je n'entendais que le bruit de la quille fendant les flots ; bercé par ce murmure, je tombai, en peu de temps, dans un profond sommeil.

Je ne sais combien de temps je restai ainsi, mais, quand je m'éveillai, je vis que le soleil était déjà très haut. Le vent était fort, et les vagues menaçaient continuellement la sécurité de mon esquif. Je m'aperçus que le vent venait du nord-est, et qu'il devait m'avoir entraîné loin de la côte où je m'étais embarqué. J'essayai de changer de direction, mais je m'aperçus bientôt que si je continuais, le bateau s'emplirait immédiatement d'eau. Dans cette situation, je n'avais qu'à me laisser pousser par le vent. J'avoue avoir éprouvé quelques sensations de terreur. Je n'avais pas de boussole, et je connaissais si mal la géographie de cette partie du monde, que le soleil ne me servait guère. J'aurais pu être chassé vers les déserts de l'Atlantique, subir toutes les tortures de la faim, ou disparaître au milieu des vagues immenses qui mugissaient et s'entrechoquaient autour de moi. Il y avait déjà bien des heures que j'étais parti, et je sentais le tourment d'une soif ardente, prélude de mes autres souffrances. J'observai les cieux, couverts de nuages chassés par le vent et qui se succédaient sans cesse. Je considérai la mer, qui devait être ma tombe. « Démon ! m'écriai-je, ton œuvre est déjà presque achevée ! » Je pensai à Elizabeth, à mon père et à Clerval, que j'avais laissés tous derrière moi, et sur lesquels le monstre pouvait assouvir ses passions les plus sanguinaires et les plus inexorables. Cette pensée me plongea dans un cauchemar si désespéré et si effrayant, que maintenant même, alors que cette scène est sur le point de disparaître à mes yeux pour toujours, je frémis d'y songer.

Plusieurs heures se passèrent ainsi ; mais peu à peu, tandis que le soleil baissait vers l'horizon, le vent se changea en une brise légère, et les grandes lames disparurent de la mer. Cependant elles firent place à une forte houle ; je me sentis malade, et c'est à peine si j'étais capable de tenir le gouvernail, quand j'aperçus soudain vers le sud la crête d'une haute falaise.

Presque épuisé de fatigue et par l'attente terrible de ces longues heures, cette certitude soudaine de survivre envahit mon cœur comme un flot tiède de joie, et les larmes jaillirent de mes yeux.

Que nos sentiments sont donc changeants, et combien étrange cet amour ardent de la vie même au milieu de la plus extrême misère ! Je fis une autre voile avec une partie de mes habits, et me dirigeai impatiemment vers la terre. Elle semblait rocheuse ; mais, en approchant davantage, j'y aperçus des traces de culture. Je vis des vaisseaux près du rivage, et me trouvai soudain transporté dans le voisinage de la civilisation des hommes. J'observai exactement les sinuosités du terrain, et me guidai sur un clocher que je vis surgir derrière un petit promontoire. Dans l'état d'extrême faiblesse où je me trouvais, je résolus de me diriger directement vers la ville, où je me procurerais le plus facilement de la nourriture. J'avais heureusement de l'argent sur moi. En doublant le promontoire, j'aperçus une ville coquette et un beau port, dans lequel j'entrai, le cœur exultant de joie, tant je m'attendais peu à être ainsi sauvé.

Tandis que je m'occupais d'amarrer le bateau et de plier les voiles, plusieurs personnes s'assemblèrent autour de moi ; elles paraissaient très surprises de mon apparition ; mais au lieu de m'offrir une aide quelconque, elles chuchotaient ensemble avec des gestes qui, en toute autre circonstance, m'eussent quelque peu alarmé. Je remarquai seulement alors qu'elles parlaient anglais, et je m'adressai donc à elles dans cette langue.

— Mes chers amis, leur dis-je, auriez-vous la bonté
de m'apprendre le nom de cette ville, et de me dire où
je suis ?

— Vous le saurez bientôt, me répondit un homme
d'une voix rauque. Vous ne trouverez peut-être pas
l'endroit de votre goût ; mais on ne vous demandera
pas votre avis pour vous loger, vous pouvez en être sûr.

Je fus fort surpris de recevoir d'un étranger une
réponse aussi brutale ; et l'expression hostile et irritée
de ses compagnons me déconcerta de même.

— Pourquoi me répondez-vous si peu civilement ?
répliquai-je. A coup sûr ce n'est pas l'habitude des
Anglais de recevoir les étrangers de façon si peu hos-
pitalière.

— Je ne sais pas, dit l'homme, quelle peut être
l'habitude des Anglais ; mais c'est l'habitude des Irlan-
dais de haïr les criminels.

Pendant cette étrange conversation, je vis la foule
augmenter rapidement. Les visages exprimaient un
mélange de curiosité et de colère, qui me troublait, et,
dans une certaine mesure, m'alarmait. Je demandai le
chemin de l'auberge ; mais personne ne me répondit.
Je me mis alors en marche, et un murmure s'éleva de la
foule, qui me suivait et m'accompagnait ; puis un
homme à l'air sinistre s'approcha de moi, me frappa
sur l'épaule et me dit :

— Venez, monsieur, et suivez-moi chez
Mr. Kirwin, pour vous expliquer.

— Qui est Mr. Kirwin ? Pourquoi veut-on que je
m'explique ? Ne sommes-nous pas en pays libre ?

— Certainement, monsieur, libre pour les honnêtes
gens, Mr. Kirwin est magistrat ; et vous vous explique-
rez sur la mort d'un gentilhomme qui a été trouvé
assassiné hier soir.

Cette réponse me fit tressaillir ; mais je retrouvai vite
mon calme. J'étais innocent ; la preuve en était facile ;
je suivis mon guide en silence, et je fus conduit dans
une des plus belles maisons de la ville. J'étais sur le
point de tomber de fatigue et de faim ; mais, au milieu
de la foule, je crus politique de rassembler toutes mes

forces, pour qu'aucune faiblesse physique ne fût inter-
prétée comme un signe de peur ou d'une conscience
criminelle. Je me doutais peu alors de la calamité qui,
quelques instants après, devait m'accabler, et faire
sombrer dans l'horreur et le désespoir toute crainte de
déshonneur ou de mort.

Il faut ici que je m'arrête ; car j'ai besoin de tout mon
courage pour évoquer, dans la précision de leurs détails, le souvenir des événements affreux que je vais
vous narrer.

CHAPITRE XXI

Je fus bientôt introduit en la présence du magistrat, vieillard bienveillant, aux manières calmes et douces. Il me considéra cependant avec une certaine sévérité ; puis, se tournant vers ceux qui m'avaient amené, il demanda quelles personnes étaient citées comme témoins en l'occurrence.

Environ une douzaine se présentèrent ; le magistrat désigna un homme, qui déposa qu'étant en train de pêcher la veille au soir avec son beau-frère, Daniel Nugent, ils avaient remarqué, vers dix heures, que la bise s'élevait avec force du nord, et ils avaient repris la direction du port. La nuit était très sombre, la lune ne s'étant pas encore levée ; ils n'abordèrent pas au port, mais, selon leur coutume, dans une crique située à environ deux milles plus bas. Lui marchait le premier, portant une partie des engins de pêche, et ses compagnons le suivaient à une certaine distance. En avançant le long des sables, son pied avait heurté quelque chose, et il était tombé tout de son long sur le sol. Ses compagnons étaient venus à son aide ; et, à la lueur de leur lanterne, ils s'aperçurent qu'il était tombé sur le corps d'un homme qui, selon toute apparence, était mort. Ils supposèrent d'abord que c'était le cadavre d'un noyé, que les vagues avaient rejeté sur le rivage. Mais, en l'examinant, ils constatèrent que les habits n'étaient pas mouillés, et même que le corps n'était pas encore froid. Ils l'avaient transporté de suite tout près de là, dans la chaumière d'une vieille, et avaient essayé, sans succès, de le ramener à la vie. Ce semblait être un beau jeune homme, d'environ vingt-cinq ans. Il paraissait avoir été étranglé, car nul signe de violence n'était visible, sauf les marques noires des doigts sur le cou.

La première partie de cette déposition ne m'intéressa en aucune manière ; mais quand on fit allusion à la marque des doigts, je me rappelai le meurtre de mon frère, et je ressentis un trouble extrême ; mes membres tremblèrent et un brouillard voila mes yeux, de telle sorte que je dus m'appuyer sur une chaise pour me soutenir. Le magistrat m'observait d'un regard aigu, et ne manqua pas de tirer de mon attitude un augure défavorable.

Le fils corrobora le récit de son père ; mais quand Daniel Nugent fut appelé, il jura sans hésiter qu'immédiatement avant la chute de son compagnon, il avait aperçu un bateau conduit par un homme seul, à peu de distance du rivage, et qu'autant qu'il était possible d'en juger à la lueur de quelques étoiles, c'était le bateau même d'où je venais de débarquer.

Une femme déposa qu'elle habitait près de la grève, et qu'étant debout à la porte de sa chaumière à attendre le retour des pêcheurs, une heure avant d'avoir entendu parler de la découverte du corps, elle avait vu un bateau, conduit par un homme seul, s'éloigner de l'endroit du rivage où l'on avait, par la suite, trouvé le cadavre.

Une autre femme confirma le récit des pêcheurs qui avaient apporté le cadavre dans sa maison. il n'était pas froid ; on l'avait mis dans un lit et frotté, et Daniel était allé chercher en ville un apothicaire, mais toute vie avait disparu.

On interrogea plusieurs autres hommes au sujet de mon arrivée ; ils furent d'accord pour déclarer qu'avec la forte bise du nord qui s'était levée pendant la nuit, il était fort probable que j'avais erré pendant plusieurs heures, et que j'avais été contraint de revenir presque à mon point de départ. En outre, ils firent remarquer que je semblais avoir ramené le corps d'un autre endroit, et que vraisemblablement, ne connaissant pas la côte, j'avais abordé dans le port sans savoir quelle distance séparait la ville de l'endroit où j'avais déposé le cadavre.

Mr. Kirwin, ayant écouté ces déclarations, me fit conduire dans la pièce où le cadavre attendait l'inhumation, pour se rendre compte de l'effet produit sur moi par ce spectacle. Cette idée lui fut sans doute suggérée par l'agitation extrême que j'avais manifestée lorsqu'on avait décrit la façon dont le meurtre avait eu lieu. Le magistrat et plusieurs autres personnes me conduisirent donc à l'auberge. Je ne pouvais manquer d'être frappé des étranges coïncidences de cette nuit fatale ; mais sachant que je m'étais entretenu avec plusieurs personnes de l'île que j'habitais, vers l'heure où l'on avait trouvé le corps, j'étais parfaitement tranquille quand aux suites de cette affaire.

J'entrai dans la pièce où reposait le cadavre, et fus conduit jusqu'au cercueil. Comment pourrais-je décrire mes sensations en l'apercevant ? L'horreur m'en étouffe encore, et je ne peux songer à ce moment effrayant sans frissonner d'angoisse. L'interrogatoire, la présence du magistrat et des témoins, s'effacèrent de ma mémoire comme un rêve, quand je vis étendue devant moi la forme sans vie d'Henry Clerval. Je perdis un instant la respiration et, me précipitant sur son corps, je m'écriai : « Mes machinations criminelles t'ont-elles donc privé aussi de la vie, ô mon très cher Henry ? J'ai déjà causé la mort de deux personnes ; d'autres victimes attendent encore leur destin ; mais toi, Clerval, mon ami, mon bienfaiteur... »

Mes sens ne purent supporter davantage les souffrances que j'avais subies, et l'on m'emporta de la pièce, en proie à des convulsions violentes.

Puis ce fut la fièvre. Je restai pendant deux mois entre la vie et la mort ; mon délire, je l'appris plus tard, fut effrayant ; je m'appelais l'assassin de William, de Justine et de Clerval. Tantôt je suppliais ceux qui veillaient sur moi de m'aider à détruire le démon qui me suppliciait ; tantôt je sentais déjà les doigts du monstre me saisir le cou, et je poussais des hurlements de désespoir et de terreur. Heureusement, comme je m'exprimais dans ma langue maternelle, Mr. Kirwin fut seul à me comprendre; mais mes gestes et mes cris de souffrance suffirent pour effrayer les autres témoins.

Pourquoi ne mourus-je pas alors? Plus misérable qu'aucune autre créature humaine née avant moi, pourquoi ne disparus-je pas dans l'oubli et le repos? La mort emporte des milliers d'enfants ravissants, seul espoir de leurs parents extasiés; combien de fiancés et de jeunes amants n'ont-ils pas goûté un jour toute la fraîcheur de la santé et de l'espérance, pour être, le lendemain, la proie des vers et de la corruption de la tombe? De quoi étais-je donc fait, pour survivre à tant de chocs qui, semblables à la roue des bourreaux, renouvelaient sans cesse leurs tortures?

Mais j'étais condamné à vivre; et deux mois après, je me retrouvai comme au sortir d'un rêve, dans une prison, étendu sur un lit misérable, entouré de gardiens, de porteurs de clefs, de verrous, et de tout le triste appareil d'une geôle. C'est un matin, je m'en souviens, que je m'éveillai ainsi avec la conscience de ma situation; j'avais oublié les détails de ce qui s'était passé; il me semblait seulement qu'une grande calamité m'avait soudain accablé; mais quand je jetai mes regards autour de moi et que j'aperçus les fenêtres et leurs barreaux, et la misère de la pièce où je me trouvais, tout me traversa de nouveau la mémoire, et je gémis douloureusement.

Le bruit que je fis réveilla une vieille qui dormait sur une chaise près de moi. C'était une infirmière payée, la femme d'un des geôliers, et son visage exprimait tous les vices qui caractérisent souvent cette classe. Ses traits étaient durs et grossiers, comme ceux des gens accoutumés à voir la souffrance sans y compatir. Son intonation disait son indifférence totale; elle me parla en anglais, et sa voix me frappa comme déjà entendue de moi pendant mes souffrances.

— Allez-vous mieux? me dit-elle.

Je lui répondis dans la même langue, d'une voix faible:

— Je crois ; mais si tout cela est vrai, si en vérité je n'ai pas rêvé, je regrette d'être encore vivant pour éprouver cette souffrance et cette horreur.

— Pour cela, répondit la vieille, si vous voulez parler du gentilhomme que vous avez tué, je crois bien qu'il vaudrait mieux pour vous être mort, car je crois qu'on ne sera pas tendre avec vous. Mais tout cela n'est pas mon affaire ; je suis là pour vous soigner et vous guérir ; je fais ce que j'ai à faire consciencieusement ; tout irait bien si tout le monde en faisait autant.

Je me détournai avec dégoût de la femme qui pouvait tenir un langage aussi inhumain à un homme qui venait d'être sauvé, et encore au bord de l'abîme ; mais je me sentais faible et incapable de réfléchir à tout ce qui s'était passé. L'ensemble de ma vie me paraissait être un rêve ; je doutais même parfois que tout cela fût réel, car jamais mon esprit ne le concevait avec la force de la réalité.

A mesure que les images qui flottaient devant moi gagnèrent en netteté, la fièvre survint ; des ténèbres s'accumulaient autour de moi ; nul n'était près de moi pour me calmer avec la douce voix de l'amour ; nulle main chère ne soutenait ma tête. Le médecin venait et prescrivait des remèdes, et la vieille me les préparait ; mais le premier témoignait d'une indifférence totale, et le visage de la seconde disait visiblement sa brutalité. Qui pouvait s'intéresser au sort d'un assassin, sinon le bourreau qui toucherait sa prime ?

Telles furent mes premières réflexions ; mais j'appris bientôt que Mr. Kirwin m'avait témoigné une extrême bonté. Il avait fait préparer pour moi la meilleure pièce de la prison (et la meilleure était, à coup sûr, misérable) ; c'était lui aussi qui avait fait venir un docteur et une infirmière. Il est vrai que ses visites étaient rares ; car bien que désirant soulager les souffrances de chaque créature humaine, il ne voulait pas assister aux tortures et au délire lamentable d'un assassin. Il venait donc de temps à autre, s'assurer qu'on ne me négligeait point ; mais il ne restait que peu de temps et ne venait qu'à de longs intervalles.

Un jour, alors que je me remettais peu à peu, j'étais assis sur une chaise, les yeux à demi ouverts, et les joues livides, comme celles d'un mort. J'étais accablé de souffrance et de misère, et je me disais que je ferais mieux de chercher la mort que de vouloir rester dans un monde si plein de tourments. Parfois je me demandais si, moins innocent que ne l'avait été la pauvre Justine, je ne me déclarerais pas coupable pour subir le châtiment des lois. Telles étaient mes pensées, lorsque la porte de la pièce s'ouvrit devant Mr. Kirwin. Son expression disait la sympathie et la compassion; il approcha sa chaise de la mienne et me parla en français.

— J'ai peur que ce lieu vous semble horrible; puis-je quelque chose pour vous rendre la vie plus agréable?

— Je vous remercie; mais tout ce dont vous me parlez m'est indifférent; il n'est sur terre aucune consolation que je puisse recevoir.

— Je sais que la sympathie d'un étranger ne peut guère soulager un homme, accablé comme vous l'êtes par un malheur aussi étrange. Mais j'espère que vous allez bientôt quitter ce triste logement; car il est sans doute facile de susciter des témoignages qui vous disculperont de ce crime.

— C'est mon dernier souci! Par une série d'événements étranges, je suis devenu le plus malheureux des mortels. Persécuté et torturé comme je le suis et comme je l'ai été, la mort peut-elle être pour moi un malheur?

— Rien certes ne peut être plus lamentable et plus torturant que tous ces étranges événements récents. Vous avez été jeté, par quelque accident étonnant, sur ce rivage renommé pour son hospitalité, puis immédiatement saisi et accusé de meurtre. Le premier spectacle que l'on ait imposé à vos yeux a été le cadavre de votre ami, assassiné d'une manière si inexplicable, et placé, pour ainsi dire, par un démon, sur votre chemin.

Lorsque Mr. Kirwin prononça ces paroles, malgré l'agitation que me causait le souvenir de mes souffrances, j'éprouvai aussi une grande surprise de tout ce qu'il semblait savoir à mon sujet. Je présume que mon visage manifesta un certain étonnement; car Mr. Kirwin se hâta d'ajouter:

— Dès que vous tombâtes malade, tous les papiers que vous portiez sur vous me furent apportés, et je les examinai pour tâcher de transmettre aux vôtres la nouvelle de vos malheurs et de votre maladie. Je trouvai plusieurs lettres, et une, entre autres, dont le début m'indiqua qu'elle était de votre père. J'écrivis immédiatement à Genève; près de deux mois se sont passés depuis le départ de ma lettre. Mais vous êtes malade, vous tremblez; il faut vous épargner toute agitation.

— Cette incertitude est mille fois pire que l'événement le plus horrible; dites-moi quelle nouvelle scène de meurtre vient de se jouer, et quelle mort je dois maintenant pleurer.

— Votre famille est en parfaite santé, me dit avec douceur Mr. Kirwin; et quelqu'un, un ami, est venu pour vous voir.

Je ne sais par quelle association d'idées il me sembla que l'assassin était venu railler ma souffrance et me reprocher la mort de Clerval pour m'inciter de nouveau à satisfaire ses besoins infernaux. Je cachai mes yeux dans mes mains et m'écriai dans mon désespoir:

— Ah! emmenez-le; je ne peux le voir; pour l'amour de Dieu ne le laissez pas entrer!

Mr. Kirwin me considéra d'un air troublé. Il ne pouvait s'empêcher de regarder mon exclamation comme une présomption de crime et me dit, d'un ton assez sévère:

— J'aurais cru, jeune homme, que la présence de votre père aurait été bienvenue, au lieu de vous inspirer une aussi violente répugnance.

— Mon père! m'écriai-je, tous mes traits et tous mes muscles abandonnant soudain l'expression de la souffrance pour celle de la joie; mon père est-il donc là? Quelle bonté, quelle bonté exquise de sa part! Mais où est-il, pourquoi ne se hâte-t-il pas de me voir?

Ce changement d'attitude fut pour le magistrat une

surprise et une joie; peut-être crut-il que mon exclamation précédente correspondait à un retour momentané du délire; il reprit immédiatement sa bienveillance d'un instant auparavant. Il se leva, quitta la pièce avec la garde, et un moment après mon père entra.

Rien alors n'aurait pu me causer une joie plus grande que l'arrivée de mon père. Je lui tendis la main et m'écriai:

— Vous êtes donc sain et sauf! Et Elizabeth et Ernest?

Mon père me calma en me rassurant à leur endroit, et s'efforça, en s'étendant sur ces sujets chers à mon cœur, de relever mon courage abattu; mais il se rendit bientôt compte qu'une prison ne saurait être l'asile du bonheur.

— Quel endroit donc habitez-vous, mon fils? me dit-il en regardant tristement les barreaux des fenêtres et l'aspect misérable de la pièce. Vous étiez parti en voyage pour chercher le bonheur, mais une fatalité semble vous poursuivre. Et le pauvre Clerval...

Le nom de mon malheureux ami assassiné m'agitait trop profondément pour que je pusse le supporter dans cet état de faiblesse. Je pleurai.

— Hélas, oui, mon père, répliquai-je; une destinée des plus horribles est suspendue au-dessus de ma tête, et je dois vivre pour l'accomplir; ou à coup sûr je serais mort sur le cercueil d'Henry.

On ne nous permit point de nous entretenir longtemps, car ma santé précaire nécessitait toutes les précautions susceptibles de m'assurer le calme. Mr. Kirwin entra, et obtint que ma force ne s'épuisât point en des efforts trop grands. Mais les visites de mon père étaient pour moi celles de mon bon ange, et peu à peu, je retrouvai la santé.

Tandis que la maladie disparaissait, j'étais envahi par une mélancolie ténébreuse et noire que rien ne pouvait dissiper. L'image de Clerval, effrayante après le meurtre, se présentait sans cesse à mon esprit. Plus d'une fois, le trouble où me jetèrent ces réflexions fit craindre à mes amis une dangereuse rechute. Hélas!

pourquoi conservèrent-ils donc une existence si malheureuse et si abhorrée ? C'était à coup sûr pour que je pusse accomplir ma destinée, dont la fin approche maintenant. Bientôt, ah ! bientôt, la mort va éteindre ces palpitations, et me soulager du poids écrasant de souffrance qui m'entraîne vers la tombe ; et en exécutant l'œuvre de la justice, moi aussi, je descendrai dans le repos. Le visage de la mort était alors lointain, malgré la présence constante de ce désir en ma pensée ; souvent, pendant des heures, je restais assis, immobile et silencieux, souhaitant une immense catastrophe qui m'eût englouti dans ses ruines avec mon assassin.

L'époque des assises approchait. Il y avait déjà trois mois que j'étais en prison ; et bien que je fusse encore faible, et continuellement exposé à une rechute, je dus faire un voyage d'environ cent milles pour arriver au chef-lieu où le jugement serait rendu. Mr. Kirwin se chargea lui-même de convoquer les témoins et de pourvoir à ma défense. On m'épargna le déshonneur de paraître en public dans l'attitude d'un criminel, l'affaire n'étant pas soumise au tribunal qui prononce la peine capitale. Le jury rejeta l'accusation quand il eut la preuve que je me trouvais dans les Orcades lorsque fut trouvé le cadavre de mon ami, et quinze jours après mon départ eut lieu ma libération.

Mon père éprouva une grande joie de me voir épargnées les suites d'une accusation de crime, respirer enfin le grand air, et rentrer dans mon pays natal. Je ne partageais pas ses sentiments ; car pour moi les murs d'une prison ou ceux d'un palais étaient également odieux. Le breuvage de la vie m'était désormais un poison ; et bien que le soleil brillât sur moi comme sur ceux dont le cœur abritait le bonheur ou la gaieté, je ne voyais autour de moi qu'une ombre épaisse et menaçante où ne pénétrait d'autre lumière que la lueur de deux yeux effrayants. Parfois c'étaient les yeux expressifs d'Henry languissant dans la mort, leurs globes assombris, presque couverts par les paupières et par la frange de leurs longs cils ; parfois c'étaient les yeux transparents et voilés du monstre, tels que je les vis pour la première fois dans ma chambre d'Ingolstadt.

Mon père essaya d'éveiller en moi des sentiments d'affection. Il me parla de Genève, que je reverrais bientôt, d'Elizabeth et d'Ernest; mais ses paroles ne me tiraient que de profonds gémissements. Parfois, il est vrai, je sentais un désir de bonheur; je songeais avec une joie mélancolique à ma cousine bien-aimée; ou j'aspirais, rongé du mal du pays, à revoir encore le lac bleu et le Rhône rapide que j'avais tant chéris dans ma petite enfance; mais j'étais généralement dans un état de torpeur où une prison était aussi bienvenue pour résidence que le plus divin paysage de la nature; et ces accès n'étaient guère interrompus que par l'extrémité de la souffrance et du désespoir. J'essayais souvent alors de mettre fin à l'existence que j'abhorrais; une attention et une vigilance de tous les instants étaient nécessaires pour m'empêcher de commettre quelque acte terrible de violence [45].

Pourtant, un devoir me restait à accomplir, dont le souvenir finit par triompher de mon désespoir égoïste. Il fallait retourner sans retard à Genève, pour y veiller sur l'existence de ceux que j'aimais si ardemment; et guetter l'assassin pour pouvoir, si un hasard quelconque me révélait sa retraite, ou s'il osait encore empoisonner mes jours de sa présence, mettre fin, d'un coup infaillible, à l'existence de l'image monstrueuse que j'avais douée d'une caricature d'âme encore plus monstrueuse encore. Mon père voulait encore reculer notre départ, craignant que je ne pusse supporter les fatigues d'un voyage; car je n'étais plus qu'une épave, l'ombre d'un être humain : ma force avait disparu; je n'étais qu'un squelette, et la fièvre rongeait, nuit et jour, mon corps émacié.

Cependant, comme je le pressais avec inquiétude et impatience de quitter l'Irlande, mon père crut mieux faire de céder. Nous prîmes passage sur un vaisseau en partance pour le Havre-de-Grâce, et partîmes vent arrière de la rive irlandaise. Il était minuit. J'étais étendu sur le pont, regardant les étoiles et écoutant le clapotis des vagues. Je saluais les ténèbres qui cachaient l'Irlande à ma vue ; et mon pouls battait avec une joie fébrile quand je songeais que j'allais bientôt revoir Genève. Le passé m'apparaissait sous la forme d'un rêve effrayant ; pourtant le vaisseau sur lequel je me trouvais, le vent qui m'emportait loin des rives abhorrées de l'Irlande, et la mer qui m'entourait, me montraient avec trop de force que nulle vision ne me trompait, et que Clerval, mon ami et compagnon le plus cher, était mort, victime de moi-même et du monstre que j'avais créé. Je repassais dans ma mémoire ma vie entière, mon bonheur tranquille au temps où je résidais à Genève avec ma famille, la mort de ma mère et mon départ pour Ingolstadt. Je me rappelais en frémissant le fol enthousiasme qui m'avait poussé à créer mon hideux ennemi, et j'évoquais en esprit la nuit où il avait reçu la vie. Il me fut impossible de poursuivre ce cortège de souvenirs ; mille sentiments m'oppressaient à la fois, et je versai des larmes amères.

J'avais pris l'habitude, depuis ma guérison, d'absorber chaque soir une petite quantité de laudanum ; seule cette substance me procurait en effet le repos nécessaire à ma vie. Accablé du souvenir de tous mes malheurs, j'en bus, ce soir-là, le double de la dose ordinaire, et bientôt je dormis profondément. Mais le sommeil ne me délivra pas de mes pensées et de ma souffrance ; mes rêves me présentèrent mille objets effrayants. Vers le matin, j'étais la proie d'une sorte de cauchemar ; je sentais sur mon cou l'étreinte du démon et je ne pouvais m'en dégager ; des gémissements et des cris résonnaient à mes oreilles. Mon père, qui veillait sur moi, voyant mon agitation, m'éveilla ; autour de nous les vagues dansaient ; au-dessus de nos têtes c'était le ciel et ses nuages ; le démon n'était pas là ; une impression de sécurité, le sentiment qu'une trêve s'était établie entre l'heure présente et le futur irrésistible et tragique, me communiquèrent une sorte d'oubli paisible auquel l'âme humaine est prédisposée par sa nature même.

CHAPITRE XXII

La traversée prit fin [46]. Nous débarquâmes et nous rendîmes à Paris. Je constatai bientôt que j'avais trop présumé de mes forces, et qu'il me fallait me reposer avant de poursuivre mon voyage. Les soins et les attentions de mon père étaient incessants; mais il ne savait pas l'origine de mes souffrances, et employait des méthodes inappropriées pour remédier à mon mal incurable. Il eût voulu me voir chercher des distractions dans la société. La face humaine m'était odieuse. Hélas! non, pas odieuse, car c'étaient là mes frères, mes semblables, et les plus repoussants d'entre eux m'attiraient comme des êtres d'une nature angélique et l'œuvre d'un ouvrier divin. Mais il me semblait que je n'avais pas droit à leur commerce. J'avais déchaîné parmi eux un ennemi dont c'était la joie que de répandre leur sang et d'exulter devant leurs gémissements. Comment le moindre d'entre eux ne m'eût-il pas exécré et chassé du monde, s'il avait su mes actes sinistres et les crimes dont l'origine était en moi!

Mon père finit par céder à mon désir d'éviter la société, et s'efforça, à l'aide de divers arguments, de faire disparaître mon désespoir. Parfois il s'imaginait que je subissais profondément l'humiliation d'avoir dû répondre à une accusation d'assassinat, et il cherchait à me démontrer combien la fierté est chose vaine.

« Hélas! mon père, lui répondais-je, que vous me connaissez peu! Ce serait, en réalité, un avilissement pour les humains, leurs sentiments et leurs passions, si un misérable tel que moi pouvait éprouver de la fierté.

Justine, la pauvre et infortunée Justine, était aussi
innocente que moi, et elle a subi la même accusation ;
elle a même subi la mort, et c'est moi qui en suis cause ;
c'est moi qui l'ai assassinée. William, Henry et Justine,
tous ont péri par mes mains. »

Mon père m'avait souvent, pendant mon emprison-
nement, entendu affirmer la même chose ; lorsque je
m'accusais ainsi moi-même, il semblait parfois en désirer une explication, et parfois y voir le fruit du délire,
comme si, pendant ma maladie, une idée semblable
s'était présentée à mon imagination, qui persistait pendant ma convalescence. J'évitais les explications, et je
gardais continuellement le silence sur le monstre que
j'avais créé. J'étais persuadé que l'on me croirait fou ;
et cela seul aurait suffi à me fermer les lèvres. D'autre
part, je ne pouvais me déterminer à révéler un secret
qui eût consterné mon père et fait habiter en son cœur
un effroi et une horreur surhumaine. J'étouffais donc
mon besoin ardent de sympathie et je gardais le silence,
au moment où j'aurais donné le monde pour pouvoir
confier ce secret fatal. Pourtant, des paroles comme
celles que j'ai rapportées m'échappaient en dépit de
moi-même. Je n'en pouvais offrir aucune explication ;
mais la vérité qu'elles contenaient allégeait quelque
peu le fardeau de mon mal mystérieux.

Mon père me dit alors, avec un air d'étonnement
sans bornes :

— Mon très cher Victor, quelle illusion est-ce donc
là ? Je vous supplie, mon cher fils, de ne plus jamais
déclarer chose semblable.

— Je ne suis pas fou, m'écriai-je avec force ; le soleil
et les cieux, qui sont témoins de ce que j'ai fait, peuvent proclamer ma sincérité. Je suis l'assassin de ces
innocentes victimes ; elles sont mortes par suite de mes
machinations ! J'aurais voulu mille fois répandre mon
sang goutte à goutte pour leur sauver la vie ; mais, ô
mon père, je ne pouvais pas, en vérité, je ne pouvais
pas sacrifier toute l'espèce humaine.

La fin de ce discours convainquit mon père que
j'avais l'esprit dérangé ; il changea immédiatement le

sujet de notre entretien, et s'efforça de diriger ailleurs
mes pensées. Il voulait, autant que possible, effacer le
souvenir des événements qui avaient eu lieu en Irlande,
il n'y faisait jamais allusion, et ne me laissait jamais
parler de mes malheurs.

Avec le temps je repris quelque calme ; la souffrance
habitait mon cœur, mais je ne parlais plus de mes
propres crimes de la même façon incohérente ; ce
m'était assez d'en avoir conscience. En me faisant une
extrême violence, j'étouffai la voix impérieuse de ma
misère, qui parfois eût voulu se faire entendre du
monde entier ; et mon attitude témoigna de plus de
calme et de maîtrise de moi-même qu'elle ne l'avait
jamais fait depuis mon voyage à la mer de glace.

Quelques jours avant notre départ de Paris pour la
Suisse, je reçus d'Elizabeth la lettre suivante :

« Mon cher Ami, J'ai reçu avec le plus grand plaisir
une lettre de mon oncle, datée de Paris ; vous voici à
une distance moins formidable et j'espère bien vous
voir d'ici une quinzaine. Mon pauvre cousin, comme
vous avez dû souffrir ! Je m'attends à vous trouver plus
mauvaise mine encore qu'à votre départ de Genève.
J'ai passé l'hiver de façon lamentable, torturée par
l'incertitude et l'angoisse ; j'espère cependant trouver
la paix sur votre visage, et constater que la consolation
et la tranquillité ne sont pas étrangères à votre cœur.

« Je crains pourtant la persistance des mêmes sentiments qui vous rendaient si malheureux il y a un an, et
même que le temps les ait augmentés. Je ne voudrais
pas vous troubler à un moment où tant de malheurs
vous accablent ; mais un entretien que j'ai eu avec mon
oncle, avant son départ, rend nécessaire une explication avant que nous nous revoyions.

« Une explication, allez-vous dire peut-être ; que
peut avoir à expliquer Elizabeth ? Si telles sont vos
paroles, mes questions sont inutiles et tous mes doutes
sont éclaircis. Mais vous êtes loin de moi, et il se peut
que vous craigniez cette explication et pourtant que
vous soyez heureux de l'avoir ; comme tel est probablement le cas, je n'ose attendre davantage pour vous

écrire ce que j'ai souvent voulu vous dire depuis votre
départ, mais sans jamais avoir le courage de commencer.

« Vous savez bien, Victor, que depuis notre enfance,
notre union était le projet favori de nos parents. Ils
nous le disaient quand nous étions tout petits, et nous
ont appris à voir là un événement qui se réaliserait
certainement. Nous nous sommes aimés comme compagnons de jeu tout enfants, et avec le temps nous
sommes devenus, l'un pour l'autre, des amis chers et
estimés. Mais puisque les frères et sœurs ont souvent
l'un pour l'autre une affection vive sans désirer d'union
plus intime, ne se pourrait-il pas qu'il en fût ainsi de
nous ? Dites-le moi, mon très cher Victor. Répondez-
moi, je vous en conjure, pour notre bonheur commun,
en toute simplicité et sincérité : N'en aimez-vous pas
une autre ?

« Vous avez voyagé ; vous avez passé à Ingolstadt
plusieurs années de votre existence ; et je vous avoue,
mon ami, qu'en vous voyant, l'automne dernier, si
malheureux, fuir vers la solitude, loin de la société de
toute autre créature, je n'ai pu m'empêcher de supposer que vous regrettiez notre lien, et que vous vous
croyiez engagé d'honneur à réaliser les vœux de vos
parents bien qu'ils fussent opposés à votre inclination.
Mais c'est là raisonner faussement. Je vous avoue, mon
ami, que je vous aime, et que dans mon rêve idéal
d'avenir vous êtes constamment resté mon ami et mon
compagnon. Mais c'est votre bonheur que je cherche
en même temps que le mien, quand je vous déclare que
notre mariage me rendrait éternellement malheureuse
s'il ne vous était dicté par votre propre et libre choix.
Je pleure même en ce moment, de penser que vous
puissiez étouffer sous le mot d'*honneur*, accablé comme
vous l'êtes par de cruelles calamités, tout espoir de cet
amour et de ce bonheur qui seuls vous rendraient à
vous-même. Moi-même, dont l'affection pour vous est
si désintéressée, je pourrais accroître mille fois votre
souffrance en étant un obstacle à vos vœux. Ah ! Victor, soyez sûr que votre cousine et compagne de jeu
éprouve pour vous un amour trop sincère pour que

cette supposition ne la fasse pas souffrir. Soyez heureux, mon ami ; et si vous m'obéissez à l'occasion de cette seule requête, ne doutez pas que rien sur terre ne pourra interrompre ma paix.

« Que cette lettre ne vous trouble point ; ne me répondez pas demain, ni après-demain, ni même avant votre retour, si elle vous cause quelque peine. Mon oncle me donnera des nouvelles de votre santé, et si j'aperçois sur vos lèvres même un seul sourire quand nous nous reverrons, causé par ce que je viens de faire ou par toute autre initiative de moi, je n'aurai besoin d'aucun autre bonheur.

« Genève, le 18 mai 17...
                            « ELIZABETH LAVENZA. »

Cette lettre raviva en moi le souvenir oublié de la menace du démon : *Je serai avec vous le soir de votre mariage !* Telle était ma sentence ; et, ce soir-là, le démon mettrait tout son art à me détruire, et à m'arracher la lueur de bonheur qui promettait de consoler une partie de mes souffrances. Il était résolu à consommer ce soir-là ses crimes en m'infligeant la mort. Eh bien, soit. Une lutte mortelle aurait lieu, où sa victoire m'assurerait la paix et mettrait fin à son pouvoir sur moi. Si, d'autre part, il était vaincu, j'étais un homme libre. Hélas, quelle liberté ! Celle dont jouit le paysan quand sa famille a été massacrée sous ses yeux, sa chaumière brûlée, ses champs dévastés, et qu'il se trouve abandonné, sans foyer, sans ressources et seul, mais libre. Telle serait ma liberté, si ce n'est qu'en mon Elizabeth je possédais un trésor ; hélas ! compensé par ces horreurs de remords et de crime qui me poursuivraient jusqu'à la mort.

Exquise et bien-aimée Elizabeth ! Je lus et relus sa lettre, et des sentiments plus doux se glissèrent en mon cœur, qui osèrent y murmurer des rêves paradisiaques d'amour et de joie ; mais le fruit était déjà dévoré, et l'ange levait le bras pour m'interdire toute espérance. Je serais mort, pourtant, pour la rendre heureuse ; si le monstre exécutait sa menace, la mort était inévitable ;

je me demandais cependant si mon mariage hâterait mon destin. Ma mort pourrait, en fait, arriver quelques mois plus tôt; mais si mon bourreau me soupçonnait d'ajourner mon union sous l'influence de ses menaces, il trouverait, à coup sûr, d'autres moyens de vengeance, peut-être plus terribles. Il avait juré *d'être avec moi le soir de son mariage*, et pourtant il ne considérait pas que cette menace lui imposât de rester en paix dans l'intervalle; car, comme pour me montrer qu'il n'était pas encore rassasié de sang, il avait assassiné Clerval immédiatement après l'avoir proférée. Je conclus donc que si mon union immédiate avec ma cousine pouvait avoir pour résultat, soit son propre bonheur, soit celui de mon père, les projets d'attentat à ma vie, conçus par mon adversaire, ne devaient pas la retarder d'une seule heure.

C'est dans cet état d'esprit que j'écrivis à Elizabeth. Ma lettre était calme et affectueuse. «Je crains, ma bien-aimée, lui disais-je, que bien peu de bonheur ne nous reste sur terre; et pourtant toute la joie que je puisse espérer un jour repose sur vous. Chassez vos craintes: c'est à vous seule que je consacre ma vie et mes efforts vers le bonheur. J'ai un secret, Elizabeth, un secret affreux; lorsque je vous le révélerai, il vous glacera d'horreur; et alors, loin d'être surprise de ma misère, vous vous étonnerez seulement que j'aie pu survivre à tout ce que j'ai subi. Je vous ferai ce récit de tristesse et de terreur le lendemain de notre mariage; car, ma chère cousine, la confiance doit, entre nous, être parfaite. Mais jusqu'à ce jour, je vous en conjure, n'en dites rien, n'y faites aucune allusion. Je vous en supplie de toutes mes forces, et je sais que vous y consentirez.»

Nous arrivâmes à Genève environ une semaine après avoir reçu la lettre d'Elizabeth. Cette exquise jeune fille m'accueillit avec toute l'ardeur de son affection; et pourtant les larmes lui montèrent aux yeux quand elle vit ma silhouette émaciée et mes joues fiévreuses. Je constatai aussi un changement en elle. Elle avait maigri, et perdu beaucoup de cette vivacité divine qui m'avait jadis charmé; mais sa douleur et ses regards attendris de compassion en faisaient une compagne mieux choisie encore pour l'être ruiné et lamentable que j'étais devenu.

La paix dont je jouissais alors ne dura point. Le souvenir amenait avec lui la folie; quand je pensais à tout ce qui s'était passé, une véritable insanité s'emparait de moi; tantôt j'étais furieux et brûlant de rage; tantôt affaibli et morne. Je ne parlais à personne, ne regardais personne, mais restais assis en silence, troublé par la multitude des malheurs qui m'accablaient.

Elizabeth seule avait le pouvoir de m'arracher à ces accès; sa douce voix me calmait quand la colère me transportait, et m'inspirait des sentiments humains quand j'étais plongé dans la torpeur. Elle pleurait avec moi et sur moi. Quand la raison me revenait, elle protestait et s'efforçait de m'inspirer la résignation. Ah! les malheureux peuvent se résigner, mais les coupables ne connaissent aucune paix. Les angoisses du remords empoisonnent la volupté que parfois l'on trouve en s'abandonnant à l'excès du chagrin.

Bientôt après mon arrivée, mon père me parla de mon mariage immédiat avec Elizabeth. Je restai silencieux.

— Avez-vous donc quelque autre attachement?

— Aucun au monde. J'aime Elizabeth, et j'attends avec joie notre union. Qu'on en fixe donc la date; et à partir de ce jour je me consacrerai, dans la vie ou la mort, au bonheur de ma cousine.

— Mon cher Victor, ne parlez pas de la sorte. De grands malheurs nous ont frappés; mais ne nous en attachons que davantage à ce qui nous reste, et donnons à ceux qui vivent encore l'amour que nous portions à ceux que nous avons perdus. Notre cercle sera petit, mais resserré par les liens de l'affection et de nos souffrances communes. Et quand le temps aura adouci votre désespoir, des objets nouveaux de soins, chers à nos cœurs, seront nés, qui prendront la place de ceux dont nous avons été si cruellement privés.

Telles étaient les leçons de mon père. Mais le souvenir de la menace renaissait en moi ; vous ne sauriez d'ailleurs vous étonner que l'omnipotence dont avait fait preuve le démon dans ses actes sanguinaires, m'eût amené à le considérer comme invincible, et que lorsqu'il avait prononcé ces paroles : *« Je serai avec vous le soir de votre mariage »*, la menace m'apparût comme inévitable. Mais la mort n'était pas un malheur pour moi si elle était en balance avec la perte d'Elizabeth ; je convins donc avec mon père, l'air satisfait et même joyeux, que si ma cousine y consentait, la cérémonie aurait lieu dans dix jours, et, je l'imaginais du moins, clorait ainsi ma destinée.

Grand Dieu ! si j'avais supposé un seul instant quelle pouvait être l'intention infernale de mon démoniaque adversaire, je me serais plutôt banni à jamais de mon pays natal ; et j'eusse erré sur la terre comme un misérable exilé, plutôt que de consentir à un mariage si épouvantable. Mais, comme s'il eût possédé une puissance magique, le monstre m'avait aveuglé sur ses intentions réelles ; et au moment où je ne croyais avoir préparé que ma propre mort, je hâtais celle d'une victime infiniment plus chère.

A mesure qu'approchait la date fixée pour notre mariage, soit par lâcheté, soit par suite d'un pressentiment prophétique, je sentais mon courage mourir en moi. Mais je cachais mes sentiments sous une apparence de gaieté qui faisait naître sur le visage de mon père les sourires et la joie, mais qui ne trompait guère le regard toujours vigilant et plus pénétrant d'Elizabeth. Elle voyait s'approcher notre union avec une satisfaction calme, non sans le mélange d'une certaine crainte, inspirée par nos malheurs passés, que ce bonheur sûr et tangible en apparence pût se dissiper bientôt comme un vain rêve, et ne laisser d'autre trace qu'un regret profond et immortel.

On fit les préparatifs nécessaires ; nous reçûmes des visites de félicitations ; et tous les visages n'étaient que sourires. Je cachais de mon mieux en mon cœur l'anxiété qui me rongeait, et je paraissais m'intéresser sérieusement aux projets de mon père, bien que peut-être ils ne dussent servir que de cadre au drame dont j'étais le centre. Mon père avait réussi à faire rendre à Elizabeth par le gouvernement autrichien une part de son héritage. Elle possédait une petite propriété sur les bords du lac de Côme. Il était convenu qu'immédiatement après notre union, nous partirions pour la villa Lavenza, et que nous passerions nos premiers jours de bonheur près du beau lac aux bords duquel elle se trouvait.

En attendant, je prenais toutes les précautions possibles pour me défendre au cas où le démon m'attaquerait ouvertement. Je portais constamment sur moi des pistolets et un poignard ; j'étais à chaque instant sur mes gardes pour prévenir une surprise ; et ces moyens de défense me procuraient une tranquillité plus grande. En vérité, à mesure que la date s'approchait, cette menace m'apparaissait comme une illusion indigne de troubler ma paix, tandis que le bonheur que j'attendais de mon mariage prenait un aspect de certitude plus grande à mesure que la célébration en était plus proche, et que j'en entendais parler comme d'un événement que nul accident ne pouvait empêcher.

Elizabeth paraissait heureuse ; mon attitude calme contribuait grandement à tranquilliser son esprit. Mais le jour où devaient se réaliser mes souhaits et s'accomplir ma destinée, la mélancolie l'envahit, avec un pressentiment de malheur ; peut-être aussi songeait-elle au secret effrayant que j'avais promis de lui révéler le lendemain. Cependant, mon père débordait de joie, et, dans le tumulte des préparatifs, ne voyait en la mélancolie de sa nièce que les appréhensions d'une nouvelle mariée.

Après la cérémonie, une compagnie nombreuse s'assembla dans la maison de mon père ; mais il fut convenu qu'Elizabeth et moi commencerions notre voyage par bateau, passant la nuit à Évian pour repartir le lendemain. La journée était belle, le vent favorable, et tout souriait à notre départ nuptial.

Ce furent là les derniers moments de ma vie où

j'éprouvai la sensation du bonheur. Nous avancions rapidement ; le soleil était chaud, mais nous étions abrités par une espèce de dais, et nous jouissions de la beauté du spectacle, tantôt d'un côté du lac où nous apercevions le mont Salève, les bords riants de Montalègre, et dans le lointain, dominant tout, le merveilleux Mont Blanc et le groupe de montagnes neigeuses qui s'efforcent en vain de lutter avec lui ; tantôt, suivant la rive opposée, nous voyions l'énorme Jura opposer ses flancs sombres à l'ambitieux qui eût voulu quitter son pays natal, et une barrière presque insurmontable à l'envahisseur qui eût voulu l'asservir.

Je pris la main d'Elizabeth. « Vous êtes triste, bienaimée. Ah ! si vous saviez ce que j'ai souffert, et ce que peut-être je subirai encore, vous vous efforceriez de me permettre de goûter le calme et la disparition du désespoir que ce seul jour du moins me laisse savourer. »

« Soyez heureux, mon cher Victor, répondit Elizabeth ; rien, me semble-t-il, ne saurait vous désoler ; et soyez sûr que si mon visage ne reflète pas une joie vive, mon cœur est heureux. Quelque chose me dit secrètement de ne pas trop compter sur la perspective qui s'ouvre devant nous ; mais je ne veux pas écouter une voix aussi sinistre. Voyez comme nous allons vite, et comme les nuages qui parfois obscurcissent et parfois couronnent le dôme du Mont Blanc, donnent un intérêt nouveau à ce paysage magnifique. Voyez aussi les poissons innombrables qui nagent dans l'onde limpide, où nous pouvons distinguer chaque caillou au fond du lac. Quel jour divin ! Comme toute la nature paraît heureuse et sereine ! »

C'est ainsi qu'Elizabeth s'efforçait de chasser loin de ses pensées et des miennes toute réflexion mélancolique. Mais son attitude était changeante ; pendant quelques instants, la joie brillait en ses yeux, mais cédait continuellement la place à la distraction et à la rêverie.

Le soleil s'abaissa dans les cieux ; nous passâmes devant la Drance, et nous contemplâmes sa course à travers les trouées des grandes montagnes, et les vallons des plus petites. Les Alpes étaient plus proches du lac, et nous approchions de l'amphithéâtre de montagnes qui le borde à l'est. La flèche d'Évian brillait sous les bois qui l'entouraient et sous les chaînes superposées des montagnes qui la dominaient.

Le vent, qui jusque-là nous avait poussés avec une rapidité étonnante, se changea au couchant en une brise légère ; l'air tiède ridait seulement l'onde et agitait doucement les arbres, tandis que nous approchions du rivage, d'où il nous apportait le plus délicieux des parfums venu des fleurs et des foins. Le soleil disparut à l'horizon au moment où nous abordâmes ; et à l'instant où je touchai le rivage, je sentis revivre en moi les préoccupations et les craintes qui allaient m'étreindre et s'attacher à moi pour toujours.

CHAPITRE XXIII

Il était huit heures quand nous débarquâmes ; nous nous promenâmes quelque temps sur le rivage pour jouir de la lumière éphémère, puis nous entrâmes à l'auberge, d'où nous contemplâmes le merveilleux paysage des eaux, des bois et des monts envahis par l'ombre, mais dont les contours noirs apparaissaient encore.

Le vent, qui s'était calmé au sud, s'éleva alors à l'ouest avec violence. La lune avait atteint au ciel son apogée, et commençait à descendre ; les nuages traversaient son chemin, plus rapides que le vol du vautour, et obscurcissaient ses rayons, tandis que le lac reflétait le spectacle des cieux agités, rendu plus mouvant encore par les vagues tumultueuses qui commençaient à apparaître. Tout à coup, la pluie tomba en torrents.

J'avais été calme pendant le jour ; mais dès que la nuit obscurcit les formes des choses, mille craintes surgirent en mon esprit. L'anxiété et la vigilance m'absorbaient, et ma main serrait un pistolet caché dans mon sein ; chaque bruit me terrifiait ; mais j'étais résolu à vendre chèrement ma vie, et à n'abandonner la lutte qu'une fois éteinte ma propre vie ou celle de mon adversaire.

Elizabeth observa pendant un certain temps mon agitation en un silence timide et craintif ; mais il y avait en mon regard quelque chose qui lui communiqua la terreur, et elle me demanda en tremblant : « Qu'est-ce donc qui vous agite, Victor ? Que craignez-vous donc ? »

« Oh ! soyez en paix, mon amour, répondis-je ; cette nuit seulement et tout sera tranquille : mais cette nuit est terrible, épouvantable. »

Je passai une heure en cet état, et je réfléchis soudain au spectacle horrible que serait pour ma femme le combat que j'attendais d'un moment à l'autre ; je la priai donc instamment d'aller se reposer, résolu à ne la rejoindre qu'après m'être rendu compte de la situation de mon ennemi.

Elle me quitta, et je continuai à faire les cent pas dans les corridors de la maison, examinant tous les coins qui pouvaient servir de cachette à mon adversaire. Mais je ne découvrais de lui aucune trace, et je commençais à supposer que quelque bonne chance était intervenue pour empêcher l'exécution de sa menace, quand j'entendis soudain un cri perçant et terrible. Il venait de la chambre où Elizabeth s'était retirée. En l'entendant, toute la vérité traversa mon esprit, mes bras tombèrent, tous mes muscles, toutes mes fibres furent frappés d'immobilité ; je sentais dans mes veines le sang passer goutte à goutte et un picotement aux extrémités de mes membres. Mais cet état ne dura qu'un instant ; le cri s'éleva de nouveau, et je me précipitai dans la chambre.

Grand Dieu ! pourquoi n'expirai-je pas alors ? Pourquoi suis-je ici pour raconter la destruction de l'espérance la plus belle et de la créature la plus pure qui fût sur terre ? Elle était là, immobile et inanimée, jetée en travers du lit, la tête pendante, et ses traits pâles et contractés à demi-couverts par sa chevelure. Partout où je me tourne, j'aperçois la même image, ses bras exsangues et son corps effondré jeté par l'assassin sur son cercueil nuptial. Pouvais-je contempler ce spectacle et survivre ? Hélas ! la vie est tenace, et persiste le plus longtemps quand elle est l'objet de la haine la plus profonde. Pendant un instant, je perdis la mémoire et je tombai sans connaissance sur le sol.

Lorsque je revins à moi, je me trouvai entouré des gens de l'auberge ; leur physionomie exprimait une terreur accablante ; mais l'horreur des autres ne me semblait qu'une moquerie, une ombre des sentiments qui m'oppressaient. Je m'échappai dans la pièce où se trouvait le corps d'Elizabeth, mon amour, ma femme, vivante encore il y avait si peu de temps, si chère à mon cœur et si admirable. On l'avait disposée dans une posture différente de celle où je l'avais d'abord aperçue ; et alors, telle qu'elle apparaissait, la tête appuyée sur son bras, le visage et le cou recouverts d'un mouchoir, j'aurais pu la supposer endormie. Je me précipitai vers elle et l'embrassai avec ardeur ; mais la langueur et le froid mortel de ses membres me disaient que ce que je tenais désormais dans mes bras avait cessé d'être l'Elizabeth que j'avais aimée et chérie. Son cou portait la marque criminelle des doigts du démon, et le souffle avait cessé de passer sur ses lèvres.

Tandis que j'étais penché sur elle dans toute l'angoisse du désespoir, je levai par hasard les yeux. Les fenêtres de la chambre s'étaient auparavant assombries, et je ressentis une sorte de panique en voyant la lumière jaune pâle de la lune illuminer la chambre. On avait replié les volets à l'extérieur ; et c'est avec une sensation d'horreur indescriptible que je vis à la fenêtre ouverte la plus hideuse et la plus abhorrée des apparitions. Un ricanement s'ajoutait à l'horreur du monstrueux visage ; il semblait railler, tandis que son index affreux désignait le cadavre de ma femme. Je me précipitai vers la fenêtre et, tirant un pistolet de mon sein, je fis feu sur lui ; mais il s'échappa, sauta de la fenêtre et, courant avec la vitesse de l'éclair, disparut au sein du lac.

Le bruit du coup de pistolet amena dans la pièce une foule de gens ; j'indiquai l'endroit où il avait disparu, et nous suivîmes ses traces en bateau ; on jeta des filets, mais en vain. Au bout de plusieurs heures, nous revînmes, ayant perdu tout espoir, la plupart de mes compagnons croyant qu'il s'agissait d'un fantôme issu de mon imagination. Après avoir débarqué, ils se mirent à fouiller la région, en groupes répartis dans des directions différentes au milieu des bois et des vignes.

J'essayai de les accompagner[47], et m'éloignai quelque peu de la maison ; mais ma tête tourna, mes pas étaient semblables à ceux d'un homme ivre, et je finis par tomber dans un état d'épuisement total ; une taie couvrait mes yeux, et la chaleur de la fièvre desséchait ma peau. C'est ainsi que je fus ramené, puis déposé sur un lit, me rendant à peine compte de ce qui s'était passé : mes regards erraient autour de la pièce comme pour chercher quelque chose que j'avais perdu.

Au bout d'un certain temps, et comme instinctivement, je me traînai dans la chambre où reposait le corps de ma bien-aimée. Des femmes pleuraient autour d'elle ; je me penchai sur elle et joignis aux leurs mes tristes larmes ; pendant tout ce temps, aucune idée nette ne surgit en mon esprit ; mes pensées erraient d'un sujet à l'autre, autour de mes malheurs et de leur cause. J'étais perdu au milieu d'un nuage d'étonnement et d'horreur : la mort de William, l'exécution de Justine, l'assassinat de Clerval, et enfin celui de ma femme ; à ce moment même, je ne pouvais dire si ceux des miens qui me restaient étaient à l'abri de la malignité du démon ; mon père se débattait peut-être à cette heure même sous son étreinte, et peut-être Ernest était-il étendu mort à ses pieds. Cette idée me fit frissonner et me rappela à l'action. Je tressaillis et résolus de repartir pour Genève avec toute la vitesse possible.

Il était impossible de se procurer des chevaux, et il me fallut rentrer par le lac ; mais le vent était contraire et la pluie tombait en torrents. Cependant, on était à peine à l'aube et je pouvais espérer arriver vers le soir. Je louai des rameurs et pris moi-même un aviron ; car l'exercice physique m'avait toujours procuré un soulagement pendant mes souffrances morales. Mais l'excès de misère que j'éprouvais alors et toute l'agitation que j'avais subie, me rendaient incapable de tout effort. Je jetai l'aviron et, la tête dans les mains, je m'abandonnai à toutes les idées sombres qui se présentèrent à mon esprit. Si je levais les yeux, j'apercevais des paysages familiers au temps de mon bonheur, et que j'avais contemplés la veille encore auprès de celle qui n'était déjà plus qu'une ombre et qu'un souvenir. Des larmes

s'échappaient de mes yeux. La pluie avait cessé depuis
un instant et je voyais les poissons se jouer dans l'onde
comme quelques heures auparavant Elizabeth les avait
regardés. Rien n'est si pénible à l'âme humaine qu'un
grand changement soudain. Le soleil avait beau briller
ou les nuages assombrir le ciel, rien ne pouvait avoir à
mes yeux l'aspect de la veille. Un démon m'avait arraché tout espoir de bonheur à venir ; nulle créature
n'avait jamais été aussi malheureuse que moi ; un événement aussi effrayant est unique dans l'histoire
humaine.

Mais pourquoi m'étendre sur les incidents qui suivirent cette dernière et accablante calamité ? Mon histoire ne se compose que d'horreur ; j'en ai atteint l'apogée, et ce que je vais maintenant vous narrer ne serait
pour vous que monotone. Sachez que, l'un après l'autre, tous les miens me furent ravis, et que je me trouvai
seul. Je suis à bout de forces, et je vais vous dire en
quelques mots seulement le reste de ma hideuse histoire.

J'arrivai à Genève. Mon père et Ernest vivaient encore ; mais le premier sombra sous la nouvelle que
j'apportais. Je le vois encore, ce vieillard excellent et
vénérable ! Ses yeux erraient, vides de regards puisque
la source de leur charme et de leur joie n'était plus,
— son Elizabeth, plus chère même que sa fille ; il
l'avait entourée de tout l'amour que ressent, au déclin
de la vie, un homme qui n'a que peu d'êtres auxquels
s'attacher, et qui les chérit davantage. Maudit, maudit
soit le démon qui accabla ses cheveux gris sous le
malheur et le condamna à dépérir dans le désespoir ! Il
ne put survivre aux événements horribles accumulés
autour de lui ; sa vitalité s'effondra soudain ; il ne put
désormais quitter son lit, et mourut dans mes bras au
bout de quelques jours.

Qu'advint-il alors de moi ? Je ne saurais le dire ; je
perdis le sens ; des chaînes dans les ténèbres me devinrent les seuls objets perceptibles. Parfois, il est vrai,
j'errais en rêve parmi les fleurs des prairies et de délicieux vallons avec les amis de mon enfance ; puis je

m'éveillais et je me trouvais dans une prison. Puis ce fut une période de mélancolie, puis, peu à peu, je revenais à la perception claire de mes malheurs et de ma position, puis j'étais mis en liberté; car on m'avait déclaré fou, et il y avait plusieurs mois, me semblait-il, que j'habitais une cellule solitaire.

La liberté m'eût cependant été un don inutile, si à mesure que me revenait la raison je ne m'étais éveillé aussi à la vengeance. Au milieu de la foule de souvenirs suscités par mes malheurs passés, je me mis à réfléchir à leur cause, au monstre que j'avais créé, au démon misérable que j'avais lâché à travers le monde pour me détruire. Une rage folle me possédait quand je songeais à lui, quand je désirais et priais ardemment qu'il fût livré à mon étreinte pour assouvir sur sa tête maudite une vengeance immense et éclatante.

Ma haine ne se limita d'ailleurs pas longtemps à des souhaits inutiles; je réfléchis aux moyens les plus sûrs de m'emparer de lui; et environ un mois après ma délivrance, j'allai trouver dans ce but un juge de la ville en matière criminelle, et lui déclarai que j'avais une accusation à lui faire connaître; que je connaissais l'assassin des miens; et que je le requérais d'exercer toute son autorité pour le faire arrêter.

Le magistrat m'écouta avec attention et bonté. «Soyez sûr, Monsieur, que je n'épargnerai nulle peine et nul effort pour faire découvrir le criminel.»

«Je vous remercie, répondis-je; veuillez donc écouter la déposition que j'ai à faire. C'est en vérité un récit si étrange que je craindrais l'incrédulité de votre part, s'il n'y avait dans la vérité, même la plus étonnante, quelque chose qui entraîne la conviction. Ces événements sont trop bien coordonnés pour ressembler à un rêve, et je n'ai aucun motif de mensonge.» Lorsque je prononçai ces paroles, mon attitude était grave, mais calme; j'avais conçu en mon cœur le projet de poursuivre jusqu'à la mort celui qui cherchait à me détruire; cette résolution calmait mon désespoir, et pendant un certain temps, elle me réconcilia avec la vie. Je racontai alors mon histoire, brièvement, mais avec fermeté et précision, indiquant les dates avec exactitude, et ne me laissant jamais aller à des invectives ou des exclamations.

Le magistrat parut d'abord parfaitement incrédule, mais à mesure que je continuais, son attention et son intérêt augmentèrent ; je le vis parfois frissonner d'horreur ; et, à d'autres moments, une vive surprise, sans mélange d'incrédulité, se peignit sur ses traits.

Quand j'eus terminé mon récit, je déclarai : « Tel est l'être que j'accuse, et que je vous demande d'exercer tout votre pouvoir pour faire saisir et châtier. C'est votre devoir de magistrat ; je crois et j'espère que vos sentiments d'homme ne vous rendront pas révoltant en l'occurrence l'exercice de vos fonctions. »

Ce discours amena dans l'attitude de mon auditeur un changement considérable. Il avait écouté mon histoire avec cette sorte de demi-croyance qu'on accorde à un conte de revenants et d'événements surnaturels ; mais quand il lui fut demandé, en conséquence, d'agir en sa qualité officielle, toute son incrédulité l'envahit à nouveau. Pourtant, il me répondit doucement : « Je vous apporterais volontiers toute mon aide en cette recherche ; mais la créature dont vous me parlez paraît avoir des facultés qui défieraient tous mes efforts. Qui peut suivre un animal capable de traverser la mer de glace et d'habiter des grottes et des tanières où nul homme n'oserait se risquer ? D'ailleurs, plusieurs mois se sont écoulés depuis l'exécution de ses crimes, et nul ne peut imaginer en quel lieu il a pu se retirer ou quelle région il habite. »

« Je ne doute pas qu'il ne se tienne près de ma propre résidence ; et si, en fait, il s'est réfugié dans les Alpes, on peut le traquer comme un chamois et l'abattre comme une bête sauvage. Mais je vois votre pensée ; vous n'ajoutez pas foi à mon récit, et vous n'avez pas l'intention d'infliger à mon ennemi le châtiment qu'il a mérité. »

Tandis que je parlais, la rage étincelait dans mes yeux ; le magistrat fut intimidé : « Vous vous trompez, dit-il, je ferai tous mes efforts pour cela ; et s'il est en

mon pouvoir de m'emparer du monstre, soyez sûr qu'il
subira un châtiment proportionné à ses crimes. Mais je
crains, d'après les facultés que votre description lui
attribue, qu'il soit impossible de l'arrêter ; aussi, bien
que toutes les mesures nécessaires soient prises, mieux
vaut vous résigner d'avance à un échec. »

« Cela m'est impossible ; mais rien de ce que je pourrai vous dire ne servira à grand-chose. Ma vengeance
ne vous intéresse nullement ; pourtant, bien que je
reconnaisse en elle un sentiment mauvais, j'avoue
qu'elle est l'unique et dévorante passion de mon âme.
Ma rage est inexprimable quand je pense que cet assassin, que j'ai déchaîné sur la société, vit encore. Vous
rejetez ma juste requête ; je n'ai qu'une seule ressource ; et je vais me consacrer, au risque de ma vie, à
sa destruction. »

Je tremblais, en disant ces mots, de l'excès de mon
agitation ; il y avait en mon attitude, une frénésie, et, je
n'en doute pas, quelque chose de cette ténacité hau-
taine qu'on attribue aux martyrs des temps anciens.
Mais aux yeux du magistrat genevois, dont l'esprit
s'absorbait en des idées bien étrangères à celles de
dévouement et d'héroïsme, cette élévation d'âme ressemblait fort à la folie. Il essaya de me calmer, comme
une nourrice fait d'un enfant, et fit de nouveau allusion
à mon récit comme s'il était l'effet de mon délire.

« O homme ! m'écriai-je, quelle n'est pas ton ignorance au milieu de l'orgueil de ta science ! Tais-toi, tu
ne sais pas ce que tu dis. »

Je m'échappai de la maison, irrité et troublé, et je
rentrai chez moi pour réfléchir à quelque autre moyen
d'action.

CHAPITRE XXIV

Ma situation était alors telle que toute réflexion volontaire y était engouffrée et perdue. La fureur m'emportait ; seule la vengeance me donnait la force et l'équilibre ; elle dictait tous mes sentiments, et me permettait de calculer dans le calme, à des heures où autrement le délire ou la mort auraient fait de moi leur proie.

Ma première résolution fut de quitter pour toujours Genève ; ma patrie, qui au temps où j'étais heureux et aimé, était chère à mon cœur, me devint alors odieuse dans l'adversité. Je me pourvus d'une somme d'argent, puis de quelques bijoux qui avaient appartenus à ma mère, et je partis.

C'est alors que commencèrent mes voyages errants, qui ne finiront qu'avec ma vie. J'ai traversé une vaste partie de la terre, et j'ai subi toutes les privations que doivent ordinairement affronter les explorateurs des déserts et des contrées barbares. Comment j'ai survécu, je le sais à peine ; mainte fois, j'ai étendu mes membres défaillants sur la plaine sablonneuse et appelé la mort. Mais la vengeance m'a permis de vivre ; je n'osais mourir et laisser vivant mon adversaire.

Quand je quittai Genève, mon premier soin fut de chercher un moyen quelconque pour suivre la trace de mon infernal ennemi. Mais mon plan n'avait rien de décisif ; et j'errai de longues heures autour de la ville sans savoir quel chemin prendre. Comme la nuit approchait, je me trouvai à l'entrée du cimetière où reposaient William, Elizabeth et mon père. J'y entrai et je m'approchai du tombeau qui marquait l'endroit où ils étaient enterrés. Tout était silencieux sauf le feuillage des arbres que le vent agitait doucement; la nuit était presque noire, et le spectacle eût paru solennel et touchant, même à un témoin étranger. Les âmes des morts semblaient voltiger tout alentour, et jeter leur ombre, sensible mais invisible, sur la tête de celui qui pleurait.

Le profond chagrin d'abord éveillé par ce spectacle fit rapidement place à la rage et au désespoir. Eux étaient morts, et je vivais; leur assassin lui aussi vivait, et, pour le détruire, il me fallait traîner encore ma vie et ma lassitude. Je m'agenouillai sur le gazon, je baisai la terre, et je m'écriai, les lèvres frémissantes : «Par le sol sacré sur lequel je suis à genoux, par les ombres qui errent autour de moi, par le profond et éternel chagrin que je ressens, je fais serment; et par toi, ô Nuit, et par les esprits qui règnent sur toi, de poursuivre le démon qui a déchaîné cette souffrance, jusqu'à ce que lui ou moi périssions dans un combat mortel. Pour cela, je veux continuer à vivre : pour perpétrer cette chère vengeance, je contemplerai encore le soleil et je foulerai l'herbe verdoyante de la terre qui, autrement, disparaîtrait à jamais de ma vue. Et je réclame votre aide, ô esprits des morts, et la vôtre, ministres errants de la Vengeance, pour me guider dans mon œuvre. Puisse le monstre maudit et infernal boire à longs traits la souffrance; puisse-t-il connaître le désespoir qui me torture aujourd'hui ! »

J'avais commencé mon imprécation avec solennité et dans un recueillement qui m'assuraient presque que les ombres des miens assassinés entendaient et approuvaient mon sacrifice; mais quand je la terminai, les Furies s'étaient emparées de mon âme, et la rage étouffait mes paroles.

A travers le silence de la nuit, un rire éclatant et démoniaque me répondit. Il retentit longuement à mes oreilles de façon accablante; les montages m'en renvoyèrent l'écho, et il me sembla être entouré de l'ironie et du rire même de l'enfer. Je serais à coup sûr devenu alors la proie d'une folie furieuse, et j'aurais mis un terme à ma misérable existence, si mon vœu n'avait été écouté et si la vengeance ne m'avait été assignée comme rôle. Le rire s'éteignit, mais une voix connue et abhorrée, apparemment tout près de mon oreille, me dit en un murmure distinct: « Je suis satisfait, misérable ! Tu as résolu de vivre ; je suis satisfait. »

Je me précipitai vers l'endroit d'où venait la voix; mais le démon m'échappa. Soudain le vaste disque de la lune s'éleva, et jeta son éclat sur sa silhouette effrayante et difforme qui s'enfuyait à une vitesse surhumaine.

Je le poursuivis, et je ne fais rien d'autre depuis des mois. Sur une indication vague, je suivis les méandres du Rhône, mais en vain. La Méditerranée m'apparut, et, par un hasard étrange, je vis le monstre pénétrer, la nuit, et se cacher dans un vaisseau en partance pour la mer Noire. J'y pris passage moi-même, mais il réussit, je ne sais comment, à s'échapper.

Bien qu'il ait toujours éludé ma poursuite au milieu des steppes tartares et russes, je n'ai cessé de suivre sa trace. Parfois les paysans, effrayés de son horrible apparition, m'indiquaient sa piste; parfois, craignant de me voir mourir désespéré de perdre sa trace, il laissait lui-même une marque de son passage. Les neiges descendaient sur ma tête, et je voyais son pas énorme imprimé sur la plaine blanche. Vous qui ne faites qu'entrer dans la vie, pour qui les soucis sont chose nouvelle et la souffrance inconnue, comment pourriez-vous comprendre ce que j'éprouvais et ce que j'éprouve encore ? Le froid, les privations, la fatigue étaient les moindres des maux qu'il me fallait supporter; j'étais maudit par quelque esprit mauvais, et je portais avec moi mon enfer éternel; et, pourtant, un esprit bienfaisant suivait encore et dirigeait mes pas, et au moment même où je murmurais, résolvait soudain pour moi des situations apparemment inextricables. Parfois, quand je défaillais sous l'accablement de la faim, un repas se trouvait préparé pour moi dans le désert, qui ranimait mon corps et mon courage. C'étaient sans doute des aliments grossiers comme ceux dont se nourrissaient les paysans du lieu ; mais je ne veux point douter qu'ils fussent déposés là par les esprits dont j'avais invoqué l'aide. Souvent, quand tout était sécheresse, que le ciel était pur et que la soif desséchait ma gorge, un nuage léger venait obscurcir le ciel ; il laissait tomber les quelques gouttes qui me ranimaient, puis disparaissait soudain.

Je suivais, quand je le pouvais, le cours des rivières ; mais le démon les évitait ordinairement, car c'était là surtout que s'agglomérait la population du pays. En d'autres endroits, on apercevait rarement des êtres humains ; et je me nourrissais généralement de la chair des animaux sauvages rencontrés sur ma route. J'avais de l'argent sur moi, et je m'assurais le bon vouloir des paysans en le leur distribuant, ou j'apportais avec moi quelque bête que j'avais tuée, dont je prélevais une petite part et dont je donnais toujours le reste à ceux qui m'avaient fourni le feu et les ustensiles de cuisine nécessaires.

Cette vie m'était sans doute odieuse, et ce n'était que pendant mon sommeil que la joie m'était connue. O sommeil béni ! il m'arrivait souvent, au plus profond de mon malheur, de goûter le repos, et des rêves qui me donnaient l'oubli et l'extase. Les esprits qui veillaient sur moi m'avaient réservé ces moments, ou plutôt, ces heures de bonheur, pour que ne m'abandonnât point la force nécessaire à l'accomplissement de mon pèlerinage. Privé de ce répit, j'aurais succombé à mes privations. Pendant le jour, j'étais soutenu et animé par l'espoir de la nuit ; car, dans mon sommeil, je voyais les miens, ma femme, et ma patrie bien-aimée ; je revoyais les traits bienveillants de mon père, j'entendais la voix argentine d'Elizabeth, et j'apercevais Clerval dans la joie de sa santé et de sa jeunesse. Souvent, lorsqu'une marche pénible m'accablait de lassitude, je me persuadais que le temps qui me séparait de la nuit n'était qu'un rêve, et que je goûterais bientôt la réalité au milieu de ceux que j'aimais le plus. Quel amour extrême ne ressentais-je pas pour eux ! Comme je m'accrochais à leur forme chérie, lorsqu'ils me hantaient dans la veille même, et que je me persuadais qu'ils vivaient encore! Alors la vengeance s'éteignait en mon cœur, et je poursuivais mon chemin vers le démon que je voulais détruire, plutôt comme si le ciel me l'avait imposé, comme si une puissance inconnue m'y poussait automatiquement, que pour satisfaire le désir ardent de mon âme.

Que ressentait celui que je poursuivais? je ne saurais le dire. Parfois, il est vrai, il laissait des inscriptions sur les arbres ou taillées dans la pierre, qui me guidaient et ravivaient ma fureur, «Mon règne n'est pas encore fini». (Tels étaient les mots contenus dans un de ces écrits.) «Vous vivez, et ma puissance est complète. Suivez-moi; je me dirige vers les glaces éternelles du nord, où vous éprouverez la souffrance du froid et du gel qui ne m'atteignent point. Vous trouverez près d'ici, si vous ne me suivez pas avec trop de retard, un lièvre mort; mangez donc et reprenez des forces. Allons, mon ennemi! nous avons encore à nous livrer un combat mortel; mais nombreuses et dures et douloureuses sont les heures qu'il vous faut traverser avant que ce jour arrive.»

Démon railleur! je fais à nouveau vœu de vengeance; je te voue à nouveau, démon misérable, à la torture et à la mort! Jamais je n'abandonnerai ma recherche avant qu'un de nous deux ait succombé; et alors, avec quelle extase ne retrouverai-je pas mon Elizabeth et mes amis disparus, qui dès maintenant, me préparent la récompense de ma peine monotone et de mon horrible pèlerinage!

Tandis que je poursuivais toujours mon voyage vers le nord, les neiges s'épaissirent, et le froid augmenta dans des proportions presque impossibles à supporter. Les paysans s'enfermaient dans leurs huttes, et quelques-uns seulement parmi les plus courageux s'aventuraient au-dehors pour capturer des animaux, quand la faim les incitait à sortir de leur abri. Les rivières étaient couvertes de glace, et il était impossible de se procurer du poisson; c'est ainsi que je fus privé de ma principale source de subsistance.

Le triomphe de mon ennemi croissait avec la difficulté de mes efforts. Une certaine inscription laissée derrière lui était rédigée en ces termes : « Préparez-vous ! Vos peines ne font que commencer ; enveloppez-vous de fourrures, et faites provision de nourriture ; car nous allons bientôt entreprendre un voyage où vos souffrances vont satisfaire à ma haine éternelle. »

Ces paroles ironiques ranimèrent mon courage et ma persévérance ; je résolus de ne pas faillir en mon entreprise ; et, demandant au ciel de me soutenir, je continuai avec une ardeur infatigable à traverser les déserts immenses, jusqu'au moment où l'Océan, apparaissant au loin, mit à l'horizon sa dernière limite. Ah ! qu'il était différent des mers bleues du midi ! Couvert de glace, il ne se distinguait de la terre que par son aspect plus sauvage et ses contours plus anguleux encore. Les Grecs pleuraient de joie en apercevant la Méditerranée du haut des montagnes d'Asie, et saluaient avec extase la fin de leurs épreuves. Je ne pleurai point, mais je m'agenouillai, et le cœur débordant, je remerciai mon guide invisible de m'avoir conduit sain et sauf à l'endroit où, malgré les railleries de mon adversaire, j'espérais le rencontrer et en venir aux mains.

Quelques semaines avant cette période, je m'étais procuré un traîneau et des chiens, et je traversai ainsi les neiges avec une vitesse inconcevable. Je ne sais si le démon profitait des mêmes avantages ; mais je constatai qu'au lieu, comme auparavant, de perdre du terrain, j'en gagnais désormais sur lui ; de telle sorte que, quand j'aperçus pour la première fois l'Océan, il n'avait plus qu'un jour d'avance, et que j'espérai le rejoindre avant qu'il fût parvenu à la côte. C'est donc avec un courage nouveau que je poursuivis ma route, et qu'en deux jours j'arrivai à un misérable hameau situé sur le rivage. Je demandai aux habitants et j'obtins d'eux, au sujet du démon, des renseignements précis. Un monstre gigantesque, me dirent-ils, était arrivé la veille au soir, armé d'un fusil et de plusieurs pistolets ; il avait mis en fuite les habitants d'une chaumière isolée, effrayés de son aspect terrible. Il avait emmené leur provision de nourriture pour l'hiver, et, la mettant dans un traîneau, s'était emparé d'une meute nombreuse de chiens de trait, avait harnaché ceux-ci, et, le soir même, à la joie des paysans horrifiés, il avait poursuivi son voyage à travers la mer, dans une direction qui ne menait à aucune terre ; ils émirent l'opinion qu'il allait sans doute trouver la mort en brisant la glace, ou dans le froid des gelées éternelles.

Ces renseignements me plongèrent d'abord dans un accès passager de désespoir. Il m'avait échappé ; il me fallait entreprendre un voyage mortel et presque sans fin, au milieu des icebergs, d'un froid que peu des naturels pouvaient longtemps supporter, et auquel, venu d'un climat tiède et ensoleillé, je ne pouvais espérer survivre. Pourtant, à l'idée que le démon pût vivre et triompher encore, ma rage et mon désir de vengeance revinrent, telle une marée puissante qui annihila tous mes autres sentiments. Après un court sommeil, pendant lequel les esprits des morts, planant autour de moi, m'incitèrent à poursuivre mes efforts et ma vengeance, je me préparai à partir.

Je changeai mon traîneau de terre contre un autre, adapté aux inégalités de l'océan de glace ; et, après avoir acheté une quantité abondante de provisions, je quittai la terre.

Je ne sais combien de jours se sont passés depuis cette date ; mais j'ai enduré des souffrances que seul a pu me permettre de supporter le sentiment éternel d'une juste rétribution, qui toujours, brûle en mon cœur. Souvent, d'immenses et anguleuses montagnes de glace me barrèrent le passage, et souvent j'entendais le tonnerre d'une houle soudaine qui menaçait de m'engloutir. Mais le retour des grands gels rendit à nouveau sûres les routes de la mer.

D'après la quantité de provisions que j'avais consommées, j'imagine que mon voyage avait déjà duré trois semaines ; et l'ajournement continuel de l'espoir, m'accablant sans cesse, m'arrachait souvent des larmes de découragement et de chagrin. Le désespoir avait, en vérité, presque vaincu sa proie, et j'aurais bientôt, à coup sûr, succombé à cette souffrance. Un jour où, après d'incroyables efforts, les pauvres bêtes qui me transportaient étaient parvenues au sommet d'un iceberg en pente, et que l'une d'elles succombait à la fatigue, je contemplais avec amertume l'immensité qui se déroulait devant moi, quand soudain mon regard découvrit sur la sombre plaine une tache plus sombre encore. Je m'efforçai de distinguer ce que cela pouvait être ; et je poussai un cri de joie sauvage quand je reconnus un traîneau, et à l'intérieur la silhouette familière d'une créature hideuse. Ah ! quel flot brûlant d'espoir envahit à nouveau mon cœur ! Des larmes chaudes remplirent mes yeux, que je me hâtai d'essuyer pour ne pas perdre de vue le démon ; mais des gouttes brûlantes continuèrent d'obscurcire mon regard, et, cédant aux émotions qui m'accablaient, je me laissai aller à mes sanglots.

Mais ce n'était pas le moment de s'attarder. Je débarrassai les chiens de leur compagnon mort, leur donnai une abondante portion de nourriture ; et, après une heure de repos, absolument nécessaire bien qu'elle me parût mortellement longue, je continuai ma route. Le traîneau était encore visible ; je ne le perdis d'ailleurs de vue qu'aux moments où quelque rocher de glace me le cachait entre ses pointes. Je gagnai même quelque distance sur lui ; et quand, au bout de deux jours, j'aperçus mon ennemi à seulement un mille de moi, mon cœur tressaillit dans ma poitrine.

Mais au moment même où mon adversaire paraissait être entre mes mains, mon espoir s'éteignit soudain, et je perdis toute trace de lui, plus complètement que cela ne m'était jamais encore arrivé. J'entendis une houle soudaine ; son bruit de tonnerre, alors que les eaux roulaient et s'enflaient sous moi, était à chaque instant plus terrifiant. Je me hâtai, mais en vain. Le vent se leva ; la mer rugit ; et, pour ainsi dire, avec le choc énorme d'un tremblement de terre, la glace se fendit et craqua dans un bruit terrible et accablant. Tout fut bientôt fini ; en quelques minutes, une mer tumultueuse se précipita entre moi et mon ennemi, et je restai à la dérive sur un bloc de glace isolé, qui, à chaque instant, allait diminuant d'étendue, et me préparait ainsi une mort affreuse.

Ainsi se passèrent maintes heures effrayantes ; plusieurs de mes chiens moururent ; et j'étais moi-même sur le point de sombrer sous le poids de mon désespoir, quand j'aperçus votre vaisseau à l'ancre qui m'offrait un espoir de secours et de vie. Je n'imaginais pas que les navires s'aventurassent si loin vers le nord, et je fus stupéfait de ce spectacle. Je fis rapidement mettre en morceaux une partie du traîneau pour fabriquer des rames ; et je pus ainsi, au prix d'une fatigue infinie, faire avancer mon radeau de glace dans la direction de votre navire. J'avais résolu, au cas où vous vous seriez dirigé vers le sud, de me fier à la merci des flots, plutôt que d'abandonner mon entreprise. J'espérais vous persuader de me prêter un bateau pour poursuivre mon ennemi ; mais vous alliez vers le nord. Vous me prîtes à bord au moment où ma force s'épuisait, et où j'aurais bientôt succombé sous le nombre de mes privations, mort que je redoute encore, car ma tâche n'est pas accomplie.

Ah ! quand mon guide invisible, en m'amenant auprès du démon, me permettra-t-il le repos vers lequel j'aspire ? S'il en est ainsi, jurez-moi, mon cher Walton, qu'il n'échappera pas à son destin ; que vous le poursuivrez, et que sa mort sera ma vengeance ! Mais oserais-je vous demander d'entreprendre ce pèlerinage, d'endurer les privations que j'ai subies ? Non, je ne suis pas à ce point égoïste. Pourtant, si, quand je serai mort, il apparaissait, si les ministres de la Vengeance le conduisaient vers vous, jurez-moi qu'il ne trouvera pas le triomphe en l'accumulation de mes malheurs, qu'il ne survivra pas pour ajouter à la liste de ses crimes sinistres. Il est éloquent et sait persuader ; un jour même, ses paroles exercèrent leur puissance sur mon cœur ; mais ne lui accordez aucune confiance ! Son âme est aussi infernale que son image même, pleine de traîtrise et de malice infernale. Ne l'écoutez point : remémorez-vous les noms de William, de Justine, de

Clerval, d'Elizabeth, de mon père et du malheureux Victor, et plongez votre épée dans son cœur ! Mon âme sera près de vous pour guider l'acier vers son but.

WALTON *(Suite)*.

Vous avez lu, Margaret, cette étrange et effrayante histoire ; ne sentez-vous pas votre sang se glacer de la même horreur qui, en ce moment même, glace le mien ? Parfois, en proie à une souffrance atroce et soudaine, il ne pouvait continuer son histoire ; parfois, d'une voix brisée, mais perçante, il prononçait avec peine ces paroles si chargées de souffrance. Ses yeux nobles et charmants tantôt s'enflammaient d'indignation, tantôt exprimaient l'abattement du chagrin, éteints en une infinie misère. Parfois, il commandait à ses traits et à ses intonations, et racontait d'une voix calme les incidents les plus horribles en supprimant toute marque d'agitation ; puis, comme un volcan qui éclate, soudain sa physionomie exprimait la rage la plus effrénée, au milieu d'imprécations perçantes adressées à son persécuteur.

Son récit est coordonné, et fait avec l'apparence d'une sincérité la plus simple ; je vous avoue cependant que les lettres de Félix et de Safie, qu'il m'a montrées, et, d'autre part, l'apparition du monstre aperçu de notre navire m'ont convaincu davantage de la véracité de son histoire que ses protestations elles-mêmes, si énergiques et si coordonnées qu'elles aient été. Il est donc vrai qu'un monstre semblable existe ! Je ne peux en douter ; et, pourtant, je suis éperdu de surprise et d'admiration. J'ai parfois essayé de savoir de Frankenstein les détails mêmes de sa création ; mais il est, sur ce point, resté impénétrable.

« Êtes-vous donc fou ? mon ami, me disait-il ; à quoi donc vous pousse votre curiosité irraisonnée ? Voudriez-vous aussi créer au monde et à vous-même un ennemi démoniaque? Paix, paix! apprenez mes malheurs, et ne cherchez pas à accroître les vôtres.»

Frankenstein s'est aperçu que j'avais pris des notes relatives à son récit; il m'a demandé de les voir, et les a alors lui-même corrigées et augmentées en maint endroit; mais il a surtout cherché, en le faisant, à donner la vie et leur esprit exact à ses entretiens avec son ennemi. «Puisque vous avez gardé mon récit, m'a-t-il dit, je ne voudrais pas qu'il passât mutilé à la postérité.»

Une semaine s'est ainsi passée à écouter le conte le plus étrange que jamais ait conçu imagination humaine. Mes pensées et tous les sentiments de mon âme se sont trouvés absorbés par l'intérêt pour mon hôte que m'ont inspiré son histoire en même temps que ses manières distinguées et douces. Je voudrais lui rendre le calme; et pourtant, puis-je conseiller de vivre à un être si infiniment misérable, si privé de toute espérance de consolation? Certes non! la seule joie qu'il puisse éprouver désormais sera celle de recueillir vers la paix et la mort son âme martyrisée. Et pourtant, il goûte encore une consolation issue de la solitude et du délire: il croit que lorsqu'au cours de ses rêves il s'entretient avec les siens, et trouve en cette communion la consolation de ses souffrances ou une excitation à la vengeance, ce ne sont pas là les créations de sa fantaisie, mais bien ces êtres mêmes qui viennent le visiter du fond d'un autre monde. Cette foi donne à ses songes une solennité qui leur confère, à mes yeux, toute la dignité et l'intérêt de la vérité elle-même.

Nos entretiens ne se limitent pas toujours à sa propre histoire et à ses malheurs. A propos de toute question de littérature générale, il témoigne de connaissances illimitées et d'une intelligence rapide et pénétrante. Son éloquence est vigoureuse et persuasive; je ne peux d'ailleurs, quand il raconte un incident touchant, ou qu'il essaie d'émouvoir la pitié ou l'amour, l'entendre sans verser des larmes. Quelle merveilleuse créature ne doit-il pas avoir été aux jours de sa prospérité, celui qui porte en sa ruine quelque chose de si grand et de si

divin! Il semble avoir conscience de sa propre vertu et
de la grandeur de sa chute.

« Quand j'étais plus jeune, m'a-t-il dit, je me croyais
destiné à mener à bien quelque grande entreprise. Mes
sentiments sont profonds ; mais j'avais un calme dans
le jugement, qui me désignait pour des travaux illustres. Ce sentiment de ma valeur m'a soutenu dans des
circonstances où d'autres se fussent sentis accablés : car
je considérais comme un crime de gaspiller en un chagrin inutile ces talents qui eussent pu servir à mes
semblables. Quand je réfléchissais à l'œuvre que j'avais
accomplie, — rien moins que la création d'un animal
sensible et raisonnable, — je ne pouvais me mettre au
niveau de la foule des inventeurs vulgaires. Mais cette
pensée, qui me soutenait au commencement de ma
carrière, ne sert aujourd'hui qu'à me plonger plus sûrement dans la poussière. Toutes mes spéculations et
mes espérances ne sont plus rien ; et, tel l'archange qui
aspirait à l'omnipotence, je me trouve enchaîné dans
un enfer éternel. Mon imagination était vive ; et pourtant ma puissance d'analyse et de travail était intense ;
c'est grâce à l'union de ces qualités que j'avais pu
concevoir l'idée et exécuter la création d'un homme.
Même maintenant, je ne peux me rappeler sans enthousiasme mes réflexions, alors que l'œuvre était encore incomplète. Je parcourais les cieux en pensée,
tantôt exultant du sentiment de ma pensée, tantôt
l'âme ardente en songeant à ses résultats. Dès mon
enfance, j'étais pénétré d'espoirs immenses et d'une
ambition merveilleuse ; mais à quelles profondeurs ne
suis-je pas tombé ! Ah ! mon ami, si vous m'aviez
connu tel que j'étais jadis, vous ne me reconnaîtriez
point dans cet état de dégradation. Le découragement
visitait rarement mon cœur ; une destinée sublime
semblait me porter sans cesse, jusqu'au jour où je
tombai, pour ne me relever jamais, jamais plus. »

Me faudra-t-il donc perdre cet être admirable ? Depuis longtemps, je soupire après un ami ; j'en ai cherché un qui partageât mes sentiments et qui m'aimât ; et
voilà que je l'ai trouvé sur ces mers désertes ; mais je

crains de ne l'avoir gagné que pour connaître sa valeur
et le perdre. Je voudrais lui rendre le goût de la vie;
mais il en repousse l'idée.

« Je vous remercie, Walton, me dit-il, de vos excellentes intentions à l'égard d'une créature aussi misérable que moi; mais, quand vous me parlez de liens et
d'affections nouvelles, croyez-vous que, aucun d'eux
puisse tenir lieu de ceux qui sont disparus? Est-il un
seul homme qui puisse tenir près de moi la place de
Clerval? aucune femme qui puisse remplacer Elizabeth? Même quand les affections ne s'émeuvent pas
fortement sous l'influence d'une vertu supérieure, les
compagnons de notre enfance ont toujours sur notre
âme une certaine puissance à laquelle nul ami ne peut
guère prétendre par la suite. Ils connaissent les éléments primitifs de notre caractère, qui en dépit de
toute modification possible, ne se déracinent jamais; et
ils peuvent juger nos actes avec une plus grande certitude au point de vue de la réalité de leurs motifs.
Jamais un frère ou une sœur, si les symptômes n'en
sont apparus à un âge tendre, ne pourront se soupçonner de fausseté mutuelle ou de fraude, alors qu'en
dépit d'un attachement profond, ils pourront, malgré
eux, considérer un autre être avec défiance. Les miens,
au contraire, m'étaient chers, non seulement par l'effet
de l'habitude et de la familiarité, mais pour leurs propres mérites: où que je me trouve, la voix consolante
de mon Elizabeth et les entretiens de Clerval murmu-
reront toujours à mon oreille. Ils sont morts, et il n'est
plus dans une solitude semblable qu'un seul sentiment
capable de m'attacher à la vie. Si j'étais occupé par
quelque grand projet ou par quelque entreprise susceptible de rendre un service immense à mes semblables, je pourrais alors vivre pour le mener à bien. Mais
telle n'est pas ma destinée; il me faut poursuivre et
détruire l'être à qui j'ai donné l'existence; alors mon
rôle sur terre sera rempli, et je pourrai mourir. »

Ma sœur Bien-Aimée,

Je vous écris au milieu des dangers et sans savoir si je dois jamais revoir l'Angleterre et les êtres les plus chers encore qui y résident. Je suis entouré de montagnes de glace qui ne permettent aucune issue, et qui menacent, à chaque instant, d'écraser mon navire. Les braves gens que j'ai persuadé de me suivre attendent mon aide ; mais je n'en ai aucune à leur donner. Il y a dans notre situation quelque chose de terriblement accablant ; cependant le courage ni l'espoir ne m'abandonnent. Il est pourtant terrible de penser que la vie de tous ces hommes est en danger à cause de moi. Si nous sommes perdus, ce sont mes projets fous qui en seront la cause.

Et vous, ma chère Margaret, quel sera l'état de votre âme ? Vous ne saurez rien de ma disparition et vous attendrez anxieusement mon retour. Les années passeront, vous passerez par des crises de désespoir, et aussi par les tortures de l'espoir. Ah ! ma sœur bien-aimée, l'accablante déception d'une attente si chère est pour moi une perspective plus terrible que celle de ma propre mort ! Mais vous avez un mari et des enfants charmants ; vous pouvez être heureuse ; puisse le ciel vous bénir et faire que vous le soyiez !

Mon malheureux hôte me regarde avec la compassion la plus tendre. Il s'efforce de me remplir d'espoir, et parle comme si la vie était un bien qu'il appréciât. Il me rappelle combien de fois les mêmes accidents sont arrivés à d'autres navigateurs explorant cette même mer ; et il remplit malgré moi mon âme de prévisions encourageantes. Les marins eux-mêmes ressentent la puissance de son éloquence ; lorsqu'il parle, ils cessent de désespérer ; il suscite leur énergie, et lorsqu'ils entendent sa voix, ils ne voient plus en ces immenses montagnes de glace que les taupinières près de disparaître devant la détermination humaine. Ces sentiments sont passagers ; chaque jour de désillusion les remplit de peur, et je crains presque une révolte causée par ce désespoir.

Il vient de se passer une scène d'un intérêt tel que, malgré la grande improbabilité que ces notes vous parviennent jamais, je ne peux m'empêcher de l'y narrer.

Nous sommes toujours entourés de montagnes de glace, toujours en danger d'être d'un moment à l'autre écrasés dans leur conflit. Le froid est extrême, et un grand nombre de nos infortunés camarades ont déjà trouvé la mort devant ce spectacle de désolation. La santé de Frankenstein décline de jour en jour ; on voit encore en son regard la lueur d'un feu de fièvre ; mais il est épuisé, et quand une excitation soudaine détermine de sa part un effort quelconque, il retombe vite dans une léthargie apparente.

J'ai parlé dans ma dernière lettre, de mes craintes d'une révolte. Ce matin, tandis que j'observais le visage blême de mon ami, — ses yeux à demi-clos, et ses membres abandonnés et inertes, — je fus dérangé par une demi-douzaine de matelots qui avaient exigé d'être introduits dans ma cabine. Ils entrèrent et leur chef me parla. Il me déclara avoir été choisi avec ses compagnons comme délégués des autres matelots pour me faire une requête qu'en toute justice je ne pourrais rejeter. Nous étions emmurés dans la glace, et ne réussirions sans doute pas à nous dégager ; mais ils craignaient que si, comme c'était possible, la glace disparaissait, et que l'on réussît à ouvrir un passage, j'eusse la témérité de continuer son voyage et de leur faire courir de nouveaux dangers après avoir eu la bonne fortune d'échapper à celui-ci. Ils voulaient donc recevoir de moi la promesse solennelle que, si le vaisseau se trouvait dégagé, je ferais immédiatement route vers le sud.

Ce discours me troubla. Je n'avais pas encore désespéré, ni conçu l'idée d'abandonner l'expédition si nous échappions au danger présent. Pouvais-je pourtant, en toute justice, ou même matériellement, ne pas tenir compte de leur existence ? J'hésitais avant de répondre, quand Frankenstein, qui d'abord était resté silencieux,

et qui, en vérité, semblait à peine avoir la force
d'écouter, se souleva ; ses yeux étincelaient, et une
couleur passagère couvrait ses joues. Se tournant vers
les hommes, il leur dit :

« Que voulez-vous dire ? Qu'exigez-vous de votre capitaine ? Est-il donc si facile de vous détourner de votre
entreprise ? N'avez-vous pas dit que vous étiez partis
pour une expédition glorieuse ? Et pourquoi donc était-
elle glorieuse ? Non, certes, parce que la route était
facile et calme comme sur une mer du sud, mais parce
qu'elle était pleine de dangers et de terreur ; parce qu'à
chaque incident nouveau, il vous faudrait faire preuve
à nouveau d'énergie et de courage ; parce qu'elle était
entourée de dangers et de chances de mort, et que
c'était là ce que vous alliez affronter et vaincre. Voilà
pourquoi c'était une entreprise glorieuse et honorable.
Plus tard, on vous eût appelés les bienfaiteurs de vos
semblables ; votre nom eût été sacré comme celui de
braves ayant affronté la mort pour l'honneur et le
service de l'humanité. Et voici qu'au premier danger
imaginé ou, si vous voulez, à la première grande et
terrible épreuve imposée à votre courage, vous vous
dérobez, et qu'il vous suffit de passer pour des hommes dont la force était incapable de subir le froid et le
péril, car ils étaient frileux, les pauvres ! et s'en retour-
nèrent au coin de leur feu ! Mais alors il n'était point
besoin d'en faire tant ! ni de pousser si loin, ni de
traîner de force votre capitaine dans la honte d'un
insuccès, pour le seul résultat de prouver votre lâcheté !
Allons, soyez des hommes, ou plus encore que des
hommes. Soyez fidèles à votre dessein, fermes comme
le roc. Cette glace n'est pas faite de la même substance
que votre cœur ; elle est susceptible de changer, et ne
saurait vous résister si vous déclarez qu'il n'en sera pas
ainsi. Ne retournez pas dans vos familles avec le
stigmate du déshonneur au front. Retournez en héros
qui ont lutté et vaincu, et qui ne savent pas ce que c'est
que de tourner le dos à l'ennemi. »

Sa voix s'harmonisait à tel point avec les différents
sentiments exprimés par ses paroles, son regard disait

si bien l'élévation de son dessein et son héroïsme, que ces hommes, vous en étonneriez-vous? furent émus. Ils se regardèrent les uns les autres, et ne purent répondre. Je parlai; je leur ordonnai de se retirer pour réfléchir à ce qui venait de leur être dit; que je ne les mènerais pas plus au nord s'ils désiraient sérieusement le contraire; mais que j'espérais voir, à la réflexion, leur courage renaître.

Ils se retirèrent et je me tournai vers mon ami; mais il était accablé de langueur et presque sans vie.

Quelle sera l'issue de tout cela, je n'en sais rien; mais je préfère mourir que de repartir dans la honte, sans avoir atteint mon but. Et, pourtant, je crains bien que tel doive être mon destin; ces hommes, que ne soutient aucune idée de gloire et d'honneur, ne pourront jamais endurer davantage ce qu'ils souffrent aujourd'hui.

Le 7 septembre.

Le sort en est jeté; j'ai consenti à rentrer si nous ne disparaissons pas. Mes espérances sont donc ruinées par la lâcheté et l'indécision. Je reviens ignorant et déçu. Il me faudrait plus de philosophie que je n'en ai pour supporter avec patience cette injustice.

Le 12 septembre.

Tout cela est du passé; je retourne en Angleterre. J'ai perdu mon espoir d'être utile et illustre; j'ai perdu mon ami. Mais je vais m'efforcer, ma chère sœur, de vous raconter en détail ces tristes événements; et tandis que je vogue vers l'Angleterre et vers vous, je ne m'abandonnerai pas au découragement.

Le 9 septembre, la glace entra en mouvement, et le grondement du tonnerre se fit entendre au loin, tandis que les îles se fendaient et craquaient de toutes parts. Le péril était des plus imminents; mais comme nous ne pouvions que rester passifs, je donnai principalement mon attention à mon malheureux hôte, dont la maladie s'aggravait à telle point qu'il devait continuellement garder le lit. La glace craquait derrière nous, et dérivait

avec force vers le nord. Une brise se leva à l'ouest, et,
le 11, le passage vers le sud était entièrement libre.
Quand les matelots s'en aperçurent, et que leur retour
dans leur pays natal était apparemment assuré, ils ne
purent retenir un grand cri prolongé de joie tumultueuse. Frankenstein, qui sommeillait, s'éveilla et demanda la cause du bruit. «Ils crient, lui dis-je, parce
qu'ils rentreront bientôt en Angleterre.

— Vous y retournez donc vraiment?

— Hélas! oui. Je ne peux résister à leurs exigences.
Il m'est impossible de les mener au danger contre leur
gré, et je suis contraint de repartir.

— Faites-le si vous voulez; mais je ne le ferai pas.
Vous êtes libre d'abandonner votre entreprise; mais la
mienne m'est assignée par le ciel; et je n'ose pas. Je
suis faible; mais les esprits qui favorisent ma vengeance me donneront à coup sûr la force nécessaire.»

En prononçant ces paroles, il essaya de sauter hors
du lit; mais cet effort fut trop grand pour lui; il
retomba et perdit connaissance.

Il ne reprit ses sens que longtemps après, et je crus
plusieurs fois sa vie entièrement éteinte. Enfin, ses
yeux s'ouvrirent; il respirait avec peine, et ne pouvait
parler. Le chirurgien lui donna un calmant, et nous
ordonna de le laisser en parfait repos. Mais il me dit
dans l'intervalle que mon ami n'avait plus, à coup sûr,
beaucoup d'heures à vivre.

Il était condamné, je ne pouvais que souffrir et attendre. J'étais assis à son chevet et je l'observais; ses
yeux étaient fermés, et je croyais qu'il dormait; mais
bientôt il m'appela d'une voix faible, m'ordonnant de
m'approcher, et il me dit: «Hélas! la force sur laquelle
je comptais a disparu; je sens que je vais mourir, et que
lui, mon ennemi et mon persécuteur, existe peut-être
encore. Ne croyez pas, Walton, qu'aux derniers moments de ma vie, j'éprouve encore cette haine brûlante
et ce désir de vengeance que je vous ai jadis exprimés;
mais je sens justifié mon désir de voir mourir mon
adversaire. J'ai passé ces derniers jours à faire mon
examen de conscience; et je ne trouve point ma

conduite blâmable. Dans un accès de folie enthousiaste, j'ai créé un être rationnel, et j'étais obligé d'assurer, autant qu'il était en mon pouvoir, son bonheur
et son bien-être. C'était là mon devoir. Mais il en était
un autre, encore supérieur. Mes devoirs envers les
êtres de ma propre espèce réclamaient davantage mes
soins, puisqu'ils entraînaient une proportion plus
grande de bonheur ou de misère. C'est pour cette
raison que j'ai refusé — et j'ai bien agi en refusant —
de créer une compagne à ce premier être. Il a fait
preuve, dans ses crimes, d'une cruauté et d'un égoïsme
sans exemple ; il a tué les miens, il a voué à la mort des
êtres d'une sensibilité exquise, heureux et sages ; et je
ne sais pas où peut le mener cette soif de vengeance.
Malheureux lui-même, il faudrait qu'il mourût pour ne
causer le malheur d'aucun autre. C'est à moi qu'il
incombait de le faire disparaître, mais je n'ai pu y
réussir. Poussé par l'égoïsme et la haine, je vous ai
demandé de reprendre ma tâche inachevée ; et je vous
renouvelle cette demande aujourd'hui, sous la seule
impulsion de la raison et de la vertu.

« Et pourtant je ne peux vous demander, pour mener
à bien cette entreprise, de renoncer à votre patrie et
aux vôtres ; désormais, puisque vous rentrez en
Angleterre, vous n'avez guère de chance de le rencontrer. Mais je vous laisse juge de ces arguments et de
l'équilibre exact de vos devoirs ; mon jugement et mes
idées sont déjà troublés par la mort toute proche de
moi. Je n'ose vous demander de faire ce que je crois
juste, car peut-être suis-je encore sous l'influence de la
passion.

« Qu'il vive pour être l'instrument du crime, c'est
une pensée qui me trouble autrement, l'heure présente, où j'attends d'un instant à l'autre ma libération,
est la seule heureuse que j'aie goûté depuis plusieurs
années. Les fantômes des morts bien-aimés passent
devant moi, et je me hâte vers leurs bras tendus. Adieu
Walton ! Cherchez le bonheur dans le calme et fuyez
l'ambition, même si ce n'est que celle, apparemment
innocente, de vous distinguer par la science et l'ambi-

tion. Et cependant! pourquoi parler ainsi ? J'ai trouvé
moi-même la ruine en ces espérances, mais peut-être
un autre les réalisera-t-il. »

Sa voix baissait à mesure qu'il parlait ; enfin, épuisé
par l'effort, il retomba dans le silence. Environ une
demi-heure après, il essaya de parler encore mais en
vain ; il me pressa faiblement la main, puis ses yeux se
fermèrent pour toujours, tandis que l'irradiation d'un
doux sourire disparaissait de ses lèvres.

Margaret, quel commentaire puis-je faire sur l'ex-
tinction prématurée de cette âme merveilleuse ? Que
puis-je dire qui vous fasse comprendre la profondeur
de mon chagrin ? Tout ce que j'exprimerais serait in-
suffisant et sans portée. Mes larmes coulent ; un nuage
de désenchantement couvre mon esprit. Mais je suis en
route pour l'Angleterre, et peut-être y trouverai-je une
consolation.

On m'interrompt. Que veut dire ce bruit ? Il est
minuit ; le vent est favorable, et l'homme de quart
bouge à peine sur le pont. Voici de nouveau le son
d'une voix humaine, mais plus rauque ; il vient de la
cabine où reposent encore les restes de Frankenstein. Il
faut me lever et y aller voir. Bonsoir, ma chère sœur !

Grand Dieu ! quelle scène vient de se passer ! le
souvenir m'en donne encore le vertige. Je sais à peine si
je vais avoir la force de vous la narrer en détail ; et
pourtant l'histoire que je viens de raconter serait
incomplète sans cette catastrophe finale et étonnante.

J'entrai dans la cabine où reposaient les restes de
mon malheureux et admirable ami. Au-dessus de lui,
se penchait une silhouette que je ne peux trouver de
mots pour décrire, d'une taille gigantesque, et pourtant étrange et difforme dans ses proportions. Tandis
qu'il s'inclinait au-dessus du cercueil, son visage était
caché par de longues mèches de cheveux emmêlés ;
mais une main immense était tendue, semblable par sa
couleur et sa contexture apparente à celle d'une
momie. En entendant le bruit de mes pas, il cessa de
pousser des exclamations d'horreur et de douleur, et se
précipita par la fenêtre. Jamais je n'ai contemplé de

vision aussi horrible que sa face, d'une hideur aussi repoussante et pourtant terrifiante. Je fermai involontairement les yeux, et j'essayai de me rappeler mon devoir à l'égard de ce criminel. Je lui criai de s'arrêter.

Il attendit, me regarda avec étonnement ; et, se tournant de nouveau vers le corps inerte de son créateur, parut oublier ma présence : toutes ses expressions et ses gestes semblaient dictés par la rage effrénée de quelque passion irrésistible.

« Voici encore une de mes victimes ! s'écria-t-il ; cette mort est la consommation de mes crimes ; par elle, la succession misérable d'événements dont se compose mon être, atteint sa fin. Ah ! Frankenstein, être généreux et dévoué ! à quoi bon te demander maintenant de me pardonner ? à moi qui t'ai irréparablement détruit en détruisant tout ce que tu aimais. Hélas ! il est froid, il ne peut pas me répondre. »

Il paraissait suffoquer ; et mes impulsions premières, qui m'avaient suggéré le devoir d'obéir à la requête de mon ami mourant, en tuant son ennemi, furent alors suspendues par un mélange de curiosité et de compassion. Je m'approchai de cet être terrible ; je n'osais lever à nouveau mes yeux sur son visage, à tel point sa laideur était apeurante et inhumaine. J'essayai de parler, mais les paroles moururent sur mes lèvres. Le monstre continuait à s'adresser des reproches emportés et incohérents. Je finis par rassembler la force nécessaire pour lui parler pendant un arrêt de l'ouragan de sa passion : « Votre repentir, lui dis-je, est désormais superflu. Si vous aviez écouté la voix de la conscience et obéi à l'aiguillon du remords avant d'avoir poussé à cette extrémité votre vengeance diabolique, Frankenstein aurait pu vivre. »

« Rêvez-vous donc ? me dit le démon. Croyez-vous que j'étais alors insensible à la souffrance et au remords ? Lui, continua-t-il, en indiquant du doigt le cadavre, lui n'a pas souffert de l'accomplissement de son crime. Ah ! pas la dix-millième part de ma souffrance atroce pendant la lenteur des détails de sa perpétration. Un effrayant égoïsme me poussait, tandis

que le remords empoisonnait mon cœur. Croyez-vous
que les gémissements de Clerval étaient une musique
pour mes oreilles? Mon cœur était fait pour ressentir
l'amour et la sympathie; et quand la souffrance l'y
arracha pour le plonger dans le mal et la haine, il ne
supporta point la violence de ce changement sans des
tortures telles que vous ne pouvez même pas les imaginer.

« Après avoir assassiné Clerval, je retournai en
Suisse, le cœur brisé et accablé. J'avais pitié de Frankenstein; ma pitié allait jusqu'à l'horreur; je m'abhorrais moi-même. Mais quand je découvris que lui, l'auteur de mon existence et de ses tourments inexprima-
bles, osait espérer le bonheur; — que tout en accu-
mulant la misère et le désespoir sur ma tête, il cherchait sa propre joie dans des sentiments et des passions
dont le goût m'était à jamais interdit, — alors une
envie impuissante et une indignation amère m'emplirent d'une soif insatiable de vengeance. Je me rappelai
ma menace et résolus de l'exécuter. Je savais que je me
préparais ainsi à moi-même une torture mortelle; mais
j'étais l'esclave et non le maître d'une impulsion que
j'exécrais, sans pourtant pouvoir lui désobéir. Cependant, quand elle mourut! — non, alors je ne souffris
pas. J'avais chassé tout sentiment, étouffé toute torture, pour me rassasier de l'excès même de mon désespoir. Le Mal désormais devint mon Bien. Arrivé à ce
point, je ne pouvais plus qu'adapter ma nature à un
élément que j'avais volontairement choisi. L'accomplissement de mon dessein démoniaque ˙devint une
passion irrésistible. Et maintenant, tout est terminé;
voilà ma dernière victime. »

Je fus tout d'abord touché par les expressions de sa
souffrance; mais quand je me rappelai ce que m'avait
dit Frankenstein de l'éloquence et de la persuasion
dont il était capable, et que mon regard rencontra la
forme inerte de mon ami, la flamme de l'indignation
s'éleva de nouveau dans mon cœur. « Misérable!
m'écriai-je; vous avez beau venir vous lamenter ici sur
la désolation dont vous êtes l'auteur. Vous portez la

torche au milieu d'un groupe d'édifices ; et lorsqu'ils sont consumés, vous vous asseyez parmi les ruines et vous vous lamentez sur leur chute. Démon hypocrite ! si celui que vous pleurez vivait encore, il serait encore l'objet, il deviendrait de nouveau la proie de votre vengeance maudite. Ce n'est pas de la pitié que vous ressentez ; vous ne vous lamentez que parce que la victime de votre haine est arrachée à votre puissance. »

« Ah ! telle n'est pas la réalité, telle n'est pas la réalité », interrompit-il ; « et pourtant, telle doit être l'impression que vous transmet ce qui semble être le sens de mes actes. Je ne cherche cependant point de compagnon de misère. Jamais il ne me sera donné de susciter la sympathie. Quand je la cherchai d'abord, c'était l'amour de la vertu, les sentiments de bonheur et d'affection dont mon être débordait, que je voulais faire partager à un autre. Mais maintenant que pour moi la vertu est devenue une ombre, et que bonheur et affection se sont changés en un désespoir amer et hideux, quel sentiment voudrais-je faire partager ? Il me suffit de souffrir dans la solitude tant que dureront mes souffrances ; je sais bien qu'à ma mort, l'horreur et l'opprobre pèseront sur ma mémoire. Jadis, ma fantaisie se repaissait de rêves de vertu, de gloire et de joie. Jadis, j'espérai dans mon illusion rencontrer des êtres capables de me pardonner ma forme extérieure, et de m'aimer pour les vertus que j'étais en mesure de manifester. J'étais nourri de pensées élevées d'honneur et de dévouement. Mais, aujourd'hui, le crime m'a dégradé au-dessous de l'animal le plus bas. Nul crime, nulle haine, nulle cruauté, nulle misère n'existent qui puissent se comparer aux miens. Quand je parcours la liste effrayante de mes actes, je ne peux retrouver en moi cette même créature dont l'esprit contenait les visions sublimes et transcendantes de la beauté et de la majesté du bien. Mais c'est ainsi que vont les choses : l'ange déchu devient un démon du mal ! Et pourtant, même cet ennemi de Dieu a, dans sa désolation, des compagnons et des amis : quant à moi je suis seul !

« Vous qui appelez Frankenstein votre ami, vous

paraissez connaître mes crimes et mes malheurs. Mais parmi les détails qu'il vous a donnés, ne figure pas la somme des heures et des mois de souffrance que j'ai subis, émacié par des passions impuissantes. Car tout en détruisant ses espérances, je ne satisfaisais point mes propres aspirations. Elles ne cessaient jamais d'être ardentes et douloureuses ; sans cesse, je cherchais l'amour et l'amitié, et je ne rencontrais que le mépris. N'y avait-il pas là une injustice ? Dois-je donc passer pour le seul criminel, alors que l'humanité entière a péché contre moi ? Pourquoi ne haïssez-vous point Félix qui chassa son ami de sa porte en l'outrageant ? Mais non, ce sont là des êtres vertueux et immaculés ! Quant à moi, le misérable et l'abandonné, je ne suis qu'un être abortif, digne de mépris, d'être frappé, foulé aux pieds ! Mon sang bout encore aujourd'hui au souvenir de cette injustice !

« Mais il est vrai que je suis un criminel. J'ai assassiné des êtres exquis et faibles ; j'ai étouffé l'innocent dans son sommeil, étranglé celui qui n'avait jamais fait aucun mal, ni à moi-même, ni à aucun autre être vivant. J'ai voué à la souffrance mon créateur, l'exemple choisi de tout ce qui, parmi les hommes, est digne d'amour et d'admiration. Je l'ai poursuivi jusqu'à cette ruine irrémédiable. Il est là devant moi, blanc et froid dans la mort. Vous me haïssez ; mais votre abhorrence ne saurait égaler celle avec laquelle je me regarde moi-même. Je considère ces mains qui ont exécuté le crime ; je pense à ce cœur qui en a conçu l'image et j'aspire à l'heure où ces mains rencontreront mes yeux, où cette image ne hantera plus ma pensée.

« Ne craignez pas que je sois désormais l'instrument du crime. Mon œuvre est presque complète. Il ne faut ni votre mort, ni celle d'aucun homme, pour terminer la série de mon être et accomplir l'acte nécessaire, mais la mienne seule. Ne pensez pas que je mette quelque lenteur à consommer ce sacrifice. Je vais quitter votre navire sur le radeau de glace qui m'y a amené, et faire route vers l'extrémité la plus septentrionale du globe ; je rassemblerai moi-même mon bûcher funéraire, et je réduirai en cendres ce corps misérable, pour que les restes n'en puissent donner aucune lumière au malheureux poussé par une curiosité maudite qui voudrait créer un autre être semblable à ce que j'ai été. Je vais donc mourir. Je ne sentirai plus les tortures qui me rongent, je ne serai plus en proie aux désirs insatisfaits et pourtant inextinguibles. Celui-là est mort qui m'appela à la vie ; et quand je ne serai plus, le souvenir de l'un et l'autre se dissipera rapidement. Je ne verrai plus le soleil et les étoiles, je ne sentirai plus la caresse du vent sur mes joues. La lumière, le toucher, la conscience passeront ; et c'est en cette condition que je trouverai mon bonheur. Il y a des années, lorsqu'à mes yeux les images de ce monde surgirent pour la première fois, lorsque je sentis la chaleur enivrante de l'été, quand j'entendis frissonner les feuilles et chanter les oiseaux, alors que ces choses étaient tout pour moi, j'aurais pleuré de mourir : aujourd'hui, c'est ma seule consolation. Souillé par des crimes, déchiré par le remords le plus amer, où donc trouverai-je le repos, sinon dans la mort ?

« Adieu ! je vous quitte, et vous êtes le dernier des humains que ces yeux contempleront jamais. Adieu, Frankenstein ! Si tu vivais encore et si tu caressais contre moi quelque désir de vengeance, ma vie le satisferait mieux que ma destruction. Mais non : tu ne voulais ma mort que pour m'empêcher de causer de plus grands maux ; et pourtant, si, sous quelque forme qui m'est inconnue, tu n'avais cessé de penser et de sentir, tu ne chercherais pas contre moi de vengeance plus grande que celle que je subis. Dans l'accablement de ta ruine, ta torture était encore inférieure à la mienne ; car l'aiguillon cruel du remords ne cessera d'irriter mes blessures qu'à l'heure où la mort les fermera pour toujours.

« Mais bientôt, s'écria-t-il avec une ardeur triste et solennelle, je vais mourir, et ce que je ressens ne sera plus ressenti. Bientôt ces ardentes tortures seront éteintes. Je monterai en triomphe sur mon bûcher funèbre, et j'exulterai, dans la souffrance atroce du

feu. La lumière de ces flammes s'effacera ; mes cendres
seront balayées jusque dans la mer par les vents. Mon
esprit dormira dans la paix ; ou, s'il pense encore, il ne
pensera pas à coup sûr de même qu'aujourd'hui...
Adieu ! »

En disant ces mots, il s'élança, par la fenêtre de la
cabine, sur le radeau de glace tout proche du navire.
Les vagues l'emportèrent, perdu dans les ténèbres
lointaines.

NOTES

1. Allusion à la légende des contrées hyperboréennes, baignées par des mers chaudes, bien que situées dans l'arctique.

2. Allusion au poème *Le Dit du Vieux Marin* (*The Rime of the Ancient Mariner*) (1798). H. Parisot a donné (Flammarion, 1966) une remarquable traduction de ce poème où l'albatros, oiseau antarctique, joue un rôle funeste. Dans son enfance, Mary Shelley eut l'occasion de connaître l'auteur : Samuel Coleridge, ami de son père, William Godwin, auquel il rendait souvent visite. Après «aussi désespéré que le *Vieux Marin*», et avant le dernier paragraphe, commençant par : « Pour en revenir à des considérations...», est ajouté en 1831 un passage qui ne figurait pas dans l'édition de 1818.

3. La Reuss : rivière séparant en deux la ville de Lucerne.

4. «... Caroline devenait sa femme». Les pages suivantes, ajoutées en 1831 au texte de 1818, modifient les rapports entre les personnages. Dans cette nouvelle version, les parents de Victor Frankenstein ont connu une vie conjugale plus heureuse que dans la version de 1818. Dans celle-ci, Elizabeth Lavenza était une authentique cousine de Victor et non une enfant trouvée.

5. «et de tous mes plaisirs». Sur ces mots, prend fin le morceau ajouté en 1831.

6. «autre que la mienne». Après ces mots, l'auteur a coupé en deux, en 1831, le chapitre I. Au début de la deuxième partie, devenue le chapitre II, elle intercale un développement nouveau commençant par «Nous fûmes élevés ensemble» jusqu'à «présentes à ma mémoire».

7. En reprenant le cours du texte de 1818, l'auteur apporte des précisions sur la situation affective de Victor. Dans la première version, elle écrivait seulement : «Mes frères étaient beaucoup plus jeunes que moi; mais j'avais parmi mes camarades de classe, un ami qui compensait ce défaut. Henry Clerval était le fils...»

8. Texte de 1818 : «de jouer des pièces composées par lui d'après ses livres favoris dont les principaux personnages étaient *Orlando* (*Roland furieux*, de l'Arioste), *Robin des Bois*, *Amadis* [*de Gaule*] *et saint Georges*».

9. Heinrich Cornélis Agrippa de Nettesheim (1486-1535), natif de Cologne. Le plus érudit de tous les occultistes du XVIe siècle, celui qui connaît le mieux la philosophie grecque, latine, alexandrine ou rabbinique, étudiée par lui dans les textes originaux. Son grand ouvrage : *La Philosophie occulte ou la Magie* (1529).

10. Philippe Aureolus Bombast de Hohenheim dit Paracelse (1493?-1541); natif d'Einsiedeln, en Suisse. D'abord alchimiste, a transformé l'art médical. Considéré comme le fondateur de l'homéopathie. Voir R. Allendy : *Paracelse le médecin maudit*. Gallimard, 1937.

11. Albert le Grand (Albertus Magnus, 1193-1280). Moine dominicain, théologien, alchimiste, originaire de Souabe. Son disciple saint Thomas d'Aquin détruisit un automate qu'il avait fabriqué, le jugeant œuvre du démon. On lui a attribué deux ouvrages de sorcellerie et de magie populaire *Les Secrets du Grand Albert* et le *Petit Albert* auxquels il est étranger.

12. La pierre philosophale, beaucoup plus que l'élixir de longue vie, était l'objet principal de la recherche alchimique. Elle permettait la transmutation des métaux (par exemple du plomb en or), en vertu de la doctrine occultiste selon laquelle il existe une correspondance étroite entre les divers éléments de l'Univers, du macrocosme au microcosme.

13. «... de détruit si complètement». Après ces mots, l'auteur remplace par trois nouveaux paragraphes plus brefs la fin de ce chapitre tel qu'elle l'avait rédigée en 1818. La première version faisait du familier de l'électricité un inventeur : constructeur d'une machine, il se livrait à des explications faisant intervenir : potassium, sulfates, oxydes, bore... La suppression de ces explications sans fondement scientifique réel traduit le désir d'éviter les critiques des spécialistes.

14. Université germanique (aujourd'hui disparue) fondée en 1410. Célèbre dans le domaine de l'anatomie, elle était aussi un centre de rites maçonniques et de sociétés secrètes.

15. Texte de 1818 : «mais sa maladie n'était pas grave et elle se rétablit rapidement».

16. Allusion au poème de Charles Lamb (1775-1834) : *The Old Familiar Faces* (1798). Lamb était un ami de la famille Godwin.

17. Allusion aux *Mille et Une Nuits* et à *Sinbad le marin*, qui dans son quatrième voyage, connaît cette mésaventure et ce dénouement.

18. «Ce fut par une lugubre nuit de novembre» : c'est par ce chapitre que l'auteur commença en 1816, la rédaction de son roman. Voir plus bas : Archives de l'œuvre, Introduction (1831).

19. Citation du chapitre XX de *The Vicar of Wakefield* (1766), roman d'Oliver Goldsmith (1728-1774).

19 *bis*. Lettre entièrement récrite en 1831, pour accentuer la gravité de la maladie de Victor.

20. Angélique : héroïne du poème épique de l'Arioste *Orlando Furioso* (*Roland Furieux*).

21. Située à l'époque au sud de la ville, Plainpalais était une promenade plantée d'arbres, très fréquentée par les Genevois.

22. C'est à Sècheron, à l'Hôtel d'Angleterre que, le 14 mai 1816, les Shelley et Claire Clairmont s'installèrent, avant de se rapprocher de la Villa Diodati où demeurait Byron.

23. C'est le Coppet rendu célèbre par Mme de Staël.

24. Ici s'achevait, dans l'édition de 1818, le premier des trois volumes. La fin de ce dernier chapitre a été entièrement récrite de façon à alléger les trop abondantes lamentations d'Elizabeth.

25. « Rien n'est plus pénible » : par ces mots commençait le deuxième volume de l'édition de 1818. Il se composait des chapitres IX à XVII actuels, alors numérotés : I à IX.

26. « troubler notre paix ? » Ce qui suit est entièrement récrit en 1831. Dans la version de 1818, Victor ne faisait pas en solitaire l'excursion de Chamonix et de la Mer de Glace ; il était accompagné d'Ernest et Elizabeth.

27. Le choix de ces décors et leur précision s'expliquent si l'on sait que du 21 au 26 juillet (cinq semaines après le début de la genèse de *Frankenstein*) les Shelley avaient visité les mêmes lieux.

28. Citation des quatrains 3 et 4 d'un poème, *Mutability*, écrit par Percy Shelley, en 1815. Mais Victor Frankenstein en a une connaissance prémonitoire avant la fin du XVIIIe siècle, l'action du roman se déroulant en 17...

30. Nouvelle allusion au *Paradis perdu* de Milton. Pandemonium est la capitale construite par les anges déchus.

31. L'auteur oublie de préciser — elle le fera plus loin — qu'il s'agit d'une guitare. Scène conservée par James Whale en 1935 dans *La Fiancée de Frankenstein*. Mais dans le film, le vieillard joue d'un violon.

32. Dans *La Fiancée de Frankenstein*, le vieillard aveugle est un ermite qui apprend au monstre à boire, fumer, parler.

33. Fable de la Fontaine.

34. Titre exact : *Les Ruines, ou Méditations sur les Révolutions des Empires* (1791) par Volney (1757-1820).

35. Ces livres étant imprimés dans la langue de la famille Lacey — donc en français — les titres cités doivent être ainsi rétablis : *Les Vies des hommes illustres de Plutarque*, les *Passions du jeune Werther*.

36. Dans *Le Paradis perdu*, Adam a le privilège de dialoguer avec les anges Raphaël et Michel, et même avec Dieu.

37. Nouvelle allusion au *Paradis perdu* où Adam adresse à plusieurs reprises des lamentations au Créateur.

38. Scène traitée à deux reprises par James Whale dans *Franken-stein* (1931) et *La Fiancée de Frankenstein* (1935).

39. C'est dans le second film de James Whale : *La Fiancée de Frankenstein*, qu'il est répondu au désir du monstre. Mais la créature femelle, elle-même, sera horrifiée par le monstre.

40. Probable allusion à la Grande Chaîne de la Vie, de la philoso-phie platonicienne.

41. «Immédiatement à Genève.» Après ces mots, la fin du chapi-tre est condensée par rapport au texte de 1818 ; tandis qu'est suppri-mée une allusion à l'*Enfer* de Dante.

42. Par ces mots débute le premier chapitre du troisième et der-nier volume de l'édition de 1818. Volume composé des chapitres actuels XVIII à XXIV qui étaient alors numérotés I à VII.

43. «était lente et incommode». A partir d'ici, l'auteur substitue au texte de 1818 une rédaction nouvelle qui en change radicalement le sens. Dans la première version, Victor ne montrait pas d'appré-hension envers les incertitudes du voyage et les événements fâcheux qui pourraient se produire en son absence. Au contraire : «... était lente et incommode ; par ailleurs, toute variation m'était agréable et je me réjouissais à l'idée de passer un an ou deux à changer de décor et d'occupations en l'absence de ma famille, durant cette période pouvaient intervenir des événements qui me ramèneraient à elle dans la paix et le bonheur». Dans les pages suivantes, l'auteur apporte quelques retouches destinées à effacer toute précision quant à la durée de l'absence de Victor que celui-ci fixait à deux ans.

44. Rédaction nouvelle à partir de «Ce fut à la fin de septembre» jusqu'à «elle me dit adieu». Texte de 1818 : «Ce fut à la fin d'août que je partis pour passer deux ans en exil. Elizabeth approuvait les raisons de mon départ et regrettait seulement de ne pas avoir de semblables occasions d'accroître son expérience et d'enrichir ses connaissances. Elle pleurait cependant en me disant adieu, et me suppliait de revenir heureux et tranquille : «Nous dépendons tous de vous, dit-elle ; si vous êtes malheureux, que deviendra-t-il de nous ?» Dans cette première version, Elizabeth mesurait très mal les dangers du voyage de Victor.

45. «Quelque acte terrible de violence.» Après ces mots, et jusqu'à «Il était minuit», l'auteur substitue une rédaction nouvelle qui modifie l'attitude du père de Victor. Celui-ci accepte sans hésiter la suggestion de quitter l'Irlande et le départ se fait sur-le-champ. Dans la version de 1831, Victor semble mettre un certain temps à convaincre son père de l'utilité du départ.

46. «La traversée prit fin.» Le début de ce chapitre fait l'objet d'une rédaction nouvelle jusqu'à «faire disparaître mon désespoir». Dans la première version, les personnages traversaient l'Angleterre jusqu'à Portsmouth en direction du Havre. Dans la deuxième ils s'embarquent d'Irlande pour Le Havre, sans passer par l'Angle-terre.

47. « J'essayai de les accompagner. » Nouveau paragraphe substitué à la rédaction de 1818 : « Je ne les accompagnai pas : j'étais épuisé : une taie couvrait mes yeux, et la chaleur de la fièvre desséchait ma peau. Dans cet état, je reposais sur un lit à peine conscient de ce qui était arrivé. » Dans la version de 1818, Victor s'abstient de participer à la poursuite. Dans celle de 1831, il tente de le faire, mais s'écroule, vaincu par la fatigue.

105. ...

ARCHIVES DE L'ŒUVRE

PRÉFACE

[de l'édition de 1818]

Personnage

- Victor f.
- Robert Waton : Explorateur de l'antique
- Alphonse Fran : père
- Elizabeth Lavenza
- Henry Clerval
- William Fran : les frères
- Justine Moritz
- Caroline Beaufeust
                    maman
- M. Waldman
- M. Krempe

Le Docteur Darwin [1], et quelques auteurs allemands d'ouvrages de physiologie, ont émis l'opinion que le fait essentiel de ce roman n'est pas impossible. On ne saurait supposer que j'accorde sérieusement une ombre de créance à imagination semblable; pourtant, quand je fondai sur elle une œuvre de fantaisie, je n'eus pas l'impression de tisser seulement une intrigue de terreurs surnaturelles. L'événement auquel est suspendu l'intérêt n'a pas les inconvénients des simples contes de revenants ou de magie; il avait l'avantage de la nouveauté des situations auxquelles il donne naissance; et si invraisemblable qu'il soit physiquement, il permet en outre à l'imagination de décrire des passions humaines plus complexes et plus impérieuses que n'en comportent les récits ordinaires d'événements réels.

J'ai donc voulu rester fidèle aux principes élémentaires de la nature humaine, sans hésiter d'ailleurs à les combiner de façon nouvelle. L'*Iliade*, la poésie tragique de la Grèce, — Shakespeare, dans la *Tempête* et le *Songe d'une Nuit d'Été*, — et plus particulièrement Milton dans le *Paradis perdu*, se conforment à cette règle; et le plus humble romancier peut bien sans audace appliquer à la prose une licence, ou plutôt une règle, dont l'adoption a tant de fois engendré, par la combinaison subtile des sentiments humains, les plus grands chefs-d'œuvre poétiques.

L'événement sur lequel est fondé mon récit me fut suggéré au cours de la conversation. Je me mis à écrire en partie pour le plaisir, en partie pour donner éventuellement carrière à toute énergie inexplorée de l'esprit. Et à mesure qu'avançait mon travail, d'autres motifs s'ajoutèrent à ceux-là. Je ne suis aucunement indifférent à l'impression que doivent produire sur le lecteur les tendances morales ou les caractères décrits; je me suis cependant borné en l'occurrence à éviter les effets déprimants des romans actuels, et à mettre en relief le charme des affections domestiques et l'excellence de la vertu universelle. On ne devra considérer aucunement comme étant toujours miennes les opinions qui découlent naturellement du caractère et de la situation du héros; et l'on ne saurait davantage tirer avec justesse, des pages qui suivent, de conclusions défavorables à une doctrine philosophique quelconque.

Ce récit gagne encore en intérêt, aux yeux de l'auteur, à ce qu'il fut composé dans les majestueux paysages où se passe l'action principale, et au milieu d'une société [2] qu'on ne saurait cesser de regretter. Je passai l'été de 1816 aux environs de Genève; la saison était froide et pluvieuse: le soir, nous nous serrions autour d'une flambée de bois, nous amusant à lire des histoires allemandes de revenants [3] que le hasard avait mises entre nos mains. Elles suscitèrent en nous un désir enjoué d'imitation; deux [4] autres amis (l'un d'eux pourrait écrire pour le public un conte infiniment plus agréable que tout ce que je peux espérer produire) convinrent avec moi que nous composerions, chacun de notre côté, un récit fondé sur quelque événement surnaturel.

Mais le ciel se rasséréna; mes deux amis me quittèrent pour explorer les Alpes, et perdirent au milieu de ces magnifiques spectacles tout souvenir de leurs visions fantomatiques. Le conte que l'on va lire est le seul qui ait été achevé [5].

Marlow, septembre 1817 [6].

NOTES

1. Non pas le célèbre évolutionniste mais son grand-père, Erasmus Darwin (1731-1802), auteur de *The Zoonomia* (1796) et *The Temple of Nature*. Il était un ami de la famille Godwin. L'auteur rend hommage à son génie scientifique de manière plus explicite dans l'introduction de 1831 (voir plus bas).

2. Celle réunie autour de Byron, à la Villa Diodati, sur les bords du lac de Genève.

3. Il s'agit d'un recueil français, *Fantasmagoriana ou Recueil d'Histoires d'Apparitions de Spectres, Revenants, Fantômes, etc.* Traduit de l'allemand par un Amateur. Paris, 1812. Les histoires, au nombre de sept, semblent avoir été directement écrites en français par le prétendu traducteur : Jean-Baptiste Benoît Eyviès (1767-1846).

4. Lord Byron et le docteur John William Polidori.

5. On n'a pas retrouvé trace du conte écrit par Polidori : *La Femme à la tête de mort*. Le conte inachevé de Byron, *The Vampire* a été publié dans la première édition de *Mazeppa* en 1819, pages 59-69. Auparavant, Polidori en avait tiré un petit roman de même titre dont il fit cadeau avant de quitter Genève à la comtesse de Breusse. Le manuscrit passa de main en main et fut publié — en avril 1819 — dans *The New Monthly Magazine* sous la signature de Byron. Initiative inspirée par de basses préoccupations commerciales et qui eut lieu, semble-t-il, à l'insu de Polidori ; mais Byron n'apprécia pas le procédé.

6. Comme l'auteur le révèle dans l'introduction de 1831, cette préface est due à la plume de son mari. Shelley l'a écrite le 14 mai 1817, au terme d'une journée passée à retoucher le texte de sa femme.

pouvoir juger de mes possibilités ultérieures. Malgré cela, je n'écrivais rien. Les voyages et ma vie de famille occupaient tout mon temps. Et l'étude, c'est-à-dire la lecture et les progrès intellectuels que je faisais au contact de son esprit, infiniment plus cultivé que le mien, étaient toute l'activité littéraire qui retenait mon attention.

Au cours de l'été 1816, nous visitâmes la Suisse et devînmes les voisins de Lord Byron. Au début, nous passions des heures charmantes à naviguer sur le lac ou à errer sur ses berges. Lord Byron, qui écrivait alors le troisième chant de *Childe Harold*, était le seul parmi nous qui couchât ses pensées sur le papier. Et ses pensées, telles qu'il nous les communiquait au fur et à mesure, vêtues de la lumière et de l'harmonie de la poésie, semblaient marquer d'un caractère divin la gloire des cieux et de la terre, dont nous éprouvions aussi l'empire.

Mais l'été devint humide, inclément, et une pluie incessante nous confina souvent des jours entiers à la maison. Des volumes d'histoires de fantômes [6], traduits de l'allemand en français, tombèrent dans nos mains. Il y avait l'histoire de l'amoureux inconstant qui, au moment où il croit enlacer la femme à qui il a juré fidélité, se retrouve dans les bras du pâle fantôme de la délaissée. Il y avait le conte du coupable fondateur de sa race, dont le destin misérable était de donner le baiser de la mort à tous les fils cadets de sa maison maudite, au moment même où ils entraient dans l'adolescence. A minuit, on voyait sa silhouette immense, indécise, vêtue comme le fantôme de Hamlet d'une armure, mais à la visière relevée, s'avancer lentement sous les rayons capricieux de la lune le long de la sombre avenue. La forme se perdait dans l'ombre des murs du château; mais bientôt, une grille se rabattait, on entendait un pas, la porte de la chambre s'ouvrait et le fantôme marchait vers la couche des enfants dans la fleur de l'âge, nichés dans un sommeil réparateur. Son visage était empreint d'éternelle tristesse tandis qu'il se penchait et baisait le front des garçons qui, dès cet instant, pâlissaient comme des fleurs décapitées.

Je n'ai jamais relu ces histoires depuis, mais leurs épisodes sont aussi frais dans mon esprit que si je les avait lues hier.

— Nous allons écrire chacun une histoire de fantôme, dit Lord Byron.

Nous nous ralliâmes à sa suggestion. Nous étions quatre [7]. L'aristocrate de notre groupe commença un conte dont il fit imprimer un fragment à la fin de *Mazeppa*. Shelley, plus apte à enrober idées et sentiments dans l'éclat d'une rhétorique étincelante et de la musique du plus mélodieux des vers qui ornent notre langue qu'à inventer les rouages d'une histoire, en commença une, basée sur ses expériences d'enfant. Le pauvre Polidori avait une idée terrifiante : celle d'une dame à tête de mort, ainsi punie pour avoir regardé par le trou d'une serrure, — quoi, je l'ai oublié, mais quelque chose de tout à fait répréhensible et scandaleux bien entendu. Mais quand elle fut réduite à un état pire que celui du célèbre Tom de Coventry [8], il ne sut plus qu'en faire et dut la renvoyer à la tombe des Capulets, le seul lieu qui lui convînt. Les illustres poètes, eux aussi, rebutés par la platitude de la prose, abandonnèrent rapidement cette tâche ingrate.

Je m'occupais à *songer à une histoire,* une histoire qui rivalisât avec celles qui nous avaient incité à en écrire. Une histoire qui parlerait aux peurs mystérieuses qui hantent notre nature, qui susciterait une horreur profonde, — une histoire telle que le lecteur n'osât point regarder autour de lui ; une histoire à glacer le sang, à faire battre le cœur à coups redoublés. Si je n'y parvenais point, mon histoire de fantôme serait indigne de son nom. Je méditais et ruminais... en vain. J'éprouvais ce profond vide de la créativité qui est le comble de la misère pour un auteur, ces jours où le sinistre Rien répond à nos plus anxieuses invocations. — As-tu songé à une histoire ? me demandait-on chaque matin, et chaque matin, j'étais contrainte de répondre par un :
— Non, humiliant.

Tout doit avoir un début, comme dirait Sancho[9]; et ce début doit être relié à quelque chose d'antérieur. Pour le soutenir, les Hindous donnent au monde un éléphant, mais ils font tenir l'éléphant sur une tortue. L'invention, il faut l'admettre humblement, ne s'élabore pas sur le vide, mais sur le chaos. Il faut, avant tout, lui fournir des matériaux. Elle peut donner forme à l'ombre, à des substances floues, mais ne peut amener à l'être la substance elle-même. En matière de découverte et d'invention, même celles qui relèvent de l'imagination littéraire, nous sommes sans cesse ramenés à l'histoire de Colomb et de son œuf. L'inventivité, c'est l'aptitude à saisir les virtualités d'un sujet, et le pouvoir de modeler et de façonner les idées qu'il lui suggère.

Nombreuses et longues furent les conversations entre Lord Byron et Shelley; j'écoutais ardemment, et presque en silence. Pendant l'une d'elles, il fut question des diverses doctrines philosophiques; et pendant d'autres, de la nature du principe vital, de la probabilité de sa découverte et de sa transmission. Ils parlèrent des expériences du Docteur Darwin[10] (je ne dis point, des œuvres réelles de ce docteur, ni de ce qu'il disait lui-même avoir réalisé, mais, comme ayant trait davantage à mon sujet, de ce qu'on lui attribuait à l'époque); on affirmait par exemple qu'il avait conservé sous un verre un morceau de vermicelle, qui, au bout d'un certain temps, par quelque moyen extraordinaire, s'était mis volontairement en mouvement. Ce n'était pas ainsi, en tout cas, que la vie se transmettait. Peut-être arriverait-on à ranimer un cadavre : le galvanisme donnait déjà des signes de cette possibilité; peut-être réussirait-on à constituer les éléments d'un être, à les rassembler, et à leur communiquer la chaleur vitale.

Cet entretien vit disparaître la nuit, et dépasser l'heure même des sorcières, avant notre coucher. Lorsque je posai ma tête sur l'oreiller, je ne pus dormir, et je ne saurais dire qu'alors je méditais. Mon imagination déchaînée me possédait et me guidait, conférant aux images qui l'une après l'autre surgis-

saient en mon esprit, une netteté infiniment supérieure
à celle que revêt d'ordinaire un rêve. Je vis — les yeux
fermés, mais cette vision mentale était fort précise —
je vis le pâle adepte d'arts sacrilèges agenouillé auprès
de la créature qu'il avait formée. Je vis, étendue, l'apparence hideuse d'un homme donner des signes de vie,
à la mise en marche d'une puissante machine, et re-
muer d'un mouvement malaisé, à demi vital. Spectacle
nécessairement effrayant ; l'effort de l'homme pour
imiter le stupéfiant mécanisme du Créateur de l'univers, ne pouvait qu'engendrer un effroi suprême. Sa
propre réussite terrifiait l'artisan ; il fuyait précipitamment, frappé d'horreur, son œuvre affreuse. Il espérait qu'abandonnée à elle-même, la légère étincelle
de vie qu'il avait transmise se dissiperait ; que cet être,
si imparfaitement animé, rentrerait dans l'inertie de la
matière ; que lui-même enfin pourrait dormir, certain
que le silence de la tombe apaiserait à jamais l'existence
éphémère du cadavre hideux où il avait vu le berceau
de la vie. Il dort, mais il s'éveille, il ouvre les yeux ; et
voilà l'être affreux debout à son chevet, écartant ses
rideaux, et fixant sur lui son regard jaunâtre, vitreux et
spéculatif.

J'ouvris moi-même les yeux dans ma terreur. Cette
image possédait si bien mon esprit qu'un frisson de
peur me traversa, et que je voulus échanger la vision
macabre de mon rêve contre le spectacle des réalités
voisines. Et je les vois encore : la chambre même, le
parquet sombre, les volets fermés filtrant le clair de
lune, et ma sensation de la présence, au-delà, du lac et
des hautes Alpes blanches. Mais je ne pouvais me
libérer si aisément du hideux fantôme, qui toujours me
hantait. Il fallait, à tout prix, penser à quelque autre
chose. Je revins à mon histoire de revenants, à mon
histoire malchanceuse et lassante de revenants ! O ! si
seulement j'en pouvais concevoir une qui effraie mon
lecteur comme j'avais moi-même été effrayée cette
nuit-là !

Prompë comme la lumière et aussi réjouissante
qu'elle fut l'idée qui me vint. — J'ai trouvé ! Ce qui

m'a terrifié en terrifiera d'autres : je n'ai qu'à décrire l'apparition qui a hanté mon oreiller cette nuit [11]. Le lendemain, j'annonçai que j'avais conçu un conte. Je le commençai le jour même, par les mots : *C'était par une lugubre nuit de novembre* [12] ; et je me contentai de transcrire les terreurs menaçantes de mon rêve éveillée.

Je ne songeai d'abord qu'à écrire quelques pages, un conte court ; mais Shelley insista pour qu'il fût développé davantage. Je ne dus certainement pas à mon mari l'idée d'un seul incident, d'un seul enchaînement de sentiments. Et pourtant, sans ses exhortations, jamais l'œuvre n'aurait pris la forme où elle fut présentée au monde ; à l'exception pourtant de la préface, qui, pour autant que je me souvienne, est tout entière de lui [13].

Et maintenant, une fois encore, je lance par le monde, en lui souhaitant prospérité, ma hideuse progéniture. J'ai pour elle de l'affection, car elle est le fruit de jours heureux, où la mort et le chagrin n'étaient que des paroles, sans écho véritable dans mon cœur. Chacune de ces pages évoque mainte promenade à pied ou en voiture, maint entretien où la solitude m'était inconnue, et où j'avais près de moi, un être que jamais, en ce monde, je ne retrouverai. Mais tout cela me concerne seule ; et mes lecteurs n'ont que faire de ces souvenirs.

Je n'ajouterai qu'un mot à propos des modifications que j'ai apportées. Elles concernent surtout le style. Je n'ai modifié aucun passage de l'histoire, ni introduit d'idées nouvelles ou de nouveaux épisodes. J'ai modifié le style là où sa sécheresse eût risqué d'amoindrir l'intérêt de la narration. Et ces changements concernent presque exclusivement le début du premier volume. D'un bout à l'autre, elles sont entièrement limitées aux parties qui sont de simples ajouts à l'histoire, elles laissent intacts son cœur et sa substance.

M. W. S.

Londres, le 15 octobre 1831.

NOTES

1. Les éditeurs de la Collection « Standard Novels » étaient Colburn et Bentley.

2. L'auteur était âgée de dix-huit ans, neuf mois et quinze jours lorsqu'elle entreprit d'écrire *Frankenstein*.

3. William Godwin et Mary Wollestonecraft. Voir plus haut : chronologie.

4. Elle vécut en Écosse, à Dundee, au sein de la famille Baxter, de 1812 à 1814.

5. Mon mari : à cette époque, son amant. Ils ne se marièrent qu'après la mort de l'épouse de Shelley, en décembre 1816.

6. Il s'agit du recueil *Fantasmagoriana*. Mais, trompée par des souvenirs vieux de quinze ans, l'auteur donne un résumé inexact des histoires qui le composaient.

7. Mary et Percy Shelley, le Dr. Polidori et Byron. Claire Clairmont était sans doute présente aussi, mais elle n'avait pas d'ambitions littéraires et ne comptait pas aux yeux de sa sœur adoptive, Mary, qui la détestait.

8. Personnage de la légende de Lady Godiva.

9. Sancho Pança affirme dans *Don Quichotte* : « En matière de gouvernement, tout dépend du commencement. »

10. Le Dr. Darwin. Voir note 1 de la préface de l'édition de 1818.

11. On sait que R. L. Stevenson trouva également dans un cauchemar l'idée du cas étrange du Dr. Jekill et de Mr. Hyde, autre récit d'un défi prométhéen.

12. C'est le début du chapitre v dans la présente édition (chapitre iv dans l'édition de 1818).

13. Ainsi que le révèle le *Journal* de l'auteur, son mari a apporté des retouches de style au manuscrit le 14 mai 1817, quelques jours avant de l'apporter à Londres à l'éditeur Murray. Il fit d'autres retouches en corrigeant les épreuves.

QUELQUES JUGEMENTS

Walter SCOTT

L'auteur semble posséder une imagination poétique d'un pouvoir peu commun [...] Ce n'est pas un mince mérite à nos yeux que l'histoire soit écrite en un anglais simple et direct, dénué des germanismes habituels à ces sortes de contes [...] Dans son ensemble, cet ouvrage nous donne une haute idée du génie original de la romancière et de son heureux pouvoir d'expression... Nous conseillons vivement à nos lecteurs cet ouvrage qui suscitera réflexions inédites et émotions inépuisables.

Blackwood's Edinburgh Magazine, mars 1818.

Charles DEDEYAN

Le mérite de Mrs. Shelley est d'avoir disposé d'une manière personnelle et heureuse des sources et des éléments déjà enregistrés, et d'avoir présenté un Faust jusque-là inédit. Les souvenirs de Goethe, qu'il s'agisse des paysans dansant un après-midi de dimanche et divertissant la passionné chercheur, ou des veilles de Frankenstein et de ses méditations, sont pleinement dominés et transformés. Mrs. Shelley venait de créer le roman noir scientifique. Il n'est pas sûr que Wells ne s'en soit pas souvenu dans *L'île du Docteur Moreau* et même Stevenson dans *Dr. Jekyll et Mr. Hyde.*

Le Thème de Faust dans la littérature européenne. Lettres Modernes, 1955.

Jean de PALACIO

Toute l'importance de *Frankenstein* vient donc de ce
que le surnaturel y est d'origine, non magique, mais
scientifique, fondé sur les travaux des sciences physiques et de la physiologie contemporaines au lieu de
reposer sur la sorcellerie, s'appuyant sur des recherches de laboratoire et non sur la nécromancie. Tout en
se rattachant au roman gothique dont il ne craint pas,
on l'a vu, d'utiliser les procédés, le livre renouvelait
complètement ce genre littéraire [...]

On assiste dans *Frankenstein* à la naissance de ce
thème étrange qui court à travers toute son œuvre et
qui consiste à faire le vide autour d'un être en le
privant de tout espoir et de l'amour de ceux qui lui sont
chers, trouvant ainsi dans le glas de morts successives
le rythme même du roman. Si l'on peut parler ici de
vampirisme, c'est moins sous la forme de l'être chimérique cher au romancier «noir» que dans l'acceptation
très particulière du dédoublement, du combat avec le
double, c'est-à-dire avec soi-même [...] C'est en quelque sorte sa propre fatalité que, sans le savoir, Mary
mettait en scène dès cette date, et c'est le tragique de
son livre que le drame personnel puisse s'y ébaucher de
façon non invraisemblable. Chez Mary, non seulement
le surnaturel n'est jamais coupé de l'humain, mais il est
toujours l'expression d'une fatalité qui, pour elle, ne
fût que trop réelle.

Mary Shelley dans son œuvre. Klincksieck, 1969,
chapitre II.

Michel BOUJUT

... Si *Frankenstein* est digne de rester dans les mé-
moires, ce n'est pas en tant qu'œuvre littéraire aboutie,
mais bien plutôt comme point de départ d'un mythe
particulièrement fécond. En effet, la rédaction du roman est souvent défaillante, la construction puérile et
hâtive, et répétitions et longueurs ne font pas défaut.
Quant à la psychologie, elle est parfois fort sommaire,

tout juste comparable à celle des bandes dessinées !
N'oublions pas toutefois que Mary était encore bien
jeune lorsqu'elle entreprit la composition de son livre.

Préface à *Frankenstein*. Éditions Rencontre, 1964.

Hubert JUIN

Sur le plan du fantastique, c'est un génial coup de
dés. Elle a compris sans rien voir. Elle a deviné sans
comprendre. Mary Shelley n'est Mary Shelley qu'involontairement !

C'est écrit mou. L'audace est dans l'idée générale.
Le romantisme en est le climat, avec ses défauts. Il y a
des montagnes, Roger de Carbonnière inventant les
Pyrénées. Il y a des orages : *Fatalitas* disait Chéri-Bibi.
Le savant c'est Prométhée. Sa création voilà l'essentiel,
c'est l'inquiétude, l'autre monde, mieux : le monde
autre. Une porte s'ouvre, mais sur quoi ?

Préface à *Frankenstein*. Presses de la Renaissance,
1967.

LA LÉGENDE

LA LÉGENDE

I. THÉÂTRE

A l'exclusion des parodies, imitations, plagiats et utilisations abusives du nom.

1823 : *Presumption* or *The Fate of Frankenstein*, par Richard Brinsley Peake. Londres, English Opera House, 28 juillet. Avec T. P. Cooke (le monstre).

1823 : *Frankenstein* or *The Demon of Switzerland*, par Henry M. Milner.

1823 : *Frankenstein* or *The Danger of Presumption*.

1826 : *Le Monstre et le Magicien*, par Merle et Anthony. Paris, Theatre de la Porte Saint-Martin. Avec T. P. Cooke (le monstre).

1826 : *The Man and the Monster* or *The Fate of Frankenstein*, par Henry M. Milner ; en partie basé sur la pièce de Merle et Anthony. Londres, Royal Coburg Théâtre, 3 juillet. Publié sous le titre : *Frankenstein, or the Man and the Monster* : Londres, Thomas Hailes Lacy, vers 1830.

1826 : *The Monster and the Magician*, par J. Kerr, d'après la pièce de Merle et Anthony. Londres, New Royal West London Theatre, 9 octobre.

1849 : *Frankenstein, or The Vampire's Victim*.

1849 : *Frankenstein, or The Model Man*, par William Brough et Robert Barnabas Brough. Londres, Adelphi Theatre, décembre.

1861 : *Le Monstre et le Magicien*, adaptation de la pièce de Merle et Anthony, par Ferdinand Dugué.

1887 : *Frankenstein*, A Melodramatic Burlesque in 3 acts, par Richard Henry (pseudon. de Richard Butler et H. Chance Newton). Londres, Gaiety

Theatre, 24 décembre. Avec Fred Leslie (le monstre).

1927 : *Frankenstein : An Adventure in the Macabre*, par Peggy Webling. Londres, Preston Theatre. A fourni des éléments au scénario du film Universal réalisé en 1931 par James Whale.

1933 : *Frankenstein*, par Gladys Hastings-Walton. Représenté à Glasgow.

1965 : *Frankenstein*, par Julian Beck et The Living Theatre de New York. Créé à la Biennale de Venise, Teatro La Perla, le 26 septembre. Avec Henry Howard (le monstre).

1967 : *Frankenstein*, par The San Francisco Mime Troupe. Représenté en plein air, dans les rues.

1979 : *Le jour où Mary Shelley rencontra Charlotte Brontë*, par Eduardo Manet, Paris, Petit Odéon, janvier. Avec Patrice Kerbrat (le monstre).

II. CINÉMA

On trouvera seulement ici les principaux films, à l'exception :
— des parodies et des plagiats ;
— des bandes innombrables où le monstre (ou un individu déguisé comme tel) fait une apparition ;
— des « attrape-nigauds », dont le titre utilise le nom de Frankenstein pour couvrir un contenu sans rapport avec lui.

En ce qui concerne les films érotiques, notre recensement ne peut prétendre — on le comprendra — à l'exhaustivité. L'absence de titre français après le titre original signifie que l'œuvre considérée n'a pas été diffusée en France.

1910 : *Frankenstein* (Frankenstein). *Production* : Edison (États-Unis). *Réalisation* : J. Searle Dowley. *Interprète* : Charles Ogle (le monstre). *Durée* : 22 minutes. Diffusé en France dès le 21 mai 1910.

1915 : *Life without a soul*. *Prod.* : Ocean Photoplays (E.-U.). *Réal.* : Joseph W. Smiley. *Interp.* : Percy Darrel Standing (le monstre), William Cohill (son créateur).

1920 : *Il Mostro di Frankenstein (sic)*. *Prod.* : Albertini-Film (Italie). *Réal.* : Eugenio Testa. *Interp.* : Umberto Guarracini (le monstre), Luciano Albertini (son créateur).

1931 : *Frankenstein* (Frankenstein). *Prod.* : Universal Pictures (E.-U.) *Réal.* : James Whale. *Interp.* Boris Karloff (le monstre), Colin Clive (son créateur).

1935 : *The Bride of Frankenstein* (La fiancée de Frankenstein). *Prod.* : Universal. *Réal.* : James Whale. *Interp.* : Boris Karloff (le monstre), Elsa Lanchester (le monstre femelle), Colin Clive (leur créateur).

1938 : *Son of Frankenstein* (*Le Fils de Frankenstein*). *Prod.* : Universal. *Réal.* : Rowland Lee. *Interp.* : Boris Karloff (le monstre), Bela Lugosi (son gardien), Basil Rathbone (son créateur).

1942 : *The Ghost of Frankenstein* (Le Spectre de Frankenstein). *Prod.* : Universal. *Réal.* : Erle C. Kenton. *Interp.* : Lon Chaney Jr. (le monstre), Bela Lugosi (son gardien).

1943 : *Frankenstein meets the Wolf Man* (Frankenstein rencontre le Loup-Garou). *Prod.* : Universal. *Réal.* : Roy W. Neill. *Interp.* : Bela Lugosi (le monstre), Lon Chaney Jr. (le loup-garou).

1944 : *The House of Frankenstein* (La Maison de Frankenstein). *Prod.* : Universal. *Réal.* : Erle C. Kenton. *Interp.* : Glenn Strange (le monstre), Lon Chaney Jr. (le loup-garou), Boris Karloff.

1945 : *The House of Dracula* (La Maison de Dracula). *Prod.* : Universal. *Réal.* : Erle C. Kenton. *Interp.* : Glenn Strange (le monstre), Lon Chaney Jr. (le loup-garou).

1948 : *Abbot and Costello meet Frankenstein* (Deux nigauds contre Frankenstein). *Prod.* : Universal. *Réal.* : Charles T. Barton. *Interp.* : Glenn Strange (le monstre), Bela Lugosi (Dracula), Lon Chaney Jr. (le loup-garou).

1955 : *Una de Miedo*. Sketch inclus dans Tres Eran Tres. *Prod.* : Cooperativa del Cinema (Espagne). *Real.* : Eduardo Garcia Maroto. *Interp.* : Manuel Arbó del Val (le monstre).

1957 : *The Curse of Frankenstein* (Frankenstein s'est échappé). *Prod.* : Hammer Films (Angleterre). *Réal.* : Terence Fisher. *Interp.* : Christopher Lee (le monstre), Peter Cushing (son créateur).

1957 : *I was a teenage Frankenstein* (La légende du nouveau Frankenstein — Titre belge : Des Filles pour Frankenstein). *Prod.* : American International Pictures (E.-U.). *Réal.* : Herbert L. Strock. *Interp.* :

Gary Conway (le monstre), Whit Bissell (son créateur).

1957 : *Horrors of Frankenstein. Prod.* : Adventure (E.-U.). *Réal.* : Tony Brezinski. *Interp.* : Ken Carroll. Film en 8,5 mm.

1958 : *How to make a Monster. Prod.* : American International Picture (E.-U.). *Réal.* : Herbert L. Strock. *Interp.* : Gary Conway (le monstre).

1958 : *Frankenstein 1970* (Frankenstein 1970 — Rediffusé sous le titre : Frankenstein contre l'Homme invisible). *Prod.* : Allied Artists (E.-U.). *Réal.* : Howard W. Koch. *Interp.* : Mike Lane (le monstre), Boris Karloff (son créateur).

1958 : *The Revenge of Frankenstein* (La Revanche de Frankenstein). *Prod.* : Hammer Films (Angleterre). *Réal.* : Terence Fisher. *Interp.* : Michael Gwynn (le monstre), Peter Cushing (son créateur).

1958 : *The Frankenstein's Daughter* (La Fille de Frankenstein). *Prod.* : Astor Pictures (E.-U.). *Réal.* : Richar E. Cunha. *Interp.* : Sally Todd (celle qui donne son cerveau au monstre), Donald Murphy (son créateur).

1961 : *Frankenstein, el Vampiro y cia. Prod.* : Cinematografica Calderon (Mexique). *Réal.* : Benito Alzaraki.

1962 : *The House on Bare Mountain* (Belgique : La Colline des Désirs). *Prod.* : Olympic International (E.-U.). *Réal.* : R. Lee Frost. *Interp.* : Warren Ames (le monstre). Film érotique.

1963 : *Kiss me quick. Prod.* : Fantasy Films (E.-U.). *Réal.* : Russ Meyer. *Interp.* : Fred Coe (le monstre). Film érotique.

1964 : *The Evil of Frankenstein* (L'empreinte de Frankenstein). *Prod.* : Hammer Films (Angleterre). *Réal.* : Freddie Francis. *Interp.* : Kiwi Kingston (le monstre), Peter Cushing (son créateur).

1964 : *El Testamento de Frankenstein. Prod.* : ? (Espagne). *Réal.* : José Luis Madrid. *Interp.* : George Vallis (le monstre), Gérald Landry (son créateur).

1964 : *Lurk. Prod.* : Film-makers'Coop (États-Unis).

Réal. : Red Grooms et Rudy Burckhardt. *Interp.* : Red Grooms (le monstre), Edwin Denby (son créateur). Film « underground ».

1962 : *Orlak, el Enfierno de Frankenstein. Prod.* : Filmadora Independiente (Mexique). *Réal.* : Rafaël Baledon.

1964 : *Angelic Frankenstein. Prod.* : Athletic Models Guild (E.-U.). Film érotique homosexuel anonyme. La réalisation est généralement attribuée à Bob Mizer.

1965 : *Furakenshutain tai Baragon* (Belgique : Frankenstein conquiert le monde). *Prod.* : Toho Productions (Japon), Benedict et American International Picture (E.-U.). *Réal.* : Inoshiro Honda. *Interp.* : Tadao Karashima (le monstre).

1965 : *Jessie James meets Frankenstein's Daughter. Prod.* : Embassy Pictures (E.-U.). *Réal.* : William Beaudine. *Interp.* : Carl Bolder (le monstre), Narda Onyx (Maria Frankenstein sa créatrice).

1966 : *Munster, go home* (Belgique : Frankenstein et les faux-monnayeurs). *Prod.* : Universal International (E.-U.). *Réal.* : Earl Bellamy. *Interp.* : Fred Gwynne (le monstre).

1966 : *Frankenstein created Woman* (Frankenstein créa la femme). *Prod.* : Hammer Films (Angleterre). *Réal.* : Terence Fisher. *Interp.* : Susan Denberg et Robert Morris (les monstres), Peter Cushing (leur créateur).

1967 : *Frankenstein chérie. Prod.* : ? (France). Film érotique anonyme en 8,5 mm (le monstre est une femme très belle, exceptée la tête...).

1967 : *Mad Monster Party. Prod.* : Embassy (États-Unis). *Réal.* : Jules Bass. Film de marionnettes. *Voix de* : Alan Swift (le monstre), Boris Karloff (son créateur).

1969 : *Frankenstein must be destroyed* (Le Retour de Frankenstein). *Prod.* : Hammer Films (Angleterre). *Réal.* : Terence Fisher. *Interp.* : Freddie Johns (le monstre), Peter Cushing (son créateur).

1969 : *Hollow-My-Weanie, Dr. Frankenstein.* — Autre

titre: *Frankenstein de Sade*. *Prod.*: ? (E.-U.) Film érotique homosexuel anonyme.

1970: *Dr. Frankenstein on Campus*. — Autre titre: *Flick*. *Prod.*: Astral Film (Canada). *Réal.*: Gil Taylor. *Interp.*: Robin Ward (Viktor Frankenstein).

1970: *The Horror of Frankenstein* (Les Horreurs de Frankenstein). *Prod.*: Hammer Films (Angleterre). *Réal.*: Jimmy Sangster. *Interp.*: David Prowse (le monstre).

1970: *El Hombre que vine Deo Ummo* (Dracula contre Frankenstein). *Prod.*: Jaime Prades Omnia (Espagne, Italie, Allemagne). *Réal.*: Tulio de Michel. *Interp.*: Paul Naschy (le monstre).

1970: *The Sexual Life of Frankenstein*. *Prod.*: ? (E.-U.). *Réal.*: Harry Novak. Film érotique.

1971: *La Figlia di Frankenstein*. (Lady Frankenstein, cette obsédée sexuelle). *Prod.*: ? (Italie). *Réal.*: Mel Wells. *Interp.*: Mickey Hargitay (le monstre), Sarah Bay (Lady Frankenstein), Joseph Cotten (le créateur). Distribué aux États-Unis sous le titre: Lady Frankenstein.

1971: *Santo contra la Hija de Frankenstein*. *Prod.*: Guillermo Calderon (Mexique). *Réal.*: Miguel Delgado.

1971: *Dracula contra el Doctor Frankenstein* (Dracula prisonnier de Frankenstein). *Prod.*: Fenix (Espagne) Comptoir Français du Film (France). *Réal.*: Jesus Franco. *Interp.*: Fernando Bilbao (le monstre), Howard Vernon (Dracula).

1971: *Dracula versus Frankenstein*. *Prod.*: Independent International (E.-U.). *Réal.*: Al Adamson. *Interp.*: John Bloom (le monstre).

1972: *La Malédiction de Frankenstein* (Les Expériences érotiques de Frankenstein). *Prod.*: Victor de Costa (Espagne). *Réal.*: Jesus Franco. *Interp.*: ?

1972: *Frankenstein and the Monster from Hell* (Frankenstein et le Monstre de l'Enfer). *Prod.*: Hammer Films (Angleterre). *Réal.*: Terence Fisher. *Interp.*: David Prowse (le monstre), Peter Cushing (le créateur).

1973 : *Blackenstein*. *Prod.* : Exclusive International (E.-U.). *Réal.* : William A. Levey. *Interp.* : John Hart (le monstre). Entièrement interprété par des Noirs.

1974 : *Young Frankenstein* (Frankenstein Junior). *Prod.* : 20th Century Fox (E.-U.). *Réal.* : Mel Brooks. *Interp.* : Peter Boyle (le monstre), Gene Wilder (son créateur).

1975 : *Flesh for Frankenstein* (Chair pour Frankenstein). *Prod.* : Carlo Ponti (Italie), Jean Yanne (France). *Réal.* : Paul Morissey. *Interp.* : Srdjan Zelenovic (le monstre), Joe Dallesandro (son ami), Udo Kier (le créateur).

1977 : *Frankenstein All'Italiana*. *Prod.* : Filiberto Bandini (Italie). *Réal.* : Armando Crispino. *Interp.* : Aldo Maccione.

Parmi les innombrables films dans lesquels Frankenstein (ou un personnage grimé comme tel) fait une apparition, citons :

1941 : *Helzapoppin*. *Prod.* : Universal (E.-U.). *Réal.* : H. S. Potter. *Interp.* : Dale Van Sickel (le monstre).

1977 : *Cinémania*. *Prod.* : Films du Lagon Bleu (France). *Réal.* : Gérard Devillers. *Interp.* : Jean-Claude Romer (le monstre). Court-métrage en couleurs.

Parmi les innombrables parodies, musicales ou non, citons :

1952 : *Torticola contre Frankensberg* (36 minutes). *Prod.* : Films Marceau (France). *Réal.* : Paul Paviot. *Interp.* : Michel Piccoli (le monstre), Roger Blin (son créateur).

III. ROMANS

A défaut des trop nombreux contes et nouvelles (parus surtout dans les magazines américains), on trouvera ci-dessous la liste des principaux romans reprenant les personnages et certaines situations du roman, plagiats et parodies exceptés.

1932 : *Frankenstein*, Paris, Éditions Cosmopolites. Bien que signé Mary Shelley, il s'agit d'une adaptation romancée du film Universal réalisé en 1931 par James Whale (voir plus haut, filmographie), d'après un scénario que l'éditeur attribue à Robert Florey.

1936 : *The Bride of Frankenstein*, par Michael Egremont, Londres, The Readers Library Publishing Co. (Adaptation du film Universal de même titre, 1935.)

1957 : *La Tour de Frankenstein*, par Benoît Becker [pseudonyme de José-André Lacour]. Collection «Angoisse», 30, Paris, Le Fleuve Noir.

1957 : *Le Pas de Frankenstein*, par Benoît Becker, «Angoisse», 32, Le Fleuve Noir.

1957 : *La Nuit de Frankenstein*, par Benoît Becker, «Angoisse», 34, Le Fleuve Noir.

1957 : *Le Sceau de Frankenstein*, par Benoît Becker, «Angoisse», 36, Le Fleuve Noir.

1958 : *Frankenstein rôde*, par Benoît Becker, «Angoisse», 41, Le Fleuve Noir.

1958 : *The Revenge of Frankenstein*, par Hurford Janes, Londres, Panther Books [Adaptation du film Hammer de même titre, 1958].

1959 : *La Cave de Frankenstein,* par Benoît Becker, «Angoisse», n° 50, Le Fleuve Noir.

1966 : *The Curse of Frankenstein* suivi de *The Revenge of Frankenstein,* par John Burke, «The Hammer Horror Omnibus», Londres, Pan Books. (Adaptation des films Hammer de même titre, 1957 et 1958).

1969 : *Frankenstein 69,* par Ed. Martin. Traveller's Companion (États-Unis). Roman érotique.

1970 : *The Adult Version of Frankenstein,* par Hal Kantor, Calga Publishers. Roman érotique.

1972 : *The Frankenstein Wheel,* par Paul W. Fairman.

1973 : *Frankenstein Unbound,* par Brian W. Aldiss, New York, Fawcett-Crest. Traduction française par Jacques Polanis : Frankenstein délivré. Paris, Éditions OPTA, 1975, et «Presses Pocket», n° 5031, septembre 1978.

1974 : *Young Frankenstein,* par Gilbert Peurlman. New York, Balluntine Books. Adaptation du film de même titre réalisé par Mel Brooks en 1974.

1975 : *The Frankenstein Factory,* par Edward D. Hoch.

1975 : *The Cross of Frankenstein,* par Robert J. Myers. Traduction française par Françoise Lévi : *Le Sang de Frankenstein* «Le Masque fantastique» nouvelle série n° 6, Paris, Librairie des Champs-Élysées, 1978.

1976 : *The Slave of Frankenstein,* par Robert J. Myers.

IV. DESSINS ANIMÉS

Le monstre a rencontré toutes les vedettes du dessin animé. Parmi ses apparitions, plus ou moins brèves à leurs côtés, citons :

1933 : *Mickey's Gala Premiere*. Prod. : Walt Disney.

1933 : *Betty Boop's Penthouse*. Réal. : Dave Fleischer.

1934 : *Toyland Premiere*. Prod. : Universal. Réal. : Walter Lantz (série Woody Woodpecker).

1939 : *Sniffles and the Bookworm*. Réal. : Chuck Jones.

1942 : *Frankenstein's Cat*. Prod. : 20th Century Fox. Réal. : Mannie Davis.

1944 : *What's Cookin' doc*. Prod. : 20th Century Fox (série Bugs Bunny. Le monstre apparaît au moins quatre fois dans cette série).

1946 : *The Great Piggy Bank Mystery*. Réal. : Clampett (série Duffy Duck).

1946 : *The Jailbreak*, (série Mighty Mouse).

1960 : *Magoo meets Frankenstein*. Prod. : U.P.A. Réal. : Gil Turner (série Mister Magoo).

1968 : *The Yellow Submarine (Le sous-marin jaune)*. Prod. : United Artists. Réal. : G. Dunning.

V. BANDES DESSINÉES

Ici encore, il faut se limiter aux principales aventures graphiques du personnage.

Sauf indication contraire, il s'agit de fascicules Gd in-8 contenant une histoire complète. A l'exclusion des parodies, imitations, plagiats et des utilisations abusives du nom.

1939 : *Son of Frankenstein*. Collection « Movie Comics », n° 1, New York, National Periodical Publications. Récit complet (publié par les éditeurs de Superman et Batman) qui est l'adaptation fidèle du film Universal de même titre (voir plus haut, Filmographie).

1940-1954 : *The New Adventures of Frankenstein*. *Dessinat.* : Dick Briefer. *Éd.* : Feature Publication. D'abord dans la collection « Prize Comics » puis, à partir de 1945, dans une collection spéciale : « Frankenstein » ont paru 17 fascicules jusqu'en 1949. Publication reprise en 1952, 16 fascicules de plus paraîtront jusqu'en 1954, date de l'application du « code moral des Comics ».

1944 : *The Curse of Frankenstein*. *Éd.* : Marvel Comics. Dans ce fascicule, le monstre est aux prises avec l'une des vedettes du groupe Marvel : le justicier Captain America.

1948 : *The True Story of Frankenstein*. « Detective Comics », 135. *Dessinat.* : Bob Kane. *Édit.* : National Periodical Publications. Le monstre affronte ici les célèbres Batman et Robin.

1950-1955 : Nombreux épisodes de Frankenstein dans les magazines du groupe de presse E. C. Comics : « The Haunt Of Fear », « Tales from the Crypt », « The Vault of Horror », « Shock Suspen Stories ». *Dessinat.* : Graham Ingles, Jack Davis, Reed Crandall.

1950 : *The Return of the Monster.* Coll. « Marvel Tales », 96. *Dessinat.* : Sidney Shores. *Édit.* : Marvel Comics.

1952 : *The Monster.* « Marvel Tales », 102. *Dessinat.* : Paul Reinman. *Édit.* : Marvel Comics.

1952 : *The Monster's Son.* « Strange Tales », 10. *Dessinat.* : James Mooeney. *Édit.* : Marvel Comics.

1952 : *Vampire Maker.* « Adventures into Weird Worlds », 13. *Édit.* : Marvel Comics.

1953 : *Your Name is Frankenstein.* « Menace », 7. *Scénario* : Stan Lee. *Dessinat.* : Joe Manechy. *Édit.* : Marvel Comics.

1954 : *The Lonely Dungeon.* « Mystery Tales », 18. *Édit.* : Marvel Comics.

1959-1960 : *Frankenstein.* Série de fascicules. *Édit.* : Ediçao la Selva (Rio de Janeiro).

1959 : *Frankenstein.* Série concurrente. *Édit.* : Editora Penteado (Rio de Janeiro).

1961 : *Bizarro Meets Frankenstein.* « Superman », 143. *Dessinat.* : Wayne Boring. *Édit.* : National Periodical Publications. Le monstre affronte ici Superman et son acolyte Bizarro.

1965 : *The Curse of Frankenstein.* Inclus dans le magazine « Monster World ». *Dessinat.* : Joe Orlando. *Édit.* : Warren Publications. Adaptation du film du même titre.

1966 : *Frankenstein.* Dans le magazine « Weird », n° 1. *Dessinat.* : Roger Elwood. *Édit.* : Warren Publications. Adaptation fidèle du roman.

1968 : *Frankenstein 68.* Dans le magazine « Monsters Only », n° 6. *Dessinat.* : Jerry Grandenetti. *Édit.* : Majors Magazines.

1968 : *The Mark Of The Monster.* « The X. Men », 40. *Dessinat.* : Don Heck. *Édit.* : Marvel Comics.

1969 : *The Heir of Frankenstein.* « The Silver Surfer » 7.

Scénario : Stan Lee. *Dessinat. :* John Buscen. *Édit. :* Marvel Comics.

1969 : *The Bride of Frankenstein.* Dans le magazine « Vampirella », n° 2. *Dessinat. :* Tom Sutton. *Édit. :* Warren Publications.

1969 : *For the Love of Frankenstein.* Dans « Vampirella », n° 4. *Dessinat. :* Jack Sparling.

1970 : *Master Mind.* « Chamber of Darkness », 7. *Dessinat. :* Tom Sutton. *Édit. :* Marvel Comics.

1971 : *Frankenstein.* Dans le magazine « Psycho », n° 3 (mai). *Dessinat. :* Sean Todd [Tom Sutton]. *Édit. :* Skywald Publishing Corporation.

1971 : *Master and Slave.* « Creatures on the Loose », 12. *Dessinat. :* Sidney Shores. *Édit. :* Marvel Comics.

1972 : *The Brain of Frankenstein.* Inclus dans le magazine « Eerie », n° 40. *Dessinat. :* Mike Ploog. *Édit. :* Warren Publications.

VI. RADIO

La Radio est, de tous les média, celui dont le passé reste le plus difficile à explorer. On indiquera seulement les premières et les plus importantes adaptations, toutes réalisées aux États-Unis.

1932 : *Frankenstein*. Feuilleton en 13 épisodes d'après le roman et certains éléments du film de James Whale. *Interp.* : George Edwards (Frankenstein, le créateur du monstre).

1935 : *The Bride of Frankenstein*. Émission de 15 minutes produite par Universal Pictures et utilisant certaines scènes du film du même titre.

1940 : *Frankenstein*. Émission de 30 minutes. *Prod.* : Columbia Broadcasting System. *Interp.* : Stacy Harris (le créateur du monstre).

VII. TÉLÉVISION

Parmi les premières émissions ou séries produites (à l'exclusion des parodies et plagiats), citons :

1952 : *Frankenstein. Prod.* ABC (États-Unis). *Interp.* : Lon Chaney Jr. (le monstre)

1957 : *Frankenstein. Prod.* : NBC (États-Unis). *Interp.* : Primo Carnero (le monstre). Programme en couleurs.

1958 : *The Face in the Tombstone Mirror. Prod.* : Screen Gems (États-Unis) et Hammer Films (Angleterre). *Réal.* : Curt Siodmak. *Interp.* : Don Megowan (le monstre), Anton Diffring (le créateur). Ce film pilote devait être le premier d'une série *Tales of Frankenstein* qui n'eut pas de suite.

1968 : *Frankenstein. Prod.* : Thames Television (Angleterre). *Interp.* : Ian Holm (le créateur du monstre).

1968 : *Sur les Traces de Frankenstein. Prod.* : Télévision Suisse Romande. *Réal.* : Carlo di Carlo. Diffusion le 21 mai.

1973 : *Frankenstein, the True Story* (Frankenstein). *Prod.* : Universal. *Réal.* Jack Smight. *Interp.* : Michael Sarrazin (le monstre). *Durée* : 3 heures, *Diffusion* : en deux épisodes par FR3 les 20 et 27 novembre 1976.

1974 : *Frankenstein, une Histoire d'Amour. Prod.* : Troisième Chaîne (France). *Réal.* : Bob Thessault. *Interp.* : Gérard Berner (le créateur). *Diffusion* : le 7 mai.

TABLE DES MATIÈRES

ARCHIVES DE L'ŒUVRE

LA LÉGENDE

GF Flammarion

12/11/177330-XI-2012 – Impr. MAURY Imprimeur, 45330 Malesherbes.
N° d'édition L.01EHPNFG0320.C021 – 4ᵉ trimestre 1979 – Printed in France.